나의
아름다운
송백리

나의 아름다운 송백리

김경문 에세이

송백리 이바구 Ⅱ

나의 고향

인생산책

차례

5장

부활의 날갯짓

6장

서울에서 살아내기

추천의 글

눈이 많이 내렸다. 온 천지가 눈 속에서 잠잔다. 생기산(선의산) 꼭대기 원천(源泉)에서 솟아나는 샘. 눈 속에서도 물방울이 맺혀 있다. 송백천 두꺼운 얼음장 밑에는 피라미가 작은 날개를 움직이며 헤엄 연습하고 있다. 눈보라 속에서도 매화는 꽃망울을 틔우고 있다.

오랜 시간, 반세기 동안 보자기에 묶여 보관되어 고이 잠들고 있던 김 군의 보물 상자를 열어 보았다. 이는 잃어버린 반세기 전 모습이다. 꾸밈없는 기록이요 진솔한 역사다. 나의 뇌리에 뚜렷이 남아 있는 진품이다. 지난 날들의 무성 흑백 영화다.

우리 모두 배고픈 시절이다. 많은 자식들 배를 채우기도 버거운 그때, 많은 부모님들은 구부러진 허리를 치마끈으로 추스르며 해내던 자식 교육열은 눈물겹다. 일찍이 아리스토텔레스는 "인간은 태어나면서부터 배움을 갈구한다."고 설파했다. 아무리 배우고 싶어도 부모의 열정이 없으면 자식 공부는 뒷전으로 밀렸을 것이다. 날이 새기 전 피곤한 몸 이끌고 나와 솥가지로 밥을 지어 먹이고, 도시락을 들려 주신 어머니, 혹시 늦을세라 삼성역 쪽으로 등 떼밀던 어머니 마음 누가 알까. 꼬박 한 시간 걸어서 통학 차 타고 등교한 김 군. 학교 갔다 오면 소 먹이고, 소 풀 베고, 쉴 틈 없다. 그런 환경 속에서도 성적은 삼 년 수석을 지켜냈다.

중학교 졸업 후 대구로 유학, 대구 명문 대구상고로 진학한다. 손수 자취를 하고 학생을 가르치며 우수한 성적으로 마치고 상고생들의 선망의 대상인 국책은행 산업은행에 입사, 성공한다. 생기산 산골 피라미가 잉어가 되어 한강물에 진출한다. 과정 하나하나가 폭포를 뛰어오르는 잉어가 되었다.

김 군의 일기는 투박스럽게 기록되어 있다. 보통 결심으로는 일기를 기록하기도 어려운데 기록뿐 아니라 그 노트를 보관해온 열의는 더더욱 상상이 어렵다. 항간에 자기가 태어난 환경을 금수저, 은수저로 탓하는 풍조가 있었다. 수저 탓하는 영혼은 반드시 이 글을 읽어 보고 느껴야 한다.

70년대 초 경부고속도로 개통 후, 일기장에는 멀리 걸어서 구경 가 본 이야기가 있다. 나도 구경 가 본 사람으로 한 마디 하고 싶다. 야당이 결사반대하고 세계고속도로협회장을 초빙하여 검토해 보기로 한다. 헬리콥터로 현장을 돌아본 회장은 "각하! 다니는 차가 없네요." 라고 보고했다. 박정희 대통령은 "맞습니다. 차가 없으니까 먼저 길을 닦아 두어야 차가 다니지요." 하고 단호하게 말씀하셨다. 가끔 이 고속도로 다니면서 막힐 때는 그 어른의 말씀이 생각나고, 막힌다고 짜증 보다는 우리가 그 대통령의 결단으로 이렇게 잘 사는 것에 무한한 자부심으로 느낀다.

이제 보물이 구슬처럼 엮어져 책으로 탄생한다고 하니 내심 기쁘다. 재미보다는 커다란 교훈이 되어 젊은 영혼에 촛불 되기를 바란다. 전체적인 내용에 녹아있는 소중한 가치는 가족과 이웃에 대한 사랑, 그리고 우정과 신뢰, 나아가서 절대자에 대한 철저한 믿음이라고 본다. 자신의 의지로 자신이 하고 싶은 일을 자유롭게 하는 것이 행복이라고 한다. 이 행복이 이 땅에 사는 모두에게 이루어지기를 새해 벽두에 간절히 바라본다.

2021년 3월

용인산장에서 손거울

(한국문인협회 회원/전 한양대 겸임교수)

"기록은 위대하다!"

지난해 가을, SNS에서 한 친구와 대화를 나누다가 문득 이 말이 떠올랐다.

작년 9월 중순에 오랫동안 간직하고 있었던 나의 보물함을 열어보았다.

빛바랜 일기장들을 들춰보면서 까마득하게 잊고 있었던 옛 기억들이 잠자고 있던 뇌리에서 새록새록 피어났다. 1968년, 중학교 1학년 때 국어를 담당하셨던 담임선생님의 권유로 쓰기 시작한 일기는 해가 지나갈수록 양이 늘어나고 깊이가 더해졌다.

며칠 간 정신없이 읽어보니 재미있었다. 그리고 소중함을 느꼈다.

나의 개인 일기이지만 내가 살아온 그 시절의 시대상을 느낄 수 있어서 같은 시대를 살았던 친구나 선후배들에게 옛 추억을 되살려주는 소중한 자료가 될 것 같다는 생각이 들었다. 그리고 자녀들에게도 '우리들은 이런 환경에서 이렇게 살았다' 하고 전해주고 싶었다.

청소년 시절의 부끄러운 내용도 많이 있지만 그 시절의 우정과 갈등, 가족 사랑에 대한 이야기들과, 그리고 취직을 둘러싼 환희와 좌절, 극복을 위한 노력 등 이러한 것들이 독자들에게 작은 힘이 되지 않을까 여겨진다.

또한 청소년 시절에 쓰는 일기는 글쓰기의 기초가 된다고 생각한다. 어린 시절부터 하루를 돌아보며 자신의 행적과 생각을 적어보는 일기를 통하여, 자신의 삶의 방향을 정립하고, 사고를 확장하는 청소년들이 더욱 많아지길 소망한다.

학창시절에 쓴 나의 일기를 읽어보면서 나의 인생을 주관하신 하나님의 따뜻한 손길을 느꼈다. 어려운 환경 속에서 자라난 보잘것없는 철부지 소년을 여기까지 인도하신 분은 분명 하나님이라고 감히 고백하며 감사를 드린다.

금년 9월에 결혼 40주년을 맞게 된다. 40년 동안 희로애락을 함께 한 아내에게 깊은 감사를 드린다. 스스로 노력하여 자신들의 길을 걸어가고 있는 자녀들과 사위, 며느리, 그리고 항상 웃음꽃을 자아내는 세 손녀에게 감사의 말을 전하고 싶다.

2021년 3월
방배동 남천 서재에서

1장.

열차 통학생의 애환

......친구의 가방을 받아서 교문 밖으로 나오니 앞서가던 한 이가 '통근 열차가 왔다.' 하면서 뛰어가고 있었다.

나도 가방 두 개를 양손에 들고 경산역까지 막 뛰어가고 있는데 벌써 열차는 움직이기 시작했다.

개찰구로 나가지 않고 바로 뛰어가서 열차 곁에까지 갔다.

그러자 상급생 형이 가방 한 개를 받아주었다. 그리고는 복잡하니 뒤칸에 타라고 했다. 뒤칸을 기다리는데 열차는 더 빠른 속도로 달렸다. 나는 열차 손잡이를 붙들려다가 그만 열차에 딸려서 열차 아래로 들어가버렸다......

열차 통학생의 애환

1968

4월 2일 (화) 맑음

수업을 마친 후 통학 열차를 타고 집으로 돌아오는 길이었다. 아랫동네에 들어서니 벌써 먼 곳에 땅거미가 지기 시작했다. 그때 앞에서 국민학교에 다니는 동생들이 가고 있었다. 나는 걸음을 빨리 하여 6학년 동생들을 따라갔다. 동생들은 어엿한 중학생이 된 나를 보고 부러워하는 것 같았다. 동생들과 하고 싶던 이야기를 나누면서 우리의 앞날을 생각했다. 주막집 시계를 보니 벌써 7시 30분이었다. 배에서 쪼르륵 소리가 나고, 배가 고파 정신이 희미했다. 그때 6학년생 하나가 나를 놀리려고 밀어서 그만 도랑에 빠지고 말았다. 도랑에 빠진 나는 화가 났다. 벌떡 뛰어나 그 동생의 엉덩이를 두들겨 주었다. 도가 지나친 장난이었지만 나도 이제부터 정신을 단단히 차려서 다녀야겠다.

삼성역

4월 3일 (수) 맑음

하굣길이었다. 오늘도 통학 열차를 타고 삼성역에서 내려 다리 밑의 돌다리를 건너려고 했다. 그런데 뒤에서 오던 2학년 학생이 '문둥이 껍데기!' 하면서 나를 놀렸다. 그래도 나는 못 본 체 하고 갔다. 돌다리를 건너는데 아무 이유도 없이 돌멩이로 물을 쳤다. 옷이 많이 젖었다. 나는 화가 나서 돌멩이를 주워 그 애를 향해 던졌다. 그것을 본 그 애는 돌을 피하면서 돌을 주워 나에게 던졌다. 나는 그냥 서 있었는데 돌에 맞지는 않았다. 나는 그만 눈물이 확 쏟아졌다. 죄 없는 나를 욕하고, 돌로 물을 치며 놀리는 2학년 학생을 볼 때 가슴이 타올랐다. 그 애는 돌을 던지다가 내가 화가 나서 울면서 돌을 집으니까 그만 도망을 쳤다. 나는 다시 만나면 돌멩이로 때리고 말겠다고 굳게 결심했다. 그는 나중에 우리 뒤를 따라왔다. 그때는 이미 때리려는 마음이 사라졌는지 돌멩이도 집히지 않았다.

4월 4일 (목) 맑음

수학 시간만 되면 짜증이 났다. 매일 시험을 치기 때문이다. 오늘도 수학 시간이 있었는데 수학 선생님이 들어오실 때 가슴이 떨렸다. 오늘도 시험지를 갖고 왔다. 수학 시간이 끝날 무렵 선생님께서 시험을 친다고 하셨다. 우리는 일제히 책을 서랍 속으로 집어넣었다. 시험지를 한 장씩 받고 시험을 쳤는데 오늘은 시험 문제가 매우 쉬웠다. 10문제를 푸는데 2분의 시간을 주었다. 워낙 쉬운 문제라서 시간이 끝나기 전에 모두 마쳤다. 시험이 끝나자 옆의 애와 시험지를 바꾸어서 점수를 매겼다. 나는 오늘 처음으로 100점을 받아 매우 기뻤다. 선생님께서 '100점 맞은 사람 손들어!' 하고 소리를 쳤다. 나는 손을 번쩍 들었다. 오늘은 웬일인지 100점 맞은 사람이 좀 많았다. 그리고 70점 이하는 하나도 없었다. 선생님께서는 매우 기뻐하셨다. 나도 매우 기뻤다.

4월 5일 (금) 맑음

오늘은 식목일이다. 우리 1학년은 학교에 가지 않았다. 나는 어제 선생님께서 말씀하신 대로 유실수를 담 밑에 심었다. 구덩이를 파고 흙덩이를 곱게 만든 후 유실수인 고욤나무를 한 그루 심었다. 내년에 감나무 접붙이기를 해야겠다. 형님이 밭에 심고 남은 한 그루였다. 오늘부터 이 고욤나무와 더불어 앞날의 세계를 향하여 나가야겠다. 고욤나무도 나도 더욱 씩씩하게, 힘차게 커 나가야겠다. 나는 나무를 사랑해 가면서 보살펴 주어야지. `나무가 크면 나의 아들들에게 맛있는 열매를 먹도록 해주고, 시원한 그늘도 지워 줄 거야.' 하면서 나무를 심었다.

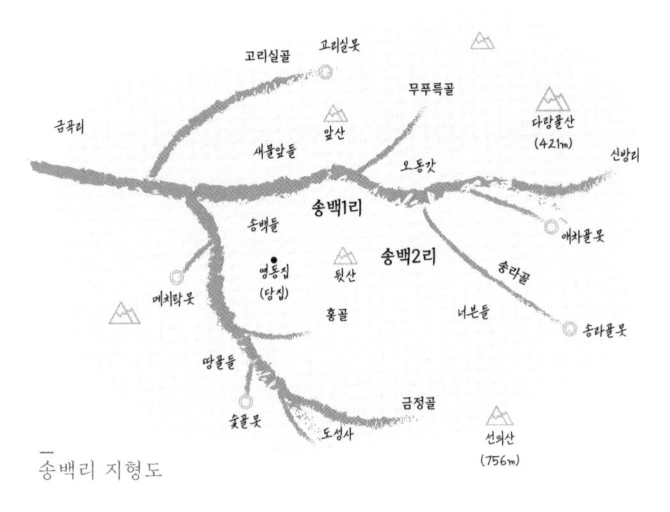

송백리 지형도

4월 6일 (토) 맑음

저녁을 먹고 골목으로 놀러 나갔다. 담배 가게 앞 삼거리에 아이들이 모여 있었다. 아이들은 오늘 저녁에 금정골로 가재잡이를 가자고 했다. 그래서 가재 잡으러 갈 준비를 하였다. 먼저 석유 한 되를 사고, 횃불과 바케스를 준비하여 가지고 갔다. 2, 3학년 형들은 우리보다 먼저 출발했는지 벌써 횃불을 두 개나 켜 들고 가재를 잡는다고 야단이었다. 우리는 다른 골짜기로 갔다. 우리도 횃불을 하나 켜 들고 물속을 들여다보았다. 맑은 물이 흐르고 있었는데 가재 한 마리가 보였다. '야, 가재다.' 하고 가재를 바케스에 주워 담았다. 자세히 보니 물속에서 가재들이 많이 놀고 있었다. 우리는 계속 가재를 잡았다. 한참 가재를 잡다 보니 거의 반 바케스쯤 되었다. 가재를 잡아가지고 집으로 돌아오니 밤 11시 30분이었다. 무척 고단하여 얼른 잠자리에 들었다. 내일 어머니께 가재를 볶아 달라고 해야겠다.

4월 7일 (일) 맑음

아침부터 숙제를 했다. 국어, 영어, 수학 숙제다. 숙제가 많아서 오후까지 하고도 숙제를 다하지 못했다. 예습과 복습을 하며 공부하느라 토끼풀도 뜯지 못했다. 저녁에 어머니에게 토끼풀을 안 뜯었다고 꾸중을 들었다. 다음 주말부터는 시키는 일을 다 해서 엄마의 마음을 풀어 주어야겠다.

4월 8일 (월) 흐림

점심시간이었다. 나는 도시락을 먹은 후 집에서 갖고 온 『작문』이라는 책을 읽었다. 그때 뒤에 앉은 수용이가 내 책상 위에다 분필로 마구 칠을 했다. 그래서 나는 왜 이러느냐고 했다. 그래도 수용이는 분필로 의자까지 마구 칠을 하는 것이다. 나는 잉크가 묻은 분필을 가지고 수용이 책상 위에 한 줄을 그었다. 수용이는 그것을 지워달라고 하였다. 나도 내 책상 위의 것도 지워라 하니까 수용이는 내 모자를 가지고 내 책상 위와 자기 책상 위를 닦아버렸다. 모자가 짱구가 된 것처럼 형편없었다. 나는 모자를 물어달라고 했다. 그러나 수용이는 모자를 그만 내 책상 위에 던졌다. 나는 모자를 들어봤다. 모자는 분필 가루가 묻어 분필 투성이였다. 나는 그만 모자를 뒤에 던져버렸다. 그것을 보고 다른 아이가 모자를 주워 나에게 주려고 했다. 나는 그것을 빼앗아 수용이에게 주며 물어달라고 했다. 수용이는 '그것은 이제 내 책임이 없다.' 하면서 모자를 던져버렸다. 또 다른 아이가 그것을 주워서 왔다. 나는 그것을 받아 수용이에게 물어달라고 하니까 '자꾸 그러면 맞는다.' 라며 겁을 주었다. 나는 그만 눈물이 확 쏟아졌다. 책상 위에 엎드려 모자를 물어달라고 하면서 울었다. 수용이는 '많이 울어라.' 하면서 약을 올렸다.

4월 9일 (화) 흐림

점심 식사를 마친 후 반 회의가 있었다. 우리 반의 한 학생이 극히 가난한데 아버지까지 돌아가셨다고 한다. 그래서 우리 반에서 돈을 조금씩 모아서 가난한 주홍이에게 갖다 줘서 조금이라도 기뻐할 수 있게끔 도와주자는 내용이었다. 반장이 앞에 나가서 10, 15, 20라는 숫자를 칠판에 썼다. 10원, 15원, 20원 중 얼마를 걷으면 좋을까 하고 의견을 물었다. 나는 15원씩을 걷어 갖다주었으면 하는 생각을 했다. 손을 들어서 숫자를 확인을 해보니 10원씩 모아서 갖다 주자는 애들이 제일 많았다. 나는 호주머니에 돈 10원이 있었다. 내일 내가 제일 먼저 이 돈을 내야겠다고 생각했다.

종례 시간에 담임 선생님께서 10원으로는 너무 적다고 하시면서 각자 20원씩 가져오라고 하셨다. 어머니께 10원을 더 달라고 하여 20원을 만들어서 줘야겠다.

첫 체육대회

4월 11일 (목) 맑음

오늘은 아침부터 날씨가 맑았다. 하늘에는 구름이 몇 점 있고, 먼동이 불그스름하게 튼다. 오전에 '오늘은 체육대회 결승을 하니까 준비하라.'는 학교 방송이 울려 나왔다. 넷째 시간을 마치고 운동복을 입고 신을 신으려고 하는데, 내 신발이 한 짝밖에 없었다. 우리 반 신발장을 아무리 찾아봐도 신발 한 짝이 보이지 않았다. 그래서 1반 교실 신발장에 가서 찾아 보았으나 거기에도 없었다. 나는 우리 반 교실에 들어가 있었다. 주번과 또 다른 아이 한 사람이 있었다. 왜 들어오느냐고 물었다. 밖에 나가려고 하는데 신발이 없다고 말했다. 그때 모임을 알리는 종이 울렸다. 주번이 나를 도와 신을 찾아보았으나 찾지 못하여 교실에 앉아 있었다.

운동장에서 조회를 하는 것을 보고 나는 영어 숙제를 했다. 그때 문이 드르륵하고 열리더니 반장이 선수는 빨리 나오라며 나를 불렀다. 나는 신발이 없다고 했다. 신발이 없으면 실내화라도 신고 나오라고 했다. 나는 실내화를 신고 뛰어 나가 우리 반이 응원하는 곳으로 갔다. 그때 마이크로 '달리기, 포환던지기, 넓이뛰기 선수들은 그 장소로 모이세요.'라고 하였다. 나는 넓이뛰기를 하는 곳으로 뛰어갔다. 릴레이 경기가 곧 시작되었다. 우리 반 선수가 단번에 선두로 달려나가고 1반, 3반, 4반 선수들은 모두 뒤떨어졌다. 그런데 우리 반 세 번째 선수가 바통을 넘겨주다가 그만 다른 선수의 발을 밟아 넘어져 꼴찌가 되어버렸다. 참 억울했다. 그때 '넓이뛰기 선수 모여!'라는 방송을 듣고 나는 넓이뛰기 선수들의 둘째 줄에 섰다. 나의 힘대로 뛰어서 우리 반이 우승컵을 타도록 해야겠다고 다짐을 했다. 드디어 내 차례가 되었다. 나는 용기를 내어 세 번 뛰었다. 평균 2m 20cm 이상 뛴 것 같다. 구기에서 우리 반은 두 종목 다 져 버렸다. 참으로 안타까웠다. 결국 우승컵은 4반이 차지하였다.

4월 12일 (금) 맑음

수업을 마치고 열차를 탔다. 혼자 열차를 타고 가려니 퍽 심심했다. 그래서 먼산을 바라보았다. 산기슭에 불그스름하게 진달래가 피어 있어 '야!' 하면서 소리쳤다. 먼산의 진달래가 사람의 마음을 즐겁게 하고 기쁘게 하는 것을 볼 때 나의 마음도 참 기뻤다. 길가에 코스모스를 심는 것도 사람들의 마음을 감동시킬 것이다. 나도 이제부터 꽃을 꺾지 않는 마음을 길러야 되겠다고 다짐했다. 꽃을 많이 심어 온 동네 사람들이 좋아하도록 해야겠다.

4월 13일 (토) 맑음

오늘도 열차를 타려고 경산역으로 가는데 산비탈에 진달래가 많이 피어있었다. 우리가 타고 갈 열차는 급행열차를 위해 대피하고 있었다. 열차에서 내린 학생들이 새까맣게 산으로 올라가고 있었다. 열차가 대기하고 있는 동안 진달래꽃을 꺾고자 하는 것이었다. '매일 즐겁게 기쁘게 해 주는 진달래꽃을 꺾어버리면 어떻게 하나?' 하는 생각이 들었다. 급행열차가 지나갔다. 학생들은 열차를 타려고 산에서 밭으로 질러 내려오다가 밭에 있는 채소를 마구 밟았다. 나는 학생들의 철없는 행동에 화가 났다.

4월 14일 (일) 맑음

어머니께서 오늘은 외가에 가신다고 하셨다. 나에게 오전에 밭을 좀 매고, 오후에 공부를 하라고 하셨다. 나는 형님과 함께 밭을 매러 갔다.

동생도 버들강아지를 따러 갔다. 처음 밭을 매니까 재미가 있었다. 그러나 한참 매다보니까 허리도 아프고 손도 아팠다. 또 잡초가 많아서 힘들고 귀찮았다. 오전에 밭을 다 매야 하는데 풀이 많아서 절반만 매었다. 다른 밭에서 일하던 사람들은 모두 집으로 가버렸고, 또 어떤 사람은 논에 쟁기질을 하러 오기도 했다. 오후에는 마실 물을 길어 놓고 숙제를 했다.

1970년대 송백1리 가구 배치도

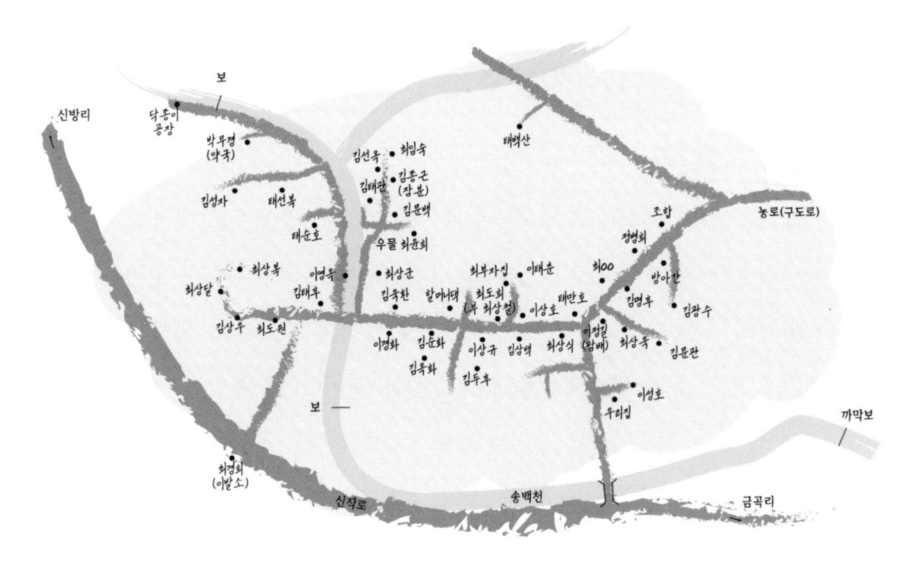

4월 15일 (월) 맑음

학교 수업을 마치고 배구부원들이 배구 연습을 하는 곳에서 구경을 했다. 배구부원들은 선생님에게 꾸중을 받아가면서 열심히 연습을 하고 있었다. 처음에 1번 선수부터 서브를 넣었다. 공이 선(라인) 조금 밖에 떨어졌다. 2번 선수는 선(라인) 안에 맞았다. 3번 선수와 5번, 6번,

7번 선수들도 직통으로 들어맞았다. 1번 선수는 꾸중을 들었다. 두 번째에는 전부 다 잘 되었다고 칭찬을 받는 것을 보았다. 그 다음에는 때리기(공격)와 서브 받기 연습도 하였다. 나는 마음속으로 '이번에 대결할 중학교는 꼭 이겨서 우리 학교의 명예를 날려야 될 텐데……' 하고 생각했다.

1970년대 송백2리 가구 배치도

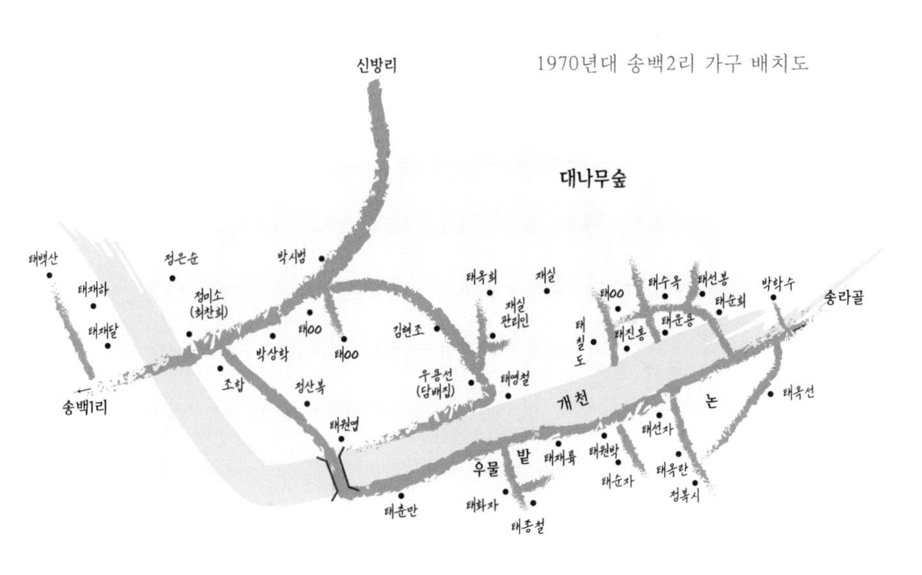

4월 16일 (화) 흐림

집으로 돌아오는 열차를 타고 삼성역에서 내리니 비가 제법 많이 내리고 있었다. '우산이 없어서 집에 어떻게 가지?' 하고 걱정을 하고 있었다. 그때 뒤에서 '여기 들어와!' 하고 문석 형이 우산을 받들고 나를 불렀다. '이제 집까지 갈 동안 비를 덜 맞겠구나.' 하는 생각을 했다. 시내를 건너가니 이슬비로 바뀌더니 곧 비가 그쳤다. '이제 비가 안 오니까 혼자 걸어갈 테야.' 하고 우산 밑에서 나왔다. 뒤에 아이들이 몰려왔다. 우리들은 서로 이야기를 하면서 재미있게 집으로 가고 있었다. 그런데 아랫동네의 못된 아이들이 우리들을 막 놀렸다. 키도 조그만 녀석이 까부는 것을 보면 때릴 수도 없고 해서 '야, 까불지 마라.' 하고 타일러 주었다. 그래도 그 애들은 자꾸 그러는 것이다. 저 아이들이 저렇게 구는 것은 어른들로부터 교육을 잘못 받았기 때문일 것이다. 나도 이제부터 동생에게 고운 말로 대해 주어야겠다. 이번 주일 주훈은 '바른 말, 고운 말을 쓰자' 라고 했다. 동생이나 친구, 손윗사람에게 바른 말, 고운 말을 써야 우리나라도 머지않아 바르고 고운 나라가 될 것이다.

4월 17일 (수) 비

오늘 다섯 번째 수업 과목은 '실업'이었다. 책과 노트를 준비해 놓고 선생님을 기다렸다. 이윽고 실업 선생님이 우리 교실을 향해 걸어오고 있었다. 선생님이 교실에 들어오자 주번이 '차렷! 경례!' 했다. 그런데 나도 모르게 거수경례를 해 버렸다. 인사가 끝나자 선생님께서 '거수경례한 사람 나와!' 했다. 나는 몸이 부르르 떨렸다. '내가 왜 거수경례를 했던고……' 선생님께서는 반장에게 사무실에 있는 매를 가져오라고 하셨다. 반장은 꼬챙이를 가지고 왔다. 그리고 선생님께서는 '이리와!' 하고 매로 종아리를 때렸다. 내가 잘못해서 그런지 덜 아픈 것 같았다. 선생님께서는 '이제 몇 번째야?' 하고 물으셨다. 나는 '처음입니다.' 했다. 선생님께서는 농담을 좀 하시더니 들어가라고 하셨다. 나는 인사하고 자리에 앉았다. 다음부터는 그런 짓을 하지 말아야겠다고 다짐했다.

경산역

4월 18일 (목) 맑음

수업을 마치고 경산역으로 열차를 타러 갔다. 사람들이 많았다. 개찰구로 나가서 열차가 오기를 기다렸다. 이윽고 열차가 멀리서 고개를 들기 시작했다. 사람들은 모두 보자기를 들고 열차 탈 준비를 했다. 열차가 멈추자 모두 열차에 들어갔다. 열차에 오르려다가 앞칸을 보니 빈자리가 많이 있는 것이 보였다. 그래서 그 칸에 타려고 가니까 차장 아저씨가 그 칸은 특실이라며 못 타게 하였다. 나는 다시 처음에 타려고 했던 칸에 타려고 서 있는데 열차가 떠나기 시작했다. 그래서 얼른 앞칸으로 뛰어가서 열차를 탔다. 조금 있으니 앞칸에 탔던 사람들이 차장들에게 쫓겨 뒤칸으로 밀려나오고 있었다. 나도 뒤칸으로 갔다. 2등실의 의자에 기대어 있으니 내가 제일 뒤가 되었다. 차장은 '요놈 학생들까지 화를 내게 만드네.' 하면서 나를 마구 밀쳤다. 나는 밀려서 자꾸 뒤로 나갔다. 이윽고 삼성역에 도착했다. 모두 열차에서 내리면서 차장 욕을 마구 했다. 오늘과 같은 일은 처음 있었다. 다음부터는 조심을 해서 타도록 해야겠다.

4월 19일 (금) 맑음

오늘 아침 조회시간에 다섯 번째 시간 수업을 마치고 교내 웅변대회를 한다고 하셨다. 이윽고 다섯 번째 수업이 끝나자 비상 종소리가 요란하게 울렸다. 나는 모자를 쓰고 운동화를 신고 운동장으로 뛰어나갔다. 모두 줄을 맞춘 후 그 자리에 앉았다. 웅변 선수들은 앞에 서 있었다. 생활 지도 선생님께서 '지금부터 웅변대회를 시작하겠다.'고 선언한 다음 채점에 대한 말씀을 하셨다. 첫 번째로 상고 1학년 형이 나와서 웅변을 하였다. 부드러운 말씨와 씩씩한 용기에 정신 없이 들었다. 두 번째는 우리 반 아이 차례였다. 그 아이는 '사회 정화는 예의로부터!'라는 제목으로 웅변을 했다. 1학년이면서도 음성의 높고 낮음을 잘 표현했다. 그리고 뒤에 앉아있는 사람도 잘 들리도록 목소리도 크게 하였다. 이어서 2학년, 3학년, 1학년들이 웅변을 하였다. 나도 저 애들처럼 다음에 꼭 한번 웅변대회에 나가보고 싶다.

4월 20일 (토) 맑음

오늘은 경산군과 청도군의 중고등학생 친선 체육대회가 우리 학교에서 열리는 날이다. 그래서 우리 학교 학생들은 학교에 나가지 않아도 되었다. 구경을 하고 싶은 학생은 구경을 하면서 다른 학교 아이들이 나쁜 일을 하지 않는지 지켜보라고 선생님께서 말씀하셨다.

나는 어머니께 오늘 학교에 안 나간다고 말씀드렸다. 어머니께서는 잘 되었다고 하시며 오늘은 시장에 가야 된다고 하셨다. 나에게 소 풀을 뜯어놓고 공부를 하라고 하셨다. 어머니께서 시장에 나가신 후에 나는 소쿠리와 낫을 가지고 시냇가로 나갔다. 시냇가에는 벌써 파란 풀들이 머리를 들고 있었다. 나는 소 풀을 뜯으면서 '우리 학교 선수들이 우승을 해서 명예를 날려야 될 텐데……' 하는 생각을 했다.

4월 21일 (일) 맑음

오늘도 어제와 같이 소 풀을 베러 나갔다. 동생도 나를 따라 냇가로 오고 있었다. 냇가의 우묵한 곳에 파란 쑥이 많이 있었다. 그래서 그곳에 가서 풀을 뜯고 있으니까 동생이 버드나무가지를 꺾어 가지고 와서 버들피리를 만들어달라고 졸랐다. 나는 풀 베던 것을 멈추고 낫으로 버드나무 가지를 자르고 뒤틀어서 버들피리를 하나 만들어 주었다. 동생은 좋아라 하며 또 버드나무 가지를 꺾어왔다. 나는 또 하나를 만들어 주고 있는데, '야, 꽃!' 하며 동생이 소리를 질렀다. 조금 먼 돌무더기 위에 하얀 꽃이 많이 피어있었다. 동생은 꽃을 꺾으러 뛰어갔다. 나도 만들고 있던 버들피리를 소쿠리에 담아놓고 꽃이 있는 곳으로 가보니 두엄 무더기 아래 쪽에 냉이가 많이 나 있었다. 그 냉이를 캐고 있으니까 동생은 '형, 꽃을 많이 꺾었어. 형도 꺾어.' 했다. 일어나서 동생을 쳐다보니 동생은 한아름의 꽃을 안고 서 있었다. 나도 동생과 같이 꽃을 꺾었다. 꽃을 꺾으며 생각해보니 '우리 반 교실 꽃병에는 꽃이 다 시들었는데……' 하는 생각이 들었다. 내일은 꼭 학교에 꽃을 가지고 가서 꽃병에 꽂아야 하겠다.

4월 22일 (월) 맑음

아침에 조회를 알리는 종이 울리자 나는 신발을 신고 운동장으로 뛰어 나갔다. 모두 줄을 서서 선생님들이 나오기를 기다렸다. 이윽고 교장 선생님을 비롯하여 여러 선생님들께서 나오셨다. 교장 선생님께서 조회대 위로 올라오셔서 오랫동안 훈시 말씀을 하셨다. 훈시 말씀을 듣고 있는데 배가 살살 아팠다. '이제 곧 마칠까?' 하는 생각을 해 봤지만 아무리 있어도 교장 선생님의 말씀은 끝이 나지 않았다. 나는 배를 움켜쥐고 마구 주물렀다. 배는 아프고 정신이 없었다. '이러다가 빈혈 걸리겠다.' 하는 생각이 났다. 그때 체육 선생님께서 우리 반 뒷줄로 오고 계셨다. 그래서 나는 뒤로 나가서 선생님께 말씀 드렸다. 선생님께서는 현관 쪽으로 가라고 손짓을 하셨다. 나는 얼른 뛰어서 화장실에 들어갔다. 대변을 보고 나니까 배가 덜 아팠다. 그리고 그늘에 앉아서 쉬고 있으니 정신이 좀 들었다. 대변을 본 후 그늘에서 오랫동안 앉아 있어도 아침 조회는 끝나지 않았다.

4월 23일 (화) 맑음

수업을 마치고 열차를 타러 갔다. 경산역으로 가는 길에서 우리 학교 아이들을 만났다. '완행열차가 갔느냐?' 하고 물으니 '벌써 갔다.'고 하였다. '그러면 화물열차를 타고 갈래?' 하고 물으니까 '그럼, 그것 타고 가자.' 했다. 우리가 경산역에 가니 화물열차가 대기하고 있었다. 그때 두 아이가 뛰어오더니 '화물열차를 타고 가다가 삼성역에 서지않아 혼났다.'라고 하면서 타지 말라고 했다. 그래서 우리들은 학교에 숙제를 하러 갔다. 1학년 1반 교실에 들어갔다. 1반 아이 셋과 나를 합쳐 모두 4명이 숙제를 한참 하고 있는데 1반 담임 선생님께서 '야, 너희들 거기서 뭐해!' 하는 소리에 깜짝 놀라 펜을 놓았다. 그때 한 아이가 '숙제를 하고 있습니다.' 하고 말했다. '너희 네 명은 내일 실내화가 없어지면 너희가 물어야 한다.' 하고 말씀하셨다. 우리는 마음이 아찔했다. 그래서 숙제를 조금 하다 말고 가방을 들고 밖으로 나왔다.

4월 24일 (수) 맑음

아침에 조회를 알리는 종이 울렸다. 모두 운동장으로 나오니 오늘 오후에 조총련이 일본 도쿄에 조선대학교를 세우는 것을 반대하는 궐기대회를 한다고 말씀하셨다. 이윽고 넷째 시간을 마치자 비상 종이 울렸다. 모두 교모를 쓰고 운동장으로 나가서 열을 지었다. 국민의례를 마친 후 조총련의 대학 설립에 대한 여러 사람들의 성토가 있었고, 교장선생님의 말씀과 구호 외치기가 있었다. 나는 조총련이 도쿄에 조선대학교를 세우는 것을 절대 반대한다. 조선대학교를 세우면 북한 괴뢰들이 학교를 통하여 우리나라를 마구 삼키려고 할 것이므로 반대하지 않으면 우리나라가 크게 흔들릴 것이다.

4월 25일 (목) 맑음

오늘은 경산 읍내 5일장이 서는 날이다. 수업이 일찍 끝났기 때문에 완행열차를 탈 수 있었다. 개찰구로 나가서 열차를 기다리고 있을 때 '학생들은 이 열차를 타지 말고 다음에 오는 통근 열차를 타라.' 하는 안내 방송이 나왔다. 우리는 그래도 플랫폼에 서 있었다. 그때 역장이 와서 열차를 못 타게 했다. 그래서 우리는 윗길로 가서 밖으로 나오려고 가고 있는데 곧 열차가 역에 도착하여 사람들이 열차에 오르기 시작했다. 나는 윗길로 가는 척 하다가 건너편으로 가서 제일 앞 칸에 탔다. 열차가 얼른 출발하기를 바라고 있으니 열차는 곧 출발하기 시작했다. 앞으로 복잡한 장날 같은 날에는 이 시간의 열차를 타지 말아야지 하는 생각을 했다.

4월 26일 (금) 맑음

오늘도 열차를 타러 경산역으로 가고 있는데 '꽤액~~'하는 열차 소리가 들렸다. '완행열차인가?' 하고 나는 동무와 같이 경산역으로 뛰어갔다. 경산역에 가보니까 1007 열차가 막 떠나려고 준비를 하고 있었다. 우리가 화물칸 쪽으로 가니 사람이 타는 객실이 한 칸이 있었다. 그 안에는 어떤 아저씨가 혼자 앉아 있었다. 우리들은 아저씨에게 '이 열차를 타도 되나요?' 하고 물어 보았다. 그 아저씨는 '어디까지 가는가?' 하고 묻더니 '다음 역에 설 것이다.' 라고 말씀하셨다. 우리는 열차에 올라갔다. 자리가 텅 비어 있어서 우리는 한 자리에 한 사람씩 앉았다. 조금 있으니까 차장 아저씨가 들어오더니 학생들은 모두 나가라고 했다. 우리는 할 수 없이 열차에서 내렸다. 조금 있으니 삼성역의 역장 님이 오셨다. 역장 님은 '너희들은 왜 열차를 안 타느냐?' 하고 말씀하셨다. 그래서 열차 문을 열고 들어가려고 하니 아까 그 아저씨가 자기까지 쫓겨난다고 하면서 출입문 바깥에서 타고 가라고 하셨다. 우리는 출입문 바깥에 서 있으니 상급생 형들이 왔다. 상급생 형들과 함께 객실 안으로 들어가니 이젠 그 아저씨가 나무라지 않았다. 그래서 오늘은 아주 편히 자리에 앉아서 삼성역까지 오게 되었다.

4월 27일 (토) 흐림

오늘은 봄소풍 가는 날이다. 아침부터 날씨가 흐리고 비가 올 듯 했다. 아침을 먹고 학교에 가려고 삼성역으로 열차를 타러 갔다. 열차를 기다리는 데도 날씨는 계속 꾸물꾸물하고, 갤 것 같지 않았다. 우리 학교 학생들은 모두 즐거운 얼굴들이었다. 열차를 타고 학교에 가서 아침 조회를 했다. 교장 선생님의 말씀과 생활지도 선생님의 주의 말씀을 듣고, 1학년 1반부터 출발했다. 목적지는 밤나무 숲이다. 밤나무 숲에서 중학교 1학년부터 고등학교 1학년까지 모여서 노래자랑을 했다. [고등학교는 금년에 처음으로 학생을 모집하여 1학년 밖에 없었다.]

첫 번째와 두 번째는 우리 반 아이들이 노래를 불렀다. 처음 노래를 부른 아이는 노래가 좀 어색한 것 같았으나 두 번째 아이는 흉내를 내면서 노래를 잘 불러서 학생들로부터 박수갈채를 받았다. 3반 아이도 멋들어지게 노래를 잘 불렀다.

4월 28일 (일) 맑음

내일 모레는 월정 고사를 친다고 선생님께서 여러 번 말씀하셨다. 오늘은 공부를 좀 해야겠다고 생각했다. 아침에 어머니께서 산나물을 뜯으러 가신다고 하기에 더욱 좋은 때라고 생각했다. 그러나 서랍에서 뭘 찾으려고 하다가 서랍 안에 있는 잡동사니를 버리고, 또 서랍을 정리하다가 점심 때가 되었다. 동생이 집으로 와서 동생과 같이 점심을 먹었다. 오후에 공부를 좀 하다가 토끼풀을 뜯고, 소 죽을 끓였다. 그리고는 마루와 마당을 깨끗이 쓸고, 쓰레기를 치웠다. 어머니께서 산나물을 뜯어 집에 들어오시면서 마당을 깨끗이 잘 쓸었다고 칭찬을 했다.

생사를 오간 열차 사고

4월 29일 (월) 맑음

오늘은 수업을 마친 후 학교에서 숙제를 했다. 나와 우리 반 아이 하나, 1반 아이 하나, 이렇게 셋이 모두 숙제를 열심히 했다. 오랫동안 숙제를 하다가 열차를 타려고 밖으로 나왔다. 그때 같은 마을의 2학년 친구가 나에게 식수대에서 물을 마시고 올 테니 가방을 좀 맡아달라고 했다. 친구의 가방을 받아서 교문 밖으로 나오니 앞서가던 한 이가 '통근열차가 왔다.' 하면서 뛰어가고 있었다. 나도 가방 두 개를 양손에 들고 경산역까지 막 뛰어가고 있는데 벌써 열차는 움직이기 시작했다. 개찰구로 나가지 않고 바로 뛰어가서 열차 곁에까지 갔다.

그러자 상급생 형이 가방 한 개를 받아주었다. 그리고는 복잡하니 뒤칸에 타라고 했다. 뒤칸을 기다리는데 열차는 더 빠른 속도로 달렸다. 나는 열차 손잡이를 붙들려다가 그만 열차에 딸려서 열차 아래로 들어가버렸다. 나는 정신이 하나도 없었다. 하느님께서 도와주셨는지 모르지만 플랫폼 아래에 딱 붙어서 엎드려 있었다. 열차가 다 지나간 후 일어나니 열차에서 내렸던 학생들이(대구로 통학하는 학생들) 우루루 몰려들었다. 그때 고등학교에 다니는 한 학생이 같이 가자고 했다.

플랫폼 위로 올라오니까 숨이 답답했고, 신발에는 기름 같은 게 묻어 있었다. 그때 가던 열차가 서는 것 보였다. 나는 그 고등학생을 따라가고 있으니까 다른 학생들이 도망가라고 타일렀다. 나는 모른 체하고 열차가 안 보일 때쯤 마구 달려 학교에 와 있으니 아까 본 그 고등학생이 나를 불렀다. 그 학생은 나를 경산지서로 데리고 갔다. 그리고 그 학생은 내가 당한 사고를 순경에게 본 대로 말해 주었다. 순경 아저씨는 버스를 타고 집으로 가라고 하시며 근무를 계속하는 것이었다.

조금 있으니 어떤 군인 아저씨께서 오시더니 '아직도 안 갔느냐?' 하시더니 식당에 데리고 가서 밥을 사 주셨다. 식당에서 저녁을 먹고 나오니 남천으로 가는 마지막 버스가 오고 있었다. 군인 아저씨께서는 돈 20원을 주시면서 버스를 타고 집으로 가라고 하셨다. 버스 정류장으로 막 뛰어가니 탈 사람과 내릴 사람이 없는지 버스는 정류장에 서지 않고 곧장 가 버렸다. 나는 다시 지서로 되돌아왔다. 군인 아저씨께서는 '또 버스 못 탔느냐?' 하시면서 따라오라고 했다. 그 아저씨를 따라가니까 여관에 들어가려고 했다. 나는 집에서 걱정한다고 하면서 집으로 가려고 했다. 그 아저씨는 '오늘은 집에 가기 힘들겠다.' 하시면서 여관으로 데리고 들어갔다. 아저씨는 여관집 주인에게 나를 맡겨놓고 가셨다. 나는 발을 씻고 방에 들어갔다. 독방이었다. 자리에 누워서 오늘의 사고를 생각하다가 잠이 들었다.

4월 30일 (화) 맑음

아침 일찍 여관에서 일어나 얼른 세수를 했다. 오늘이 월정 고사를 보는 날이라고 하신 선생님의 말씀이 기억나서 책을 폈다. 오랫동안 공부를 하고 있으니 조반이 들어왔다. 식사를 한 후 여관 주인에게 인사를 하고 나왔다. 학교를 향해 가는 길에 경산교에서 나를 기다리고 있는 큰형님을 만났다. 왈칵 눈물이 났다. 큰형님은 나를 보더니 '다친 데는 없느냐? 어디에서 잤느냐?' 하고 물었다. 나는 어제의 사건을 대강 말해주고 학교로 갔다. 학교에 가니까 동무들도 '어제 어떻게 된 거냐?' 하며 묻기도 했다. 아침 조회 때 선생님께서 월정 고사는 내일 치른다고 말씀하셨다.

5월 1일 (수) 맑음

아침에 선생님께서 오늘 다섯 번째 시간에 월정 고사를 친다고 말씀하셨다. 드디어 다섯 번째 시간이 되었다. 시험지를 든 선생님께서 들어오셔서 시험지를 나누어 주었다. 나는 시험지가 돌려질 때 어떤 문제가 나올까 하면서 마음을 가라앉히고 시험지를 천천히 훑어보았다. 그리 어려운 문제가 아니었다. 얼마 동안 문제를 풀고 있으니 어떤 아이들은 벌써 다 마쳤다며 시험지를 선생님께 제출하고 있었다. 나는 문제를 다 풀었지만 종이 칠 때까지 문제 답안을 몇 번이나 확인해 보았다.

5월 2일 (목) 맑음

아이들이 어제 쳤던 월정 고사 문제를 서로 맞추어 보기도 하고, 모르는 것은 책을 펴서 찾아보기도 하고 있었다. 나도 책을 꺼내서 맞추어 보니 점수가 몇 점 안 되는 것 같다. 선생님께서 점수가 60점 이하가 되면 벌을 받을 거라고 말씀하셨다. 나는 과연 몇 점을 받았을까 하는 호기심이 생겼다. 시험 점수 발표날이 언제일까 하면서 책을 뒤적거렸다.

5월 3일 (금) 맑음

아침 자습 시간에 드디어 월정 고사 시험 점수를 발표했다. 교실 뒤편의 게시판에 시험 점수가 적힌 종이를 붙여 놓았다. 아이들이 뒤로 몰려와서 서로 그 종이를 보려고 밀고 당기고 야단을 쳤다. 나도 아이들 틈에서 나의 번호를 찾아보니 '74'라는 점수가 쓰여 있었다. 다른 아이들이 내 점수를 보더니 모두 칭찬을 했다. 아이들은 우리 반에서 점수가 가장 좋은 아이가 나라고 하면서 칭찬을 많이 해주었다.

5월 4일 (토) 흐림

학교 수업을 마치고 열차를 타러 경산역으로 갔다. 경산역에는 벌써 완행열차 개찰을 하여 모두 탈 준비를 하고 있었다. 나도 개찰을 하고 플랫폼에서 오랫동안 기다렸지만 열차가 오지 않았다. 그래서 동무들과 같이 학교로 물을 마시러 갔다. [학교와 경산 역은 약 1km 정도의 근거리에 위치하였다] 동무들이 '열차가 왔다.' 하더니 물을 조금 마시고는 막 뛰어갔다. 우리 모두 가방을 들고 경산역으로 막 뛰어가고 있는데 열차는 벌써 출발하고 있었다. 나는 기차를 타려는 생각을 버렸다. 며칠 전에 있었던 사고가 생각났기 때문이다. 그래도 아이들은 움직이고 있는 열차를 잡아 타기도 했다. 나와 다른 한 동무만 못 타고 다들 열차를 타고 간 것이다. 나는 그 동무에게 학교에 가서 숙제를 하고 가자고 하면서 교실에 들어가서 공부를 하였다.

5월 8일 (수) 맑음

오늘 국어 시간 때의 일이다. 담임 선생님께서 우리를 둘러보시더니 '우리 반에 장난꾸러기 때문에 자리를 좀 바꿔야겠다.'고 하셨다. 장난이 심한 아이들은 모두 자리를 바꾸어 주셨다. 나도 '뒷자리에 앉은 용태가 공부 시간에 자꾸 귀찮게 하며 공부를 못하게 합니다.' 하니까 선생님께서 나를 천호기와 자리를 바꾸어 주셨다. 자리를 바꾸니 공부가 더 잘 되는 것 같다.

5월 10일 (금) 맑음

오늘 아침에 선생님께서 다음 주 16일과 17일에 중간고사를 친다고 하셨다. 나는 시간표를 보고 공부 계획을 세웠다. 월-영어, 화-수학, 수-과학, 목-국어, 금-사회, 토-실업, 이렇게 정하고, 공부를 알차게 해야겠다고 결심했다. 매일 목표를 가지고 꾸준히 공부를 하여 중간고사에서도 우수한 성적을 얻도록 노력해야겠다.

5월 11일 (토) 맑음

오늘은 집에서 숙제를 했다. 예습과 복습이 중요하다는 것을 절실히 느꼈다. 16~17일에 있는 중간고사 시험을 위하여 복습을 해야겠다는 생각을 했다. 그러나 워낙 숙제가 많아서 복습할 시간이 많지 않았다. 그렇지만 밤 시간도 있으니까 밤에 열심히 해야겠다.

5월 15일 (수) 맑음

오늘은 스승의 날이다. 오늘만이라도 선생님의 말씀을 잘 듣고, 선생님을 기쁘게 해 드려야겠다. 아침 조회 시간에 선생님께서 오후에 선생님들과 학생들의 친선 배구 시합이 있다고 말씀하셨다. 오후에 학생들이 모두 모였다. 선생님들께서 교무실에서 나오셔서 자리에 앉으셨다. 학생 대표의 구령에 따라 국민의례를 한 후 스승에 대한 감사의 글도 읽고, 스승님에 대한 선물 증정 행사도 했다. 그 다음에는 스승과 학생과의 친선 배구 시합을 하였다. 우리 반 선생님은 학생의 모자와 신발을 신으셨다. 스승과 학생의 친선 배구 시합 후 모든 행사가 끝났다. 오늘은 선생님의 은혜에 대한 감사의 마음도 생기고, 선생님의 사랑을 새삼스레 느낀 하루였다.

5월 16일 (목) 맑음

오늘은 중간고사를 치르는 날이다. 아침에 학교에 가는 길에서도 공부한 내용을 요약한 쪽지를 보면서 다 못한 공부를 했다. 드디어 첫 번째 시간 종이 울렸다. 마음이 얼떨떨하다. 이제까지 한 공부를 오늘 잘 발휘해야 할 텐데 하며 국어 시험지를 받았다. 시험지를 보니까 문제가 매우 어려워 보였다. 나는 처음부터 쭉 문제를 풀어나갔다. 어떤 것은 모르는 것도 있었다. 두 번째 시간은 영어였는데, 영어는 좀 쉬운 것 같다. 답안지에 답을 다 써 놓고 오랫동안 기다리니까 종이 울렸다. 세 번째 시간에는 사회 문제였다. 얼른 보니 지도가 2개 그려져 있었다. 자세히 읽어 보니 처음 지도는 '도 이름 써 넣기' 였다. 그 다음 문제는 '푄엔 바람'에 대한 것이었다. '푄엔 바람'에 대한 답은 틀리게 쓴 것 같다. 그 다음을 보니까 '우리나라 주요 산의 이름 써넣기'였다. 어떤 것은 좀 알겠는데 어떤 것은 기억이 나지 않았다. 시험을 마치고 우리 교실로 돌아왔다. 오늘의 평균 점수는 얼마 되지 않을 것 같다. 내일은 더 열심히 노력을 해서 점수를 올려야 하겠다.

5월 17일 (금) 맑음

오늘도 중간고사 시험을 치렀다. 오늘은 수학, 과학, 실업 과목이다. 첫 번째 시간에는 수학 시험을 쳤는데. 수학은 계산하는 문제와 응용문제가 나와 있었다. 계산 문제는 좀 하겠는데 응용 문제는 좀 어리둥절하다. 과학은 처음에는 좀 쉬운 것 같았으나 뒷부분에는 시간이 없어서 많이 못 풀었다. 실업 시간에는 참 쉬운 것 같았지만 몇몇 문제는 어려웠다. 오늘도 시험을 망친 것 같다.

5월 20일 (월) 맑음

'오늘은 시험 결과를 발표할까?' 생각하며 학교에 갔다. 학교에 가니 아이들은 서로 몇 점이나 받게 될까 하며 근심을 하는 것이었다. 나도 그런 생각을 했다. 상급생의 말을 들어보니 85점 이상의 점수를 받으면 상을 받는다고 하였다. 나는 상은 커녕 50점 이하를 맞지 않을까 하는 걱정을 했다. 얼른 시험 결과를 발표했으면 좋겠다.

5월 24일 (수) 맑음

오늘 실업 시간 중이었다. 옆 반인 3반은 체육 시간이었다. 공부를 재미있게 하고 있는데 3반에서 큰 소리로 아프다는 소리를 내며 '왜 때리냐?' 하는 소리가 들렸다. 우리 반 아이들은 모두 웃음을 터뜨리고 말았다. 선생님께서는 소란을 피운 3반 애들을 붙잡아 와서 두 아이의 종아리를 매로 때리고는 돌려보내셨다. 다시 수업을 하고 있는데 내 앞에 앉은 전태영이 방귀를 크게 뀌어서 또 웃음바다가 되어버렸다. 선생님께서는 다시는 그러지 말라며 타이르셨다. 나도 그런 실수가 없도록 조심해야겠다.

5월 25일 (토) 맑음

아침 조회 시간에 선생님께서 오후 종례 시간 때 중간고사 성적표를 나누어 주시겠다고 하셨다. 그리고 1학년 1반에는 점수를 제일 잘 받은 아이가 84점이고, 3반은 81점이나 된다고 하시면서 우리 반은 최고 점수가 78점이라고 말씀하셨다. 나는 정신이 아찔했다. 드디어 수업을 마치고 종례를 하면서 선생님께서 성적표를 나누어 주시며 집에 가서 학부모의 도장을 받아오라고 하셨다. 나도 성적표를 받아 들고 살며시 들여다 보니 평균이 78점이고, 학급 석차는 2/61로 표시되어 있었다. 다음에는 더욱 열심히 공부해서 85점 이상으로 성적을 올려야겠다는 각오를 했다.

5월 27일 (월) 맑음

오늘 점심시간의 일이다. 나는 교실에서 영어 숙제나 하고, 밖에 나가지 말아야겠다고 생각했다. 옆자리의 노식이도 영어 숙제를 하고 있었다. 나는 노식이의 큰 분필을 빌려서 흘린 잉크를 닦고 있으니 만영이가 분필 좀 빌려 달라고 했다. 나는 노식이 거라서 못 주겠다고 하니 만영이가 빼앗아 가버렸다. 나는 돌려달라고 하며 빼앗다가 분필이 두 동강이 났다. 그래서 부러진 반 조각을 가지고 자리에 앉으니 노식이가 빼앗아 가버렸다. 나는 잉크병을 가지고 장난을 치다가 노식이의 잉크병을 잘못 건드려서 잉크를 쏟아버렸다. 다시는 이런 장난을 치지 말아야겠다.

5월 28일 (화) 맑음

아침에 통학 열차를 타려고 동무들과 같이 아랫동네 쪽으로 내려가고 있었다. 그때 윗동네의 상학이가 자전거를 타고 내려오고 있었다. 그것을 본 한 아이가 자전거를 좀 태워달라고 했다. 상학이는 안 태워주려고 자전거 페달을 힘껏 밟고 있었다. 옆에 가던 애가 자전거를 붙잡으려고 하다가 놓쳤다. 상학이는 뒤를 돌아보며 자전거를 타고 가다가 돌부리에 부딪혀서 그만 벼 못자리에 빠져버렸다. 상학이가 자전거와 같이 못자리에 빠지는 것을 본 우리는 달려가서 일으켜 주었다. 그 아이는 상학이에게 잘못했다고 빌었다. 그리고 옷에 묻은 흙을 씻어주었다. 한편, 다른 아이들은 자전거를 끌고 열차를 타러 가고 있었다. 나도 그 애들을 따라가고 있으니까 상학이가 옷에 묻은 흙을 다 씻고 따라왔다. 다른 아이들이 자전거나 탈 것을 타고 갈 때는 못 가게 훼방을 놓지 말아야겠다.

5월 29일 (수) 맑음

형이 어제 저녁에 놀러 갔다 오면서 꽃을 몇 가지 꺾어왔다고 하며 그 꽃을 꽃병에 꽂으라고 했다. 그 꽃의 희박한 아름다움과 싹싹한 꽃잎이 더욱 아름다워 보였다. 빈 병 하나를 찾아서 그 꽃을 꽂았다. 그리고 그 꽃병을 우리의 방에 보기 좋게 놓아두었다. 방안에 꽃이 있으니 꽃 향기가 진동하였다. '꽃을 사랑하는 마음은 자유와 평화를 사랑하는 마음이다.' 라고 가르쳐주신 선생님의 말씀이 문득 생각났다. 꽃을 방에 놓아두니까 마음이 안정되고 방안도 밝아 보였다. 꽃이 시들면 다른 예쁜 풀이라도 꽃병에 꽂아 두어야겠다.

5월 30일 (목) 맑음

오늘은 월정 고사를 치르는 날이다. 아침에 일찍 일어나서 아침밥을 먹었다. 학교에 가려고 골목길을 나섰는데 아이들이 아무도 보이지 않았다. 나는 혼자 학교로 가고 있으면 아이들이 금방 따라올 것만 같았다. 그래서 마을을 나와서 혼자 걸어가고 있으니 윗동네의 상학이가 따라왔다. 나는 영어 단어장을 들고 월정 고사에 필요한 것을 많이 외워야 되겠다는 생각을 했다. 그래서 상학이와 단어 알아맞히기를 하면서 삼성역까지 걸어갔다.

5월 31일 (금) 맑음

오늘은 임시공휴일이다. 어머니께서 '형님이 과수원에서 사과나무에 물을 주고 있는데 너도 가서 물을 준 곳에 흙으로 덮으라.'고 하셨다. 그래서 호미를 들고 시내 건너편에 있는 우리 사과밭으로 가고 있는데 시냇가에서 향토 예비군들이 터를 닦아 놓고 훈련을 받고 있었다. 나는 예비군들이 훈련을 받고 있는 것에 재미가 나서 그 곳에서 한참 구경을 하다가 과수원으로 갔다. 형님은 벌써 여러 나무에 물을 주고 있었다. 나는 물을 준 나무를 찾아다니며 호미로 흙을 덮었다. 일을 하고 있는데도 예비군들의 우렁찬 목소리가 계속 들려서 일어나서 보곤 하였다. 형님은 이제 사과나무에 물을 다 주고 집으로 돌아가고 있었다. 나는 물이 증발하지 않도록 열심히 흙으로 덮어 놓고 예비군들의 '간첩 잡기 작전' 훈련 모습을 함께 구경하였다. 뒷산에서 내려오는 간첩을 잡기 위하여 예비군들은 씩씩하게 달려가고 있었으며, 특히 2분대가 산으로 기어서 올라가는 모습이 재미있었다. 얼마 가지 않아서 간첩은 포위되어 항복을 하는 것을 보았다.

6월 1일 (토) 비

오늘은 학교에서 일찍 수업을 마쳤기 때문에 집에 일찍 돌아갈 수 있었다. 열차를 타고 가는데 비가 '좌악~좍!' 하고 마구 내리는 것이었다. 열차가 삼성역에 도착하여도 비는 그칠 줄 모르고 더 많이 오고 있었다. 삼성역 안으로 들어가니 비를 맞아서 어깨가 축축하다. 학생들이 역 안으로 많이 모여 들었다. 사람들은 집에 갈 수가 없어서 모두 역 안에서 '누가 우산을 가져오나?' 하며 지켜보고 있었다. 얼마 후 비가 조금 주춤하여 우리는 '이때 빨리 집에 가자!' 하며 모두 밖으로 나와 뛰어가기 시작했다. 그러나 얼마 가지 못하여 또 비가 내리기 시작하였다. 우리는 남의 집 처마 밑에 들어가서 비를 피하였다.

벼락 맞은 참나무

6월 2일 (일) 비

오늘 오후에도 향토 예비군들의 임시 훈련이 있다고 하여 나는 구경을 하려고 밖으로 나갔다. 벌써 뒷산에서 '간첩 잡기 훈련'을 시작하고 있었다. 조금 구경하고 있는데 소나기가 내리기 시작하여 훈련은 중단되었다. 나는 집으로 돌아와서 숙제를 하였다. 그런데 갑자기 비가 억수같이 내리더니 '우르릉 쾅!' 하며 벼락치는 소리가 들렸다. 그때 창문 가까운 곳에 앉아있었는데 '와지직!' 하는 소리가 들렸다. 그래서 문을 열어 바깥을 내다보니 앞산에서 커다란 참나무 한 그루가 벼락을 맞아 넘어지고 있는 게 아닌가! 참나무가 넘어진 후 조금 있으니 비는 살살 내리고, 천둥도 치지 않았다. 그때 동네 사람들이 쓰러진 참나무 껍질을 주우러 산으로 올라가고 있었다. 사람들의 말에 의하면 '벼락 맞은 나무껍질을 먼저 주워 가서 삶아 먹으면 아주 좋은 약이 된다.'라고 하였다.

6월 3일 (월) 맑음

여섯 번째 시간은 체육 시간이었다. 운동장에서 모두 열을 지어 체육 선생님을 기다렸다. 선생님께서 나오시더니 오늘은 철봉에서 '다리 걸고 오르기'와 '물구나무서기'를 한다고 하셨다. 나는 이 두 가지에 자신감이 없었다. 국민학교 시절에는 다리 걸고 오르기를 연습하지 않았기 때문이다. 1번부터 다리 걸고 오르기를 시작하였다. 내 차례가 언제인지 몰라서 번호 부르는 것을 유심히 들어봤다. 조금 있으니 내 차례가 되었다. 나는 철봉을 잡고 다리를 걸려고 해도 다리가 걸리지 않았다. 선생님께서는 '불합격!' 하고 말했다.

다음은 물구나무서기를 했다. 1번부터 나와서 차례로 물구나무를 섰다. 내 차례가 다가오기까지 약 절반이 넘어져 실패를 했다. 내 차례가 되어 두 손과 머리로 삼각형을 만들고 다리를 쳐들었다. 팔과 몸이 안정되지 않아서 그만 넘어져 버렸다. 다시 한번 살짝 세워보려고 시도했으나 이번에도 넘어지고 말았다. 모두 다 마친 후 체육 선생님께서 오늘 불합격한 사람들은 많이 연습하여 다음 시간에는 다 합격할 수 있도록 하라고 하셨다. 나는 연습을 많이 하여 다음 시간엔 꼭 합격이 되도록 해야겠다.

6월 4일 (화) 맑음

학교 수업이 끝난 후 2층 도서실에 올라갔다. 도서실에 들어가서 호기의 동화책을 읽어보았다. 『돌아온 래시』라는 제목이었다. '래시'란 이름의 개가 처음 만난 주인만 섬겨야 한다.' 라는 일념으로 수만 리나

떨어진 곳에 있는 주인을 찾아가는 이야기였다. 나는 이 '래시'의 정신을 본받을 만하다고 생각한다. 동화나 소설을 많이 읽어 새로운 지식을 많이 쌓아가도록 해야겠다. 내가 중학교를 떠날 때까지 이 도서실에 있는 책 절반 이상을, 아니 전부를 읽어야지. 무조건 다 읽는 것이 아니다. 나의 교양에 따라, 나이에 따라서 독서를 해야겠다.

6월 5일 (수) 맑음

오늘은 일선 장병 아저씨들에게 위문편지를 썼다. 나는 일선 장병 아저씨들이 훌륭한 재주를 발휘하여 하루바삐 우리나라의 남북통일을 이룩하기를 바란다는 식으로 편지를 썼다. 나의 편지를 받아볼 사람에게 깊은 감동을 주도록 써야겠다고 생각하며 쓰니까 오늘따라 글도 줄줄 잘 나오는 것 같다. 일선 장병 아저씨들은 추운 겨울, 더운 여름 가릴 것 없이 계속 우리나라의 방위를 굳게 지켜서 우리가 마음 놓고 공부할 수 있도록 해 주시는 고마운 분들이다. 이 아저씨들의 은혜가 얼마나 큰가를 가히 짐작할 수 있다. 나도 크면 우리나라의 행복과 국민의 안전을 지켜주는 믿음직한 국군이 되어야겠다.

6월 6일 (목) 맑음

오늘은 현충일이다. 아침에 일찍 일어나서 국기를 조기로 달고 세수를 하니 상쾌한 맛이 빙빙 떠돈다. 오늘은 6·25사변 때 나라를 위해 공산 괴뢰군과 싸우다가 돌아가신 국군 아저씨와, 우리를 도와주러 온 UN군들의 숭고한 뜻을 기렸다. 이 나라를 지키다가 돌아가신 이들의 뜻을 받들어 오늘만이라도 나라를 위해 싸운 분들께 깊이 감사를 드리고, 그들의 유지를 받드는 마음을 간직해야 하겠다. 나는 이제 나라가 얼마나 중요한지 배웠다. 나도 '나라를 위해 살다가 나라를 위해 죽으리라.' 라는 각오를 했다.

6월 8일 (토) 맑음

오늘 아침 학교 가는 길에 한 동무로부터 '로버트 케네디가 얼마 전에 미국 대통령에 당선되었는데, 어제 괴한의 총에 맞아서 오늘 새벽에 돌아가셨다.'라는 말을 들었다. 그는 '오늘 방송뿐만 아니라 신문에도 야단일 거야.'라고 했다. 나는 가슴이 답답해졌다. '미국의 대통령 선거에서 당선된 로버트 케네디는 누구의 총에 맞아 그렇게 되었을까? 미국 대통령으로 몇 번째 암살되었으며, 그 이유는 무엇일까? 로버트 케네디는 세계에서도 훌륭한 사람인데⋯⋯ 또 미국의 대통령으로 세계 평화에 이바지해야 할 사람인데⋯⋯' 하는 생각으로 가슴이 사무쳤다.

6월 13일 (목) 비

수업을 마치고 2층 도서실에 갔다. 도서실의 있는 책 중에서 나의 취미에 맞는 책을 보기 위해서 열람 목록에서 이것 저것을 찾고 있었다. 문득 『이순신 장군』이라는 제목이 보였다. 나는 얼른 그 책을 찾아서 책 뒤에 붙어있는 열람 카드에 내 이름을 쓰고 책을 빌렸다. 이순신 장군의 어린 시절에 대한 글을 읽고 있는데 벌써 도서실 문 닫을 시간이 되었다고 하여 책을 도로 반환하였다.

가방을 들고 현관으로 나오니 운동장에는 체육부원들이 열심히 달리기도 하고, 높이뛰기 연습도 하고 있었다. 나는 높이뛰기를 하는 곳에서 구경을 하고 있었는데 멀리서 시커먼 구름과 함께 소나기가 들어오는 모습이 보였다. 나는 얼른 경산역을 향해 달려갔다. 내 뒤에는 학생들이 줄을 지어 오듯이 경산역으로 막 뛰어오고 있었다. 경산역에 다다랐을 때 벌써 바람을 일으키고 먼지를 날리며 엄청난 소나기가 내리기 시작했다. 꼭 회오리 바람을 일으키는 것 같다. 학생들이 그 속을 헤치며 겨우 경산역까지 뛰어왔다. 그제야 나도 마음이 놓였다.

노식이의 모자 　　　　6월 14일 (금)

방과 후 밖에서 놀다가 노식이와 같이 우리 반 교실에 들어갔다. 누가 청소를 했는지 교실 마룻바닥에 잉크병 하나가 떨어져 있었다. 노식이는 그 잉크병 안에 있는 잉크를 나누어 갖자고 했다. 나는 잉크병 마개를 열어 병 마개에 잉크를 채워 내 잉크병으로 옮겼다. 나머지는 노식이의 몫이 되었다. 또 다른 잉크병 하나가 있었다. 그 병의 잉크도 나누자고 했다. 내가 잉크병의 마개에 잉크를 붓고 있는데 노식이가 내 잉크병을 갖고 가 버렸다. 그래서 나는 노식이에게 내 잉크병을 돌려달라고 했다. 그러나 노식이는 끝끝내 잉크병을 돌려주지 않았다. 노식이 가방에 도시락 반찬을 넣는 병 하나가 있었다. 나는 그 병을 가지고 가서 물로 깨끗이 씻고 그 병에 물을 가득 넣어왔다. 그런데 내 가방을 살펴보니 노식이가 내 필갑을 가져간 것이었다. 가방을 들고 밖으로 나가니 밖에 노식이가 있었다. 나는 노식이가 갖고 있던 내 필갑을 빼앗았다. 노식이는 내가 갖고 있는 반찬 넣는 유리병을 달라고 하면서 나를 계속 따라왔다. 결국 나는 반찬 유리병을 빼앗겼다. 그래서 노식이의 가방에 있는 수판을 가지고 왔다. 그러나 노식이는 수판을 받으려 하지 않았다. 삼성역에 내린 후 노식이에게 수판을 빼앗겼다. 나는 노식이의 모자에 달린 모표를 빼서 집으로 와 버렸다.

6월 15일 (토) 맑음

어제 가져온 노식이의 모표를 가지고 학교로 가는 길에 노식이를 만났다. 나는 노식이에게 잉크병을 돌려달라고 했다. 그러나 노식이는 잉크병은 안주고 모표를 뺏으려고 꾀를 부렸다. 일부러 잉크병을 내는 척하면서 나의 손에 있는 모표를 뺏으려고 탁 쳤다. 그러나 나는 싹 빠져나가서 다시 잉크병을 달라고 했다. 또 노식이는 모표를 뺏으려고 달려들었다. 나는 잉크병을 돌려주지 않으면 모표를 주지 않겠다며 도망갔다. 노식이는 화가 났는지 '네 멋대로 해라.' 하면서 모자를 제방 쪽으로 던져버렸다. 모자는 제방 아래로 데굴데굴 굴러가서 물에 빠져버리고 말았다. 노식이는 뒤를 돌아보지 않았다. 나도 삼성역으로 갔다. 역에 가서 보니 노식이가 의자에 앉아 있었다. 나도 역 개찰구 앞에 있는 의자에 앉았다. 그런데 3학년 형들이 노식이의 모자를 갖고 와서 돌로 모자 가운데를 막 내리찍는 게 아닌가! 모자는 금방 구멍이 났다. 그래도 노식이는 말없이 우두커니 보고만 있었다. 내가 잘못했나 보다. 이제부터 노식이와 친하게 지내야 되겠다. 오늘처럼 심한 장난은 치지 말아야지.

6월 16일 (일) 맑음

오늘은 보리타작을 한다고 어머니께서 말씀하셨다. 나와 동생은 어제 닦아놓은 논 마당을 밟으러 갔다. 논 마당은 아직도 덜 말라서 등겨를 좀 뿌리고 발로 밟았다. 논 마당을 다 밟고 나서 집으로 왔다. 벌써 농부들이 들에 나와서 '보리를 베었느냐, 타작을 하였느냐'하며 시끄럽게 떠들었다. 우리 집도 오늘 타작을 하니까 내가 힘껏 거들어 주어야겠다는 생각이 들었으나 어머니에게 오늘은 숙제가 너무 많아서 못 거들어주겠다고 말했다. 아버지와 어머니는 동생을 데리고 들로 나가셨다.

6월 17일 (월) 맑음

방과 후 나는 2층 도서실로 올라갔다. 도서실에 비치된 책 중에서 전에 읽었던 『두꺼비의 은혜』를 계속 읽었다. 그 책에는 나에게 교훈을 주는 것이 숨어 있었다. 나는 이 『두꺼비의 은혜』 책이 제일 마음에 든다. 『두꺼비의 은혜』 책에서 '두 눈깔'과 '백일홍 처녀' 등 온갖 이야기들이 나의 취미에 맞았다. 전에 읽은 『이순신 장군』 보다 더욱 머리에 남는 것들이 많은 것 같다. 도서실의 책을 집에 가져가서 읽어보고 싶었다. 이 책을 다 읽고 난 뒤에는 『황금새』를 읽어야겠다.

6월 18일 (화) 맑음

오늘부터 사흘 동안 보리타작을 돕기 위한 '가정 실습' 기간이 시작되었다. 나는 우리 집의 타작이 바쁜 것을 힘껏 도와서 보리 한 되를 받아야겠다는 생각을 했다. 그러나 어머니는 나에게 소를 몰고 가서 풀을 먹이라고 했다. 소를 몰고 들로 나가니 소가 좋아서 그러는지 마구 뛰는 것이었다. 나는 겁이 났다. 그래서 소를 모는 밧줄로 소 등을 때렸더니 소는 뛰지 않았다. 개울을 건너려고 하는데 우리 소가 무슨 냄새를 맡고 있었다. 킁킁거리며 냄새를 맡고 있는 소의 고삐를 잡아당겨도 끌려오지 않았고, 오히려 내가 소에게 끌려갔다. 냇가에 돌복숭아 나무가 한 그루 있었다. 그 나무 아래를 살펴보니 편편하게 되어 있었다. 나는 소가 풀을 뜯어먹게 내버려 두고 그 나무 밑에 들어가서 동생과 같이 놀았다.

6월 19일 (수) 맑음

오늘은 집에서 보리타작을 했다. 돌대[도리깨의 사투리]를 들고 보리를 치니까 보리가 하늘로 마구 튀었다. 보리를 펴 놓으니까 머리만 들고 자기를 얼른 떨어 달라는 듯 하다. 나는 돌대로 힘껏 내리쳤다. 보리가 하늘로 훽 날았다. 하루종일 돌대를 휘두르니 나중에는 팔이 아팠다. 국수로 저녁 식사를 하고 나니 피곤하여 금방 잠이 찾아왔다. 내일도 오늘처럼 일을 해서 아버지, 어머니가 편하도록 도와주어야겠다.

6월 20일 (목) 맑음

오늘 오전에는 보리타작을 하지 않고 밭에 콩을 심었다. 아버지와 형님은 소를 몰며 밭을 가시고, 어머니는 콩을 뿌리셨다. 나와 바로 위의 형은 호미로 흙을 덮었다. 한참 동안 콩을 심는 일을 하다가 잠시 쉬기도 했다. 형과 같이 복숭아를 하나씩 따서 먹었다. 밭을 가는 소는 힘이 드는지 '쉭! 쉭!' 하는 콧소리로 산을 울리고 있었다. 오후에는 어제 하다가 둔 보리 타작을 마쳐야 되겠다. 오늘따라 점심 밥이 더욱 맛이 좋았다. 동생은 산나리꽃을 꺾어와서 대문에 꽂아 두었다. 마치 꽃이 사람을 반겨주는 것만 같다. 동생은 어머니께 칭찬을 받았다.

6월 21일 (금) 맑음

오늘도 학교에서 독서를 한 후 경산역으로 기차를 타러 갔다. 역 안에 있는 시계를 보니 아직도 시간이 많이 남아 있었다. 그래서 밖으로 나와 동무들이 모여있는 곳으로 갔다. 동무들이 이야기를 하고 있다가 내가 가니까 그중에 제일 힘이 센 S가 '경문아, 너 나하고 차기를 할래?' 했다. 나는 '차기 놀이'를 싫어했다. 그런데 다른 애들은 나를 보고 차기를 잘 한다느니 어쩌니 하는 말을 막 늘어놓았다. S는 나를 보고 '그러면 됐다. 차기를 하자.' 하면서 마구 잡아 당겼다. 나는 할 수 없이 차기 놀이를 하게 되었다. 처음부터 나는 S의 발에 좀 차였다. 그래서 '복수가 눈 앞에 기다리고 있다.' 하면서 막 따라가니까 나무로 막은 곳 위에 올라가서 나를 보고 애를 태우는 것이다. 나는 나무 조망 위로 올라 가서 차려고 하니까, S는 도망을 가면서 나의 가방을 차는 것이다. 너무나 비겁한 짓이었다. 나도 더 이상 가만 둘 수가 없었다. 그래서 잡아서 차 주려고 뛰어갔다. 그러나 S는 우리 학교 달리기 선수이기 때문에 도저히 따라갈 수 없었다. 그래서 꼼수로 '너 빨리 안 오면 네 가방을 발로 찰 테다.' 해도 들은 척 만 척 했다. 몇 번 불러도 마찬가지였다. 그래서 나는 발길로 S의 가방을 차고 말았다. 다시는 너 같이 비겁한 놈과 사귀지 않겠다고 맹세했다.

7월 25일 (목) 맑음

오늘은 즐거운 방학을 하는 날이다. 아침 일찍 잠이 깬 나는 학교로 달려갔다. 매우 상쾌한 아침이다. 학교에서 작업을 하는 시간이 있었는데 나는 리어카로 흙을 실어 날랐다. 작업을 다한 후 교실로 들어갔다. 방학 동안에 지켜야 할 일과 방학 과제와 생활지도표도 받았다. 문구점에서 과제에 필요한 재료를 사서 나오니 마침 남천으로 가는 버스가 와서 탔다. 버스가 경산시장 정류장에 도착하자 시장을 보러 왔던 사람들이 버스에 많이 올라타서 몹시 복잡했다. 그런데 복잡한 버스를 타고 조금 가니까 사람들이 많이 내렸다. 내가 내리는 금곡 정류장에 도착할 때에는 모든 승객들이 자리를 잡을 수 있었다. 버스에서 내려 집으로 오는데 구름 한 점 없는 맑은 하늘이 펼쳐졌다. 간혹 시원한 바람이 불기도 하였으나 몸에서는 땀이 줄줄 흘러내렸다.

7월 26일 (금) 맑음

오늘부터 여름방학이 시작되었다. 나는 아버지를 돕기 위해서 새벽에 소를 끌고 밭으로 갔다. 아버지께서는 쟁기로 밭을 가시고, 나는 소 고삐를 잡고 이끌었다. 아침 식사를 한 후 콩밭을 매러 갔다. 콩밭에는 잡초들이 여기저기 무리를 지어 많이 자라고 있었다. 호미로 일일이 풀을 뽑았다. 한 뙈기의 밭을 매는데 시간이 많이 걸렸다. 나중에는 더워서 나뭇가지를 꺾어서 머리에 둘러쓰기도 했다. 시간이 많이 걸려 겨우 두 뙈기의 밭을 맨 후 냇가로 가서 목욕을 했다. 점심을 먹은 후 시원한 원두막에서 방학숙제를 했다.

1 9 6 9

1월 19일 (일) 맑음

대구에 있던 작은형님이 집에 왔다. 작은형님은 대구에서 옷 짜는 공장에서 기술자로 일하고 있는데, 달마다 많은 월급을 받는다. 그 돈은 모두 나와 형의 학교 등록금으로 쓰였는데, 등록금을 내고 나면 얼마 남지 않았다. 작은형님은 『6300 단어집』과 『영한 사전』을 선물로 사 오셨다. 오후에는 압량에 사시는 작은아버지께서 오셨다. 어머니께서는 손님이 많이 왔다고 떡을 찌셨다. 작은아버지 뿐만 아니라 청도 이모님도 오셨기 때문이다. 찹쌀떡도 만들고, 조떡도 만들었다. 재미있었고, 또 맛이 있었다.

1월 21일 (화) 맑음

오늘은 열세 번째 맞이하는 내 생일이다. 아침에 성대한 생일상을 받았다. 어머니께서는 팥밥, 고기볶음, 닭고기 국을 차려 주셨는데 더욱 구미가 당겼다. 오전에는 누룩을 만들려고 디딜방아에서 콩을 찧었다. 동생과 같이 윷놀이도 했다. 새들이 감나무에서 지저귀고, '쿵덕! 쿵덕!' 하는 디딜방아 소리가 내 생일을 축하해주는 것처럼 들렸다.

1월 22일 (수) 눈

아침에 일어나 보니 밤사이 새하얀 눈이 온 산과 들에 쌓여있었다. 싸늘한 바람이 옷깃 속으로 스며들어온다. 아침밥을 먹는 둥 마는 둥 하고는 골목으로 나오니 벌써 눈덩이들이 여기저기 굴러떨어져 있었다. 새들도 푸드득거리며 나뭇가지 사이로 날아다닌다. 새물앞 논 뜰에 나가 보니 논두렁 밑에는 눈이 수북이 쌓여있고, 새하얀 눈이 파란 보리밭을 덮고 있었다. 집으로 돌아와서 삽으로 마당의 눈을 치웠다. 동생은 냇가에 미끄럼틀을 만들었다. 눈이 꽤 미끄러워 엉덩방아를 찧는 애들도 많이 있었다.

2장.

송백리 이바구

...... 멀리서 부옇게 보이는 고속도로 위에는 코로나 택시들이 번개처럼 빨리 달리고 있었다. 더 잘 보려고 고속도로 옆으로 올라가 보았다. 고속도로는 상행길과 하행길이 있는데 그 중간에는 잔디로 동산을 만들어 놓았다. 그리고 오르내리는 두 길의 중간에 흰 줄이 그어져 있어서 두 대가 동시에 갈 수 있었다. 참으로 장관이었다. 멀리서 오던 차가 언제 지나갔는지 금방 저 멀리 사라지곤 했다.

송 백 리

이 바 구

1 9 7 0

7월 24일 (목) 맑음

학교에서 특별한 사람에게 주는 쪽지를 저녁에 아버지께 드렸다. 그것은 아침에 선생님께서 주신 것인데 나의 말 더듬을 고치기 위해서 대구시에 있는 언어교정학원에 보내 보라는 것이었다. 아버지께서는 쪽지를 보시더니, '내일 학교에 돈을 가지고 가서 다른 애들이 많이 가면 같이 가봐라.' 하셨다.

7월 25일 (금) 맑음

두 시간 수업을 마치고 여름방학을 한다고 했다. 담임 선생님께서 들어오셔서 통신부와 '방학 동안의 할 일' 등을 나누어 주신 후, 방학 후에 건강한 몸으로 돌아오라고 당부하셨다. 나는 대구에 가기가 싫어서 버스를 타고 집으로 돌아오다가 들판 가운데 있는 당집 나무그늘에서 동무들과 놀고 있었다. 그때 큰형님이 바쁜 걸음걸이로 삼성 쪽으로 가는 게 보였다. 나무그늘 아래에서 쉬고 있던 어른들이 '정돌아, 너 어디를 그리 바쁘게 가노?' 하고 물었다. 큰형님은 '할아버지께서 돌아가셔서 사방에 통지하러 갑니다.' 하며 가버렸다. 나는 할아버지께서 그 무서운 암이라는 병에 걸렸다는 얘기를 들어서 얼마 못 가서 돌아가실 거라고 알고 있었다. 집에 돌아와 보니 부모님께서는 안 계시고 동생들만 남아있었다. 저녁에 감자를 삶아 먹었다. 밥은 쉬어서 먹을 수가 없었다.

7월 26일 (토) 맑음

방 안에서 하루 종일 방학계획표를 작성하고, 책 정리를 했다. 그리고 방을 깨끗이 소제하였다. 그다음에는 집 안팎을 빗자루로 쓸고 마당에 물을 뿌렸다. 내일이 할아버지 장례 날이니 손님들이 많이 오실 것 같아서 방과 바깥을 쓸고 닦은 것이다.

7월 27일 (일) 맑음

오늘은 할아버지 장례식 날이다. 할머니 댁에서 일찍 아침을 먹고 상여꾼들에게 국과 밥을 갖다주었다. 식사 후에 상여꾼들이 상여를 메고 다랑골 선산으로 올라갔다. 나도 상여를 따라가다가 짐을 실어오는 달구지를 따라갔다. 산소 아래에 있는 소나무에 소를 매어놓고 묘지를 파놓은 산기슭으로 올라가서 여러 가지 일을 도왔다. 점심 즈음에 산에서 내려와 초상집에 가서 점심 밥과 그릇을 달구지에 싣고 장지로 갔다. 산에서 어른들에게 술과 밥과 도시락을 나누어 주고는 나도 점심을 먹었다. 밥 위에 반찬과 나물을 놓고 먹었지만 산에 와서 먹어서 그런지 더욱 맛이 있었다. 늦게까지 산에서 소에게 풀을 먹이다가 상 두 개를 들고 집으로 내려왔다.

7월 28일 (월) 맑음

오전에 사과밭에 와서 원두막을 보니 원두막에서 놀고 싶은 생각이 들었다. 그래서 원두막 안에 있는 물건들을 모두 정리하려고 쌓여있는 여러 가지 물건들을 원두막 밑으로 집어넣었다. 짚단은 사과나무 밑에 쌓아놓았다. 그리고 빗자루로 자리를 깨끗이 쓸었다. 그렇게 하고 나니 원두막이 깨끗하게 정리되고 청소되었다. 너무 더워서 몸에는 땀이 촉촉히 배어 있었으나 기분은 좋았다.

7월 29일 (화) 맑음

오후에 소를 몰고 산으로 갔다. 산기슭으로 가니 풀이 많았다. 그곳에서 소가 풀을 뜯어먹게 놔두고 평평한 잔디밭(산소)에서 물구나무 서기 연습을 했다. 한참 연습을 하다가 보니 우리 소가 소나무를 마구 문지르고 있었다. 뛰어가서 살펴보니 소 등에 쇠파리가 잔뜩 붙어 있었다. 쇠파리를 쫓고 나니 피를 빨아먹는 등구 한 마리가 소 등에 붙어 있었다. 손바닥으로 등구를 탁 쳐서 죽였더니 내 손에 피가 벌겋게 묻어 버렸다.

한여름 밤의 소동

7월 30일 (수) 비

저녁 때 어머니께서 남동생 둘이 우리 원두막에 가서 자려고 한다고 말씀하셨다. 나는 동네에서 친하게 지내는 욱이와 같이 원두막에 갔다. 얼마 있지 않아 정후도 자러 왔다. 그때 이슬비가 내리고 있어서 밤에 비가 많이 오면 빗물이 들어올 것 같아서 짚단으로 서쪽 방향을 막았다. 그리고 이불을 깔고 같이 잠을 잤다.

잠을 자다가 무슨 소리가 들려서 벌떡 일어났다. '우르릉 쾅!' 하며 천둥이 치고, 번갯불이 번쩍이고 있었다. '비가 많이 오나 보다.' 생각하며 가까이에 있는 시냇물을 살펴보니 물이 꽤 많이 불어 있었다. 큰일났다 싶어서 정후와 욱이를 깨웠다. 그들도 일어나서 '큰일났다. 어떻게 할래?' 하며 걱정을 했다. '할 수 없지 뭐. 내일 아침에 생각해 보자.' 하며 도로 자리에 누웠다.

그때였다. 짚으로 휘장을 친 곳에 부스럭 하는 소리가 들렸다. '어, 이게 뭐꼬?' 하며 보고 있으니까 '경문아, 빨리 일어나라. 냇물이 많이 불어나서 큰일났다.' 하는 어머니의 목소리에 모두 자리에서 벌떡 일어났다. 얼른 신발을 신고, 비닐종이를 뒤집어 쓰고, 동생 문찬이는 어머니 등에 업혀서 시내를 건넜다. 냇물이 꽤 많아서 바지가 다 젖어버렸다. 간신히 시내를 건너서 집으로 오고 있는데 어머니께서 '정후와 욱이도 우리 집으로 가자고 해라.' 하셔서 둘을 불러 우리 집으로 데리고 갔다. 즈봉(바지)을 벗고 팬티 바람으로 잠자리에 누웠다. 어머니의 사랑을 다시 한번 체험한 밤이었다.

7월 31일 (목) 흐림

오후에 소를 몰고 뒷산으로 갔다. 소 등에 쇠파리가 많아서 소가 자꾸 뛰고 야단이었다. 그래서 밤나무에 소를 묶어놓고 등에 붙어있는 쇠파리와 등구를 잡아주었다. 밤나무 아래로 조금 내려오니 빨간 산딸기 한 송이가 보였다. '야!' 하며 뛰어가 살펴보니 그 주위에 산딸기가 잔뜩 있었다. 혼자 산딸기를 실컷 따 먹고 산딸기 가지를 꺾어 모았다. 손에 많은 산딸기가 모이자 밭에서 김을 매고 있는 엄마와 동생 금숙에게 가서 산딸기를 주었다. 엄마와 금숙이, 나 이렇게 셋이 밭의 잡초를 오랫동안 뽑고 나서, 금숙이가 산기슭으로 가더니 '오빠, 여기도 산딸기가 많이 있네.' 하며 나를 불렀다. 그곳에는 꽤 많은 산딸기가 빨갛게 매달려 있었다. 우리는 동생들에게 주려고 산딸기 가지를 많이 꺾었다.

8월 1일 (금) 흐리다가 비

오전에 동생들을 데리고 밭에 가서 감자를 캤다. 썩은 감자도 있고, 벌레 먹은 감자도 있었다. 캐낸 감자를 가마니에 담으니 한 가마니가 되었다. 아직도 감자를 다 캐지 못했다. 오후에 비가 오기 시작했다. 엄마와 같이 사과 궤짝을 가지고 가서 밭에서 캐 놓은 감자를 담았다. 엄마는 감자 한 궤짝을 머리에 이고, 나는 반 가마니쯤 되는 감자를 지게에 지려고 하니 등이 매우 아파서 두 번이나 넘어졌다. 아마 오전에 햇볕에 데어서 아픈가 보다. 사과 궤짝을 지고 시내를 건너다가 발이 미끄러져 감자를 강물에 쏟아 물에 빠진 감자를 줍느라 혼이 났다. 겨우 집에 와서 궤짝을 내려놓고 나서 형의 지게를 져 보니 굉장히 편했다. 저녁때에는 가져온 감자를 정리했다. 싱싱한 감자와 썩은 감자를 골라내고, 씨감자도 골라 놓았다.

8월 3일 (일) 비

낮부터 비가 내리더니 저녁 무렵에는 꽤 많은 비가 내렸다. 저녁 식사 후 냇가에 나가보니 냇물이 불어 대홍수를 이루고 있었다. 내가 태어난 후 이런 홍수는 처음이다. 냇가에는 동네 사람들이 많이 나와서 물 구경을 하고 있었다.

'올해는 물에 떠내려가는 사람이 없어야 될 텐데……'

8월 4일 (월) 흐림

방학 중 특별수업을 받고 있는 형은 시냇물이 많이 불어서 학교에 가지 못했다. 그래서 냇가에 놀러 나갔다가 강물에 떠내려오는 닭을 한 마리 주웠다며 가져왔다. 시냇물이 조금 줄기는 하였지만 오늘도 여전히 많긴 많다. 매일 이렇게 많은 물이 흘러내려오면 얼마나 좋을까? 수력 발전도 일으키고, 강에서 물고기도 많이 잡고…….

담임 선생님께 편지를 썼다. 잘 쓰지는 못했지만 담임 선생님과 국어 선생님께 편지를 썼는데 답장이 올지 모르겠다. 다른 과목 선생님께도 써야 하겠지만 쓰지 않기로 했다.

8월 11일 (월) 흐림

오늘은 여름방학 중 등교하는 날이다. 아침에 기차를 타고 학교에 갔다. 선생님께서는 운동장에서 풀 뽑기 작업을 시키셨다. 2학년은 현관에서 교단 앞까지 나 있는 풀을 배정받았다. 8시에 시작하여 9시경 모든 작업이 끝났다. 완행열차를 타고 온 애들은 일을 조금만 하고 출석을 불렀다. 출석을 부른 후 집으로 돌아가려고 버스 정류장으로 가고 있는데 애들이 영화 구경을 가자고 했다. 나도 같이 경산 극장에 따라갔더니 마침 영화가 상영되고 있었다. 처음에는 '전설 따라 삼천리'를 상영하고, 본 영화 '꼬마 신랑'을 시작하였다. 착한 부인이 어린 신랑을 데리고 지혜롭게 살아가는 모습에 깊은 감동을 받았다.

8월 15일 (금) 맑음

오늘은 제24회 광복절이다. 광복절 기념행사에 참석하려고 아침 일찍 집을 나와 기차를 타려고 갔으나 통근 열차를 놓치고 말았다. 할 수 없이 완행열차를 타고 학교에 가니 벌써 학생들은 행사장인 군청으로 떠나고 없었다. 그래서 군청 방향으로 막 달려가니 경산교에서 따라잡을 수 있었다. 앞장서 가면서 불어대는 학교 악대의 악기 소리가 우렁찼다. 국민의례를 거쳐 경산 읍장님과 경산 군수님의 치사가 있었으나 너무 더워서 귀에 잘 들어오지 않았다. 행사를 마친 후 극장에서 영화 구경을 했다.

8월 16일 (토) 맑음

오늘은 내가 왜 일기를 쓰는지 알고 싶다. 선생님이 시킨다고 억지로 쓰는 건 아닌지? 글씨를 잘 써보려고 쓰는가? 그런 것이 아니라 나는 참다운 나의 친구가 없기 때문이다. 1학년 때 사귄 병국이는 나를 좀 안다고 너무나 어처구니없는 일만 저지르는 개구쟁이요, 다른 애들은 그저 알고 지내는 형편이다. 나도 참다운 친구가 있었으면 좋겠다. 여자 친구가 있으면…… 유명한 『안네의 일기』도 읽어보고, 이윤복의 일기 『저 하늘에도 슬픔이』도 읽어보아서 더욱 일기를 쓰고 싶다. 참다운 친구가 없는 나는 이 일기장을 벗으로 삼아 재미있는 사연을 꼬박꼬박 적어보겠다. 그리고 일기장 제목을 『모든 일은 나로부터!』로 해야겠다.

8월 19일 (화) 맑음

오늘은 음력 7월 7일 칠석날이다. 오늘밤 은하수에 구름이 끼어 있으면 올해 농사가 풍년이 들 거라고 하는 동네 어른들의 이야기를 들었다. 옛날이야기도 있듯이 견우와 직녀가 1년에 한번 칠석날에 은하수에서 만나는데, 까치들이 모두 은하수에 다리를 놓아주려고 가서 보이지 않는다고 한다. 그렇지 않아도 요즘은 까치가 잘 보이지 않는다. 나라 새인 까치가 이제 우리 고장에서 사라지려나…….

8월 21일 (水) 맑음

아버지께서 오늘 논에 농약을 뿌린다고 말씀하시자 나의 인상이 찡그려졌다. 왜냐하면 사과밭에도 한 달에 두세 번씩 농약을 치니까 덥고도 귀찮았다. 약대를 들고 호스 줄을 지게에 지고 가는데 길이 멀어 어깨가 아팠다. 하기 싫고 귀찮은 일도 오래가지 않아 다 끝나갈 무렵에 우리 집 꼬마가 삶은 감자를 많이 가져와서 참 수고했다면서 모두 칭찬을 했다. '이제 문찬이도 일을 잘 하는구나.' 하시며 어머니께서 안아주셨다. 문찬이는 가져온 감자를 먹지 않고 냇가로 물고기를 잡으러 갔다.

8월 22일 (금) 흐림

동네 노인의 환갑날이어서 아버지께서는 놀러 가셨다. 나는 방학 숙제를 하다가 떨어진 사과를 주우러 사과밭으로 갔다. 어머니께서 콩밭에서 풀을 뽑고 계셨다. 광주리를 원두막 부근에 놓아두고 '홍옥' 사과나무 아래로 돌아다니며 사과를 주워 모았다. 한 사과나무 밑에서 작은형이 누워서 쉬고 있었다. 어머니께서는 주운 사과를 집에 가져가라고 하셨다. 농약을 뿌리기 전에 숨어있는 사과를 찾아서 모두 광주리에 담았다. 그리고 참외 두어 개를 따가지고 집으로 왔다. 같은 마을에 사는 사촌 동생 문곤이가 우리 집에 와 있어서 문곤이에게 사과 두 개를 주고 사과를 깎아 먹었다.

점심때가 되자 아버지께서 배가 아프다고 하여 책상 서랍 속에 있는 조제약 한 첩을 갖다 드렸다. 아버지께서는 앓아누우시면서 '홍골 가는 길 나무에 우리 소를 매어 놓았는데 풀 좀 먹이고 오너라.' 고 하시기에 동생 문현이를 데리고 갔다. 나는 냇가에서 물고기도 잡을 양 대소쿠리도 챙겨갔다. 우리 소를 묶어 놓은 곳을 찾아가서 소를 몰고 가니, 소는 배가 많이 고팠는지 길가의 흙이 묻은 풀도 마구 뜯어 먹었다. 풀을 조금 먹이고 산 쪽으로 올라가고 있는데 뒤에서 암소 울음소리가 났다. 창식이, 성문이, 재구, 준이 네 동무들이 각각 소를 한 마리씩 몰고 오고 있었고, 용덕이와 창기는 물고기를 잡으러 가고 있었다. 암소들이 오는 것을 보고 나는 얼른 우리 소의 지꼬랑이 줄(고삐 끈)을 근처에 있는 나무에 묶어 두었다가 그들이 지나간 뒤 천천히 따라갔다.

한참을 가다가 성문이가 자기 소를 혼자 풀을 뜯어 먹게 하려고 지꼬랑이 줄을 소의 뿔에 감아서 산으로 올려보냈다. 그러나 그 소는 산으로 올라가지 않고 길가로 내려오더니 우리 소에게 달려들어 뿔로 들이받기 시작했다. 우리 소도 가만히 있지 않고 반격을 하여 소싸움이 시작되었다. '큰일 났구나.' 하며 허둥지둥 우리 소의 지꼬랑이 줄을 잡아당겼으나 소는 싸우느라 끌려오지 않았다. 성문이가 나를 보더니 '지꼬랑이 줄을 놓아버려라.' 하길래 줄을 놓아버렸더니 우리 소는 지꼬랑이 줄을 밟아서 줄이 끊어져 버렸다. '아차!' 하였으나 이제 별도리가 없어서 끊어진 지꼬랑이 줄을 잡고 묶으려 했으나 허탕이었다.

두 마리의 수소는 사과밭 탱자나무에 박히면서도 끝까지 싸우며 야단이었다. 성문이는 재구에게 자기 형을 불러오라고 집으로 급히 보냈다. 한낮이라 집에는 어른들이 없었다. 우리들은 안타까이 소리를 지르며 애를 썼지만 황소 싸움을 말릴 수 없었다. 두 마리의 황소는 한참 동안 밀고 밀리며 싸우다가 마침내 우리 소의 뿔이 성문이네 소의 머리에 묶어둔 지꼬랑이 줄에 걸려 가만히 서 있는 것이었다. 그때 방금 도착한 상호가 성문이네 소 코뚜레를 잡았고, 나는 우리 소의 지꼬랑이를 코뚜레에 묶었다. 그래서 소 싸움은 멈추게 되었다. 우리 소를 산으로 끌고 가니 소는 배가 고파서 풀을 쓱싹쓱싹 마구 뜯어 먹었다. 점심 죽도 못 먹었기 때문에 배가 많이 고팠던 모양이다.

8월 24일 (일) 맑음

어제 저녁에 아버지께서 국수가 싫다고 하시며 언짢아하셨다. 그래서 아버지와 어머니 사이의 분위기가 좋지 않았다. 어떻게 하면 두 분의 마음을 풀어줄 수 있을까 하고 생각하다가 시조를 써서 방안에 붙여두었다.

아버지는 어머니를 소중히 아끼시고
어머니는 아버지의 맘 맞춰 아끼시면
자녀들은 부모님 생각을 어찌 알지 않으리

8월 25일 (월) 비

저녁때가 되어서 어머니께서 칼국수를 미시며 한탄하셨다. '어제 저녁에는 저 양반이 마른 국수가 싫다고 했으니 오늘 저녁에 느린 국수(손 칼국수)를 만들어야겠다.' 고 하셨다. 조금 전에는 떡을 찌다가 잘못하여 솥 안으로 떡이 막 미끄러지는 것을 보고 매우 언짢아하셨다. 조금 있으니 비가 오기 시작하였다. 어머니께서는 나를 보며 '아버지가 몰고 간 소를 받아오너라.'고 하시기에 우산을 받들고 한길로 나가보았으나 아버지께서는 오시지 않았다. 산길로 올라가니 번개가 번쩍였다. 큰 소리로 '아버지!' 하고 부르니까 '이리 오너라.' 하기에 달려가니 아버지께서 소 꼴을 지게에 한 짐 지시고, 소를 몰고 오고 있었다. 소를 받아가지고 오다가 지꼬랑이 줄을 놓아버려서 혼이 났다. 성호 형님이 도와주어서 지꼬랑이 줄을 꼭 잡고 집으로 왔다. 집에 도착하니 기다렸다는 듯이 비가 억수같이 퍼부었다. 어머니께서 칼국수를 삶고 떡을 쪄주셔서 맛있게 먹었다.

8월 26일 (화) 맑음

아버지와 같이 거름을 썰고 나서 사과밭에 가니 국광 사과가 몇 개 떨어져 있었다. 홍옥 사과도 많이 떨어졌는가 하고 가보니 까치가 떨어뜨린 것 밖에 없었다. 포도나무 밑에 혹시 떨어진 사과가 있는가 살피다가 양딸기 줄기를 발견했다. 양딸기 줄기를 흙으로 덮어주었다. 사과 두 개를 들고 냇가에 와서 씻으려고 하는데 상석이 형님 부친이 다친 발을 끌고서 물을 담으려고 냇가로 나오셨다. 나에게 물통에 물을 좀 담아 달라고 부탁하여 물을 담아드리고, 사과 한 개를 달라고 해서 드렸다. 어머니께서 무밭 옆에 자청파를 심으라고 해서 모종삽으로 하나씩 심었다.

8월 27일 (수) 맑음

'오늘은 논에 농약을 친다.' 하는 소리를 듣자마자 싫증이 났다. 하지만 어쩔 수 없어서 지게를 지고 가족들과 함께 '땅골'이라는 곳에 있는 논에 농약을 치러 갔다. 논에 농약을 치는데 덥기도 하고, 힘이 들기도 하여 아주 혼이 났다. 동생 금숙이가 감자와 사과를 가져와서 감자를 소금에 찍어 먹었다. 참 맛있었다. 감자가 타박타박하여 목이 막힐까 혼이 나기도 했다. '땅골' 논에 농약을 다 치고, '새물앞' 논으로 가서 세 마지기의 논에 농약을 뿌렸다. 오늘 오전에 아홉 마지기의 논에 농약을 뿌린 것이다.

8월 28일 (목) 맑음

오늘밤에 우리 동네의 한 집에서 '날'(장례식 후 1년상 또는 3년상 날의 제삿날; 상복을 벗는 날)을 지낸다고 하여 동생들은 떡을 얻어먹으러 갔다. 아버지께서는 원두막에, 어머니는 뒷집에 가시고, 형들은 모두 놀러 가버려서 집안에 혼자 남았다. '제사 떡은 밤 12시가 넘어서 떡을 나누어줄 텐데 집에서 놀다가 가도 괜찮은데 쓸데없이 애들이 너무 일찍 갔다.'는 생각이 들어 밖에 나가서 막내동생 문찬이를 데리고 와서 재웠다. 다시 골목에 나가 보니 우리 또래 애들 몇 명이 '날' 떡을 얻어먹으려고 기다리고 있어서 같이 놀다가 밤늦게 집으로 돌아왔다. '개학 날이 며칠 안 남았는데……' 하며 숙제 걱정을 많이 했다.

8월 29일 (금) 맑음

작은 칼을 다시 만들어야겠다는 생각이 들었다. 기찻길에서 납작하게 만든 쇳조각 하나를 책상 서랍에서 찾아내어 헌 칼에 꿰어서 숫돌에 갈았다. 형님께서 대나무를 베어와서 닭장을 만들려고 하셨다. 어머니께서는 뒷마당 변소 옆에 지으라고 하셔서 거기 있는 물건을 모두 치우고 땅을 평평하게 고르고 밟았다. 기둥을 세우려고 하는데 형님이 깨끗하게 자른 목재를 가지고 닭장을 만들려고 했다. '저 나무는 닭장 만드는데 쓸 게 아닐 텐데……' 하는 생각이 들었다. 목재에 못을 박고 나니 어머니께서 오시더니, '그 나무는 실겅이(찬장의 사투리)를 만들 거다.' 라고 하셔서 박았던 못을 겨우 빼내었다.

음독 자살 소동

8월 30일 (토) 비

이발을 하려고 송백2동에 있는 이발소에 갔다. 이발소에는 어른들이 많이 기다리고 있어서 '이발을 하려면 오래 기다려야 되겠네.' 하며 방앗간 쪽으로 걸어갔다. 그때 친구 상학이가 '경문아, 재실(대조영 후손인 태 씨 종친회 소유)에 놀러 가자.' 하며 나를 끌고 갔다. 재실에서 장기를 두며 놀다가 이발소에 다시 가보니 기다리는 사람이 별로 없었다. 곧 내 차례가 되어 이발을 하고 있는데 갑자기 지프차 한 대가 마을로 들어오더니 마을 사람들의 왁자지껄한 소리가 들렸다. 이발소 안에 있던 한 분이 '쯧쯧, 그 여자가 또 농약을 마셨구나.' 하고 말했다. 지프차는 사람을 태우고 쏜살같이 경산 시내 쪽으로 달려갔다. 마을 사람들이 이발소에 들어와서 하는 말을 들어보니 이런 내용이었다. 그 여자는 자기 남편이 매일 술을 마시고 집에 와서 행패를 부려서 못 살겠다며 담배밭에 둔 농약 20cc 가량을 마셨다는 것이다. 그래서 지프차에 태우려고 집에서 나올 때 상반신이 싸늘하게 식어 있었다고 한다. '아마 살리기 어려울 것 같아요.'라고 말했다. 이발을 하고 집으로 돌아오면서 '나는 커서 술도 배우지 말고, 아내도 고생시키지 말아야지.' 하는 다짐을 했다.

집에 와보니, 점심 때 우리 마을에 온 '판 장수'(목수로 여겨짐)가 우리 집에 점심을 먹으러 온다고 했다. 어머니께서는 국수를 삶으시고, 동생은 걸레로 대청마루를 닦고 있을 때 판 장수가 와서 같이 점심을 먹었다. 조금 늦게 오셔서 같이 점심을 드시던 아버지는 판 장수에게 '아까 그 작은 아이는 공부를 참 잘 한답니다. 자기 반에서 1등이라나……' 하시며 은근히 나를 자랑하셨다. 그 말을 들었을 때 나는 기분이 매우 좋았다.

8월 31일 (일)

내일이 개학일이라 동생을 데리고 곤충 채집을 하러 갔다. 이슬비가 보슬보슬 내리지만 방학 숙제를 내준 과학 선생님을 유쾌하게 해 드리기 위하여 곤충 채집을 해야만 했다. 그런데 곤충 채집을 100마리나 하라니 통 마음이 내키지 않았다. 며칠 전까지 51마리를 잡았는데, 오늘은 49마리를 잡을 수 있을까나……. 오늘은 메뚜기를 30마리쯤 잡았는데 그 중에 '때때'가 18마리였다.

저녁을 먹은 후 쉬고 있는데 창식이가 나를 불렀다. '무슨 일인가'하며 나가보니 윗동네 T형이 같이 있다가 '너, 곤충 채집 100마리 했지. 다 했으면 나 좀 줄래?' 하며 겁을 주었다. 나는 '아니, 이제 50마리 밖에 못 잡았어.' 하며 거짓말을 했더니, 그는 '에이씨, 나도 그 정도 밖에 못했다.' 하며 가 버렸다. 나는 상호 집으로 가서 펜촉을 하나 빌려왔다. 그 펜촉으로 도화지에 글씨를 쓰는데 잉크가 마구 번지는 것이었다. 화가 나서 그만 종이를 찢어버렸다. 국어 숙제는 내일 안 가져갈 예정이다. 오늘 아버지께서 시장에 가서 우리 황소를 9만 8천원에 파셨다.

9월 1일 (월) 비

오늘은 개학일이다. 아침에 일어나니 벌써 6시라고 했다. 얼른 세수를 하고 아침밥을 몇 숟갈 먹다가 기차를 타러 가는데 비가 억수같이 내리기 시작했다. 삼성역에 도착했을 때에는 아랫도리가 거의 다 젖었다. 역에 도착하자마자 기차가 와서 제일 뒤칸에 탔는데 특실이라 앞칸으로 가느라 혼이 났다. 학교에 가니 반 아이들이 웃는 얼굴로 모여들었다. 한 달 사이에 다들 키가 부쩍 큰 것 같다. 첫째 시간에 방학 과제물을 내고 반장을 도와 환경 정리를 했다. 네 시간의 수업을 마친 후 점심시간에 경산역에 가서 '패스'(Pass: 정기 승차권)를 발급받았다. 점심을 먹으려는데 젓가락이 없었다. 친구 원록이의 것을 빌려서 점심을 먹고 종이에 싸서 원록이 책상 속에 넣어두었다.

완행열차를 타고 갈 생각으로 교실에 남아 있으니 종화가 빵을 사 먹으려고 하는데 같이 가자고 하여 따라갔다. 빵 한 개를 주어서 태진이

와 반씩 나누어 먹고 나서 후회했다. 남에게 신세를 지지 않겠다고 결심했기 때문이다. 내가 할 수 있는 것은 내가 하겠다고.

9월 3일 (수) 비

아버지께서 자인 장에 가서 암소 한 마리를 사 오셨다. 팔만 천 원을 주었다고 한다. 며칠 전에 판 수소는 어린 우리들에게 자꾸 뿔을 들이대고 받으려고 해서 우리들이 소를 먹이기가 어려웠다. 8월 31일에 그 소를 팔고 나서 받아온 돈을 몇 번이나 헤아려봤는지 모른다. 나는 빨리빨리 돈을 세어 보기도 했다. 이제 암소를 사서 동생 문현이는 자기가 소를 먹이겠다고 한다. 암소는 워낙 순해서 그런가 보다.

9월 5일 (금) 맑음

오늘은 학교에서 단체로 극장 구경을 간다고 했다. 영화 제목은 '아폴로 11호'. 처음에는 '와!' 하고 함성을 질렀지만 극장에 가서는 크게 실망하였다. 극장 안에서는 국민학생들이 아직 영화를 보고 있는데, 소위 중학생이라는 지위에도 불구하고 학생들이 극장 앞에서 밀고 당기고 야단이었다. 그리고 극장에 입장할 때도 자리를 먼저 차지하려고 밀고 당기고 했다. 우리 학교의 위신 문제다. 영화도 별로 재미가 없었다. 이걸 하다가 저걸 하는가 하면 우주선이 발사되면서 영화가 금방 끝나 버리는 것이었다. 아폴로 11호가 아니라 그 이전의 영화라고 하던가? 아마 나는 과학에는 취미가 없나 보다.

9월 6일 (토) 맑음

아침 조회 시간에 선생님께서 '오늘 수업 후에 협동조합 가입자들에게 빵을 두 개씩 나누어 준다.'고 하셨다. 종례 후에 애들은 모두 집에 가버리고 청소 분단과 통학생들만 남아 있었다. 그때 반장인 숭덕이가 식빵 카드를 들고 와서 나누어 주었다. 그 카드를 들고 1층으로 내려가 빵을 받아먹었다. 교실로 올라와서 도시락을 먹는데 반장이 올라와서 다른 애들의 카드를 나누어 주었다. '오늘 빵을 받아먹지 않으면 소용이 없다.' 하면서 자기는 이미 몇 개를 받아 먹었다고 했다.

9월 7일 (일) 맑음

사촌형이 놀러 왔다. 오전에는 형과 같이 한약재인 으름덩굴을 걷으러 산에 갔다. 오후에는 아버지께서 사과밭에 소독을 한다고 하셔서 온 식구가 모여 농약 뿌리는 일을 도왔다. 농약 살포 작업은 저녁 때가 되어 끝이 나서 나는 냇가에서 목욕을 했다. 저녁 날씨가 제법 쌀쌀해졌다. 벌써 가을이 오는지 방울벌레 소리와 귀뚜라미 소리가 산촌의 정적을 깨뜨린다. 바깥 공기는 차가워도 물 속은 아직 따뜻해서 좋았다.

빵 급식 때문에 생긴 다툼

9월 8일 (월) 맑음

오늘 아침 조회시간에 지도과장 선생님께서 '그저께 빵을 받아먹지 못한 사람은 오늘 다시 나누어 주니 협동조합에 가서 받아먹도록 하십시오.' 하기에 가슴이 뜨끔했다. 우리 반 애들의 표는 그저께 숭덕이가 주어서 다 받아먹어 버렸기 때문이다. 열을 서서 교실로 들어가는데 창완이가 '경문아, 내 빵 내놔라.' 하며 뒤에서 큰 소리로 말하는 게 아닌가! 그래서 나는 화가 나도 꾹 참고 창피를 당하지 않으려고 애를 썼으나 자꾸 그런 소리를 하며 따라다녀서 운동장 뒤쪽에서 멱살을 잡고 따졌다. 아마 헌주가 이른 모양이다. 헌주는 그저께 자기가 반장에게 받은 카드를 나와 바꾸어서 빵을 타 먹었기 때문이다. 그 표가 창완이의 것이었나보다. 그러고 있는데 3학년생이 와서 나를 때렸다. 나는 그를 피해서 교실로 들어갔다. 아마 그 3학년생은 창완이와 한 클럽에 속한 애인 모양이다. 교실로 들어가니 광생이가 '경문아, 학교에서는 싸우지 마라.' 하며 나를 위로해 주었다. 나는 책상에 앉아서 눈물을 닦았다. 남의 카드로 빵을 받아먹었는데 왜 그를 때리려고 했는가? 그러나 그도 나에게 창피를 주기 위하여 하필이면 운동장에서 말할 게 뭐냔 말이다. 신사답게 조용히 와서 빵을 사달라고 했으면 오히려 더 많이 사 주었을 것이다. 그 애는 원래 나를 오해하고, 자꾸 못살게 구는 학생 중의 하나이다.

9월 10일 (수) 맑음

말씽이 많은 과학 시간 때였다. 과학 선생님은 참 웃기기도 하고, 화도 잘 내신다. 선생님은 곤충 채집을 안 해온 사람을 불러내어 종아리를 때렸다. 그리고 제일 마지막에 매를 맞은 상철이에게 '너는 왜 곤충 채집을 안 했지?' 하고 물으니 상철이는 '돈이 없어 못 했습니다.' 하고 대답했다. 그러자 선생님께서는 '뭣이 어째? 돈만 있으면 당장 100가지 곤충을 잡아 오겠니?' 하니까, 상철이는 '예. 하겠습니다.' 하고 대답을 했다. 선생님께서는 '그래? 그럼 내일 당장 잡아 오너라.' 하시며 상철이에게 돈 20원을 주시며, '안 해 오면 혼난다.' 하고 연발로 말씀하셨다.

여섯 번째 시간에 과학 선생님이 우리 교실에 들어오시더니 '우리 학교에서 맘이 제일 좋은 선생님이 누구지?' 하고 물었다. 우리들은 한 목소리로 '과학 선생님이 제일 맘이 좋아요.'라고 했다. '암, 그렇지. 나는 곤충 채집을 못하고 있는 학생에게 돈도 주거든.' 하셨다. 그런 게 아니다. 과학 선생님은 순 엉터리다.

보(洑)에서 물고기 잡기 — 9월 14일 (일) 흐림

자전거를 탄 고향 친구 박무경

무경이네 집('의사 댁'으로 불렸다)에서 우리 집과 종희네 집, 세 집이 오늘 함께 보(洑)에서 물고기를 잡자고 하여 어머니께서 허락하셨다. 아침에 우리에게 대나무 소쿠리를 가지고 무경이네 집 근처에 있는 보로 가라고 하셨다. 무경이네 집에서 사이나(고체 덩어리 농약)를 제공하고, 두 집 사람들은 물고기를 잡아 바케스에 담기로 약속했다. 아버지와 큰형님, 문석 형은 먼저 가고, 나는 동생들을 데리고 뒤따라 갔다. 우리가 가자 이내 종희네 집에서도 부부가 아이들을 데리고 나왔다.

보 위편의 개천에서 먼저 사이나를 뿌리고 나서 보에도 사이나를 뿌렸다. 한참 기다려도 물고기들이 보이지 않아 우리는 소쿠리로 물을 휘이 저었다. 조금 있으니 미꾸라지들이 물 가장자리로 스멀스멀 나오기 시작했다. 우리는 일제히 소쿠리로 미꾸라지를 마구 잡아서 대야에 담았다. 무경이도 집에서 나와 같이 물고기를 잡았다. 여기서도 잡고, 저기서도 잡고 하니 그 재미가 오죽 좋으랴! 종희와 그의 동생은 물속을 뛰어다니느라 옷이 다 젖었고, 동생 문현이 또한 흠뻑 젖었다. 나중에는 송사리와 송어도 나오기 시작했고, 큰 물고기도 물 위로 떠올랐다. 미꾸라지는 숨을 쉬려고 입을 들고 쏘다니는데 이를 잡느라 정신이 없었다. 제방 아래에서도, 보 위에서도 물고기들이 꽤 많이 잡혀서 모두 바케스에 담았다. 새끼 미꾸라지들이 나둥그러져서 물 위를 떠다니는 것을 보니 무척 불쌍했다. 이렇게 잡으면 물고기 씨가 마르겠다는 생각이 들었다.

한나절 물고기를 잡으니 약 한 바케스가 되었다. 작은 새끼 미꾸라지까지 다 잡았고, 큰 물고기도 제법 많이 잡혀서 아버지께서 이제 그만 잡자고 하셨다. 동네에서 조금 떨어져 있는 무경이네 집으로 바케스를 들고 가서 물고기를 3등분으로 가르니 한 집당 한 그릇이 넘게 나누어졌다. 집으로 돌아오니 대구에서 일하는 둘째 형님이 오봉과 거울 한 개, 그리고 컵 여섯 개를 사가지고 와 있었다. 저녁에 어머니께서 오늘 잡은 미꾸라지로 추어탕을 끓여주셨는데 그 맛이 일품이었다.

송백천_1986년

홍수를 뚫고 학교로

9월 15일 (월) 비

어제부터 오던 비가 간밤에는 꽤 많이 내렸다. 앞 개울의 물이 넘치고, 시내를 건너지 못할 만큼 많은 물이 흘러가고 있었다. 어머니께서 아침밥을 늦게 지어서 5시 55분에야 집을 나섰다. '삼성역에서 열차가 6시 44분에 출발하는데……' 하면서 뛰어갔다. 그런데 예전의 기와 공장 아래에 있는 다리는 물이 콸콸 넘쳐흐르고 있어서 허벅지까지 물이 차오를 것 같았다. 그래서 아래쪽 논두렁으로 내려가 보니 이쪽과 저쪽을 연결하는 나무로 만든 수로 '홈'이 걸려있는데 발로 건드려보니 많이 썩어서 위험해 보였다. 다시 다리 쪽으로 올라와보니 상길이 아버지께서 다리 위에서 애들이 건널 수 있도록 도와주고 계셔서 그 분을 따라 건너갔더니 바지가 흠뻑 젖어버렸다.

'학교를 가야지……' 하는 생각으로 아랫동네 쪽으로 뛰어가는데 보이는 애들은 모두 우리 동네 아이들밖에 없었다. 열심히 달려서 삼성역에 도착해 보니 부산 부근에서 언덕이 무너지면서 선로를 덮쳐 열차가 언제 올지 모른다는 것이었다. 그래서 어떤 애들은 버스를 타러 가고, 어떤 애들은 철길을 따라 경산으로 걸어가고 있었다. '에라, 완행열차라도 오겠지……' 하며 삼성역에서 오랫동안 놀고 있으니 '꽥액!' 하는 열차 소리가 들렸다. '열차가 왔구나!' 하고 생각하며 책가방을 들고 플랫폼으로 뛰어나가 보니 화물 운반용으로 쓰는 한 칸을 단 열차가 서 있었고, 그 안에는 학생과 손님들이 많이 타고 있었다. 안으로 들어가니 열차는 이내 떠났다. 친구 종화도 같이 탔다. 많은 물을 건너서 삼성역까지 오느라 옷이 다 젖었으나 열차가 없어서 한숨짓던 일도 다 잊고 이제 오직 이 열차가 경산역에 서느냐 안 서느냐가 문제였다. '제발 경산역에 서게 해 주세요.' 하고 속으로 빌었다. 경산역이 가까워지자 차장이 '내릴 손님은 밖으로 나오세요.' 하기에 얼른 열차에서 내렸다. 우리 학교 학생은 나와 종화, 그리고 삼극이 세 사람뿐이었다. 교실에 들어가보니 출석한 학생들은 몇 명 안 되었다. 문석 형은 버스를 타고 온 모양이다.

9월 16일 (화) 비

엊저녁에 시계가 잠이 들어버려서 깨워 놓았는데 시간이 맞는지 안 맞는지 알 수가 없었다. 오늘 엄마가 새벽 밥을 너무 일찍 지어 주셔서 아침을 먹고 한 잠 더 자도 될 것 같았다. 나는 상철이에게 빌려온 『한

국전래담화』 책을 읽으니 저절로 웃음이 나왔다.

날이 밝아서 집을 나서니 기와골 옆의 냇물은 많이 줄었다. 삼성역에 거의 다 와서 역으로 올라가고 있는데 학생들이 역에서 내려오고 있었다. '왜 열차를 안 타고 내려오느냐?' 하고 물으니 열차가 세 시간이나 연착될 거라고 한다. 친구들과 같이 버스를 타려고 가고 있는데 삼성 지서 앞에 여학생들이 많이 모여 있었다. '정류장으로 가서 버스를 타자.' 하며 친구들과 함께 가다가 지서 쪽으로 돌아보니 검정색 트럭 같은 게 보였다. '야! 지서 앞에 트럭이 서 있다. 타러 가자.' 하며 뛰어가니 모두 나를 따라왔다. 트럭에 오르니 학생들로 한 차가 되었다. 트럭을 타고 가는데 중간에 서 있는 계집애들이 트럭이 커브를 돌 때마다 이리 밀리고 저리 밀리고 했다. 이러다가 사람들이 한쪽으로 몰리면 차가 넘어가지나 않을까 걱정이 되었다. 내가 바닥에 앉아 있으니까 계집애들의 엉덩이가 등에 자꾸 부딪혀서 일어서서 갔다. 트럭이 경산읍에 들어가니 농예기술학교 학생 하나가 내린다고 하여 모두 트럭에서 내렸다. 형과 같이 우산을 나란히 받쳐들고 가는데 형이 손수건으로 얼굴을 닦으라고 주어서 얼굴을 닦았다.

9월 17일 (수) 맑음

학교를 파하고 완행열차를 타려고 경산역으로 가보니 시간이 좀 이른 것 같아 경산역 동산에서 놀고 있었다. 그때 원록이가 오더니 '박정희 대통령께서 이곳을 지나간다고 하드라.' 하기에 '언제 지나가는데?' 하고 물어보았다. '이제 곧. 저길 봐. 순경들이 철로 가에서 지키고 있잖아.' 하여 우리 둘은 연탄 공장이 있는 쪽으로 갔다. 다른 애들도 벌써 알았는지 열차가 잘 보이는 곳에 몰려 있었다. 우리는 대통령이 탄 열차가 지나가기를 기다렸다. 선로를 지키는 파수병은 사람들이 건널목을 지나가지 못하도록 막았다. 이윽고 덜커덕거리는 소리가 들려서 쳐다보니, 아주 멋진 열차가 삽시간에 휙 지나가 버렸다. 순간적이었지만 열차 안에 탄 몇 사람을 얼핏 보았다. '야! 그 열차 멋지다!' 하는 소리가 여기저기서 들려왔다. 나도 저런 좋은 열차를 타 보고 싶었다. 나도 박정희 대통령처럼 위대한 인물이 되어 저런 차를 타고 철통같은 호위를 받으며 가면 기분이 참 좋을 듯하다. 박 대통령은 밀양의 홍수 때문에 다녀갔다고 한다. 밀양에서 대홍수가 나서 많은 사람이 죽었고, 농사도 몽땅 망쳤다고 한다.

9월 24일 (수) 비

어제 아침부터 내리던 비가 밤사이에 꽤 많이 내려서 냇물이 많이 불었다. 비는 오전에도 줄기차게 계속 내렸다. 세번째 시간을 마치고 나서 담임 선생님께서 강물이 많이 불었으니 물을 건너가야 하는 사람은 집으로 가도 좋다고 했다. 물이 좀 많다고 해서 가는 사람도 있고, 집이 멀다면서 가는 사람도 있고, 또 다른 핑계로 집으로 가는 사람도 더러 있었다. 물이 많이 불었다고 해도 나는 집으로 가기 싫었다. 아마 우리 마을의 '당 다리'에도 물이 넘칠 것이다.

박 대통령께서 오늘 제일모직 경산 공장에 시찰을 온다는 소문이 있었다. 3교시를 마친 후 창문으로 내다보니 경산역에 며칠 전에 봤던 아주 멋진 열차가 도착하였다. 대통령 일행이 역에서 나오는 모습을 보려고 창문에 학생들이 다닥다닥 붙어서 역 마당을 주시하기도 했다.

점심시간에 아래층으로 내려가려고 하는데 제우가 난간에 올라서더니 아래층으로 침을 뱉고 내려와 버렸다. 아래층에 있던 3학년 학생이 나를 보더니, '누가 침을 뱉았느냐?' 하고 물었다. 그러자 상고 지도부 단원이 오더니 그 3학년 학생과 이야기를 하였다. 나는 교실로 들어와서 자리에 앉아 있었다. 그 3학년 학생이 우리 교실에 들어오더니 나를 보고 '누가 침을 뱉았느냐?' 하고 물었다. 제우가 그랬다고 하니 제우는 자기는 안 그랬다고 잡아떼어서 3학년 학생에게 맞을 뻔했다. 그래서 전후 사실을 말해 주니 제우는 더 잡아뗄 수가 없게 되었다.

경산 시장 구경

9월 25일 (목) 흐림

내일이 추석이라고 좋아하며 떠드는 학생들 때문에 공부가 잘 되지 않았다. 오늘은 수업을 네 시간만 했다. 학교 수업을 일찍 마쳐서 열차를 타려면 시간이 많이 남아있었다. 시간을 때우려고 경산시장으로 놀러 갔다. 여기저기 장을 보는 사람들로 붐비었다. 한 곳에 가니 '얏! 얏!' 하는 소리가 들려 합기도를 하는가 싶어서 가보니, 한 사람이 병을 세워놓고 병목만 벤다고 하여 사람들이 모여들고 있었다. 그러나 그는 실제로 병목을 베지는 않고 흉내만 내다가 나중에 양말을 선전하며 사라고 하였다. 그곳을 나와서 이리저리 다니다가 숭덕이가 앉아서 물건을 팔고 있는 것을 보았다. 숭덕이는 장사꾼이어서 큰 장날에는 학교에도 오지 않고 장사를 하였다. 더구나 우리 반 반장으로서, 자기가 할 수 없으면 어떤 일이든지 나에게 부탁을 하곤 하였다. 숭덕이와 몇 마디 이야기를 하다가 열차 시간이 다 되어 가야 한다고 말하고 헤어졌다.

시장에서 경산역으로 오는 길에 어떤 아저씨가 나를 부르더니 가방을 같이 들어달라고 부탁을 하여 들어주었다. 그분은 '구두 수선하는 사람이 있는 곳을 아느냐?' 하고 물어서 벌써 지나왔다고 말하니 같이 가 달라고 부탁을 하여 안내해 주었다. 길가에 있는 구두 수리공은 구두 수선이 많이 밀려있으니 가방은 나중에 고치라고 했다. 그러나 그 아저씨는 오늘 꼭 고쳐야 한다며 얼러서 겨우 가방을 고쳤다. 그 아저씨는 나에게 고맙다며 사과를 사 주었다. 어디서 오시느냐 하고 물으니 근무지는 서울인데 경산여중에 볼 일이 있어서 왔다고 하면서 삼랑진까지 간다고 했다.

경산역에 오니 국민학교 5학년 때 한 반이었다가 전학을 간 혜경이가 여학생 복장을 하고 열차를 타려고 기다리고 있었다. 열차가 연착을 해서 역 안에 있는 꽃밭에서 나팔꽃보다 훨씬 작은 귀여운 꽃이 있어서 꽃씨를 받았다. 또 노랗고 빨간 맨드라미 꽃씨도 받았다. 임시 열차가 도착하였으나 승객들이 너무 많아서 어떤 사람은 열차에 매달려서 타고 가기도 하였다. 나는 그런 열차를 타기가 싫어서 타지 않았다. 다시 역 동산으로 돌아와서 조각칼로 나무 조각을 하고 있으니 국어 선생님인 구자을 선생님께서 자녀를 데리고 열차를 타러 오셨다. 연착한 완행열차를 타고 집으로 돌아오니 날은 이미 어두워지고 있었다. 우리 집에는 작은아버지께서 사촌 형과 사촌 동생을 데리고 와 계셨다.

처음 올라간 선의산

9월 26일 (금) 맑음

선의산

기다리고 기다리던 추석날이다. 대청마루에 떡과 밥 등 제례 상을 한 상 가득 차려놓고 차례를 지냈다. 조반을 먹은 후 골목으로 나오니 상복이가 선의산에 놀러 가자고 했다. 둘이서 선의마을('생기'라고도 하였다)까지 걸어가니 그곳에 집을 새로 짓고 있었고, 아이 여럿이 놀고 있었다. 둘이 선의산으로 올라가고 있으니 선의마을 애들 몇 명이 따라오며 올라가는 길을 알려 주었다. 조그마한 애들이 산을 꽤 잘 올라갔다.

선의산은 우리 마을에서 가장 높은 산으로 높이가 756m나 되고 송백동 본 마을에서의 거리는 약 3Km나 된다. 억새가 우거진 숲을 지나는가 하면 10m가 넘는 으름, 다래 넝쿨 속을 기어가기도 하고, 험한 바위를 타면서 올라가니 참 재미있었다. 마침내 정상인 선의봉에 도착하니 그 기쁨은 말로 다 할 수 없었다. 조금 아래에 있는 송곳 바위에 올라가니 무섭기도 했으나 시원한 바람이 불어서 좋았다. '야호!' 하며 외치는 소리가 멋을 줄 몰랐다. 나무 막대기에 수건을 달고 흔들어 대기도 했다.

한참 동안 놀고 있으니 정후를 비롯한 마을 동무들도 올라왔다. 바위에 이름도 새기고, 노래도 같이 불렀다. 친구들과 바위에 이름을 새기고 있을 때 한 친구가 '저기 청도 애들이 올라온다!'고 하여 살펴보니 남쪽 산등성이로 아이들 여럿이 떼를 지어 올라오고 있었다. 그래서 우리는 고함을 지르고 야단을 치니까 그들이 도로 내려가기 시작했다. 그런데 조금 있으니 우리보다 덩치가 더 큰 애들이 올라오는 게 보였다. 우리는 모두 달아나자고 했다.

산에서 내려와서 선의마을 애들과 헤어졌다. 하산 길은 비탈진 곳이 많아서 뛰면서 내려오니 굉장히 빠르고 재미있었다. 산등성이에는 빨간 '포구' 열매가 많이 달려있어서 손으로 따서 먹기도 하고, 가지를 꺾기도 하였다. 뒤처져오던 상복이와 상호는 동네 입구에 왔을 때 따라왔다. 참으로 즐겁고 추억에 남는 선의산 산행이었다.

9월 27일 (토) 맑음

남천국민학교에 가수들이 와서 노래자랑을 한다고 하여 동생 문현이와 사촌동생 치문이에게 같이 구경을 가자고 했다. 동구 밖을 나와 언덕길을 걸어가고 있는데 문도 형님이 사촌 문백 형과 같이 보자기를 들고 앞서서 오고 그 뒤에 청도의 고모부께서 따라오고 계셨다. 고모부에게 인사를 하고 나니 고모께서 이종사촌 성기와 함께 걸어오고 계셨다. 그래서 그들과 함께 집으로 돌아가자고 했더니 동생들이 노래자랑을 보러 가자고 우겨서 삼성으로 향했다. 남천면 소재지인 삼성에 있는 국민학교 가까이 가니 악기 소리가 크게 들렸다.

학교에는 이미 많은 사람들이 운동장에 서 있고, 여섯 명의 연주자들이 악기를 연주하고 있었다. 노래하는 가수들은 보이지 않았다. 오랫동안 악단의 연주만 들으니 재미가 없었다. 이윽고 여러 가수가 차례로 나와서 노래를 불렀는데 유명한 가수는 한 사람도 없었다. 이따금 사회자가 이야기를 재미있게 하여 웃기도 하였다. 노래자랑을 마친 후 영화 '포옹'을 보여준다고 하였으나 동생들도 이제 집에 가자고 하여 돌아왔다. 날은 이미 어두워졌다.

9월 28일 (일)

추석의 즐거움은 더할 길 없다. 산천초목은 더욱 푸르르고, 새소리가 재잘거리는 동생들 소리와 함께 들려온다. 특별히 해야 할 것이 없는 때이고, 공부나 노는 일도 이제 진저리가 날 지경이다. 매끄럽게 구르는 유리구슬의 매력에 동생들과 같이 구슬치기 놀이를 했다. 청도에서 온 성기는 구슬치기를 할 줄 몰랐다. 사는 지방이 다르니까 아이들의 노는 풍습도 많이 다른가 보다.

9월 29일 (월)

오늘부터 1주일 동안 학급을 위하여 일하는 '주번'을 맡았다. 교무실에 있는 학급 비품을 가져와서 걸어놓고, 빗자루로 교실을 깨끗이 쓸었다. 물을 길어다가 물뿌리개로 교실 바닥에 물을 뿌리고, 음료수도 한 주전자 떠서 갖다 놓았다. 주번을 맡았을 때 학급을 위해서 열심히 봉사해야겠다. 비록 주번이 아니더라도 남을 위해서 나의 정성과 희생을 다 해야겠다. 점심시간에는 물을 떠 오라고 친구들이 아우성을 쳤다. 수용이도 나와 같이 주번을 맡았으나 주번 활동은 모두 내가 다하고, 그는 이름만 주번이지 주번 모임에도 가지 않았다.

9월 30일 (화)

학교를 파하고 집에 돌아와서 사과밭에 갔다. 저녁 바람이 선선하게 분다. 귀뚜라미 소리가 요란하다. 힘차게 울던 매미도 여름과 함께 간 곳이 없고, 냇가에서 무수히 날던 밀잠자리 떼도 어디로 갔는지 보이지 않는다. 저녁 서리에 빨간 고추잠자리가 날개를 파르르 떨고 있다. 붉은 염원의 열매들이 따뜻한 가을 햇볕에 익어가고 있다. 큰 산에는 단풍이 조금씩 물들고 있다. 밭길로 걸어가니 풀잎에 맺힌 이슬에 발이 차갑다. 가을! 꿈의 계절, 애수의 계절!

박빙의 축구 시합

10월 2일 (목) 맑음

오늘은 전교생 체육대회가 있는 날이다. 나는 체육복을 갖고 오지 않아서 운동장에 나가지 않았다. 교실에 남아 있으면서 '담임 선생님이나 체육 선생님께서 교실에 올라오시면 어떻게 할까' 하고 걱정을 했다. 체육대회를 시작할 때 창문으로 운동장을 내다보니 1학년은 핸드볼 시합을 시작하고 있었다. 2학년의 축구 시합도 시작되었고, 3학년과 상고도 각각 배구와 농구 시합을 시작하였다. 교실에서 보고 있자니 우리 반이 어느 반과 시합을 하는지 알 수 없어서 운동장으로 나갔다. 축구는 1반과 2반이 시합을 하고 있었다. 골을 넣기가 힘들어 보였으나 1반 선수가 세 골을 넣어 경기는 끝이 났다. 이어서 3반과 4반이 축구를 했다. 우리 4반 애들 중 몇 명이 축구를 잘하기 때문에 3반보다 먼저 두 골을 넣어 이겨버렸다. 예선전은 끝나고 오후에 결승전을 한다고 했다. 1학년들의 핸드볼 경기가 끝나지 않아 구경했다.

점심을 먹고 나서 1반과 4반의 축구 결승전이 열렸다. 전반전은 1:1로 비겼다. 후반전에서는 두 반 다 골을 잘 넣지 못했다. 우리 반 선수들이 물을 마시고 싶다고 하여 교실에 있는 주전자로 물을 떠다 주니 벌컥벌컥 들이켰다. 1반의 삼철이도 와서 물을 좀 달라고 하여 물을 주었다. 후반전이 끝나갈 무렵에 1반 선수가 한 골을 넣어 2:1이 되었다. 큰일 났구나 싶어 가슴이 조마조마해지고 응원 소리도 더욱 높았다. 종료시간 몇 분 전 우리 반 선수가 한 골을 넣어서 2:2 동점이 되었다. 연장전에 들어가기 전에 체육 선생님이 먼저 한 골을 넣는 반이 우승이라고 말씀하셨다. 곧 연장전이 시작되면서 다시 치열한 공격과 수비가 시작되었다. 오랫동안 골을 넣지 못하다가 우리 반 숭덕이가 골을 차 넣었다. 우리 반의 만세 소리로 운동장이 굉장히 시끄러웠다.

운동회를 마치고 시상식이 열렸다. 교감 선생님께서 각 학년마다 우승한 반에게 상품을 주셨다. 1학년과 2학년은 각각 4반이 우승하였고, 3학년은 1반이 우승하였다. 종례 때 선생님께서 노트를 한 권씩 나누어 주셨다. 학교를 나와서 버스를 타러 갔다. 오늘은 금곡국민학교 운동회 날이라서 구경을 가려던 참이다. 아무리 기다려도 버스가 오지 않아서 기차를 타려고 가보니 기차도 1시간 40분이나 연착을 한다고 했다. 다시 버스 정류장으로 가서 기다리니 한참 만에 버스가 왔다. 금곡 다리에서 내려 학교에 가보니 벌써 운동회가 끝나고 아무도 없었다. 집에 와보니 새로 산 라디오 1대가 있었다. 저녁에 청도에서 사는 이종사촌 형님과 누님이 오셨다. 그리고 임당 고모님의 따님인 인숙 누님도 오셨다.

10월 3일(금) 맑음

오늘은 개천절이다. 아침 일찍 일어나 새로 사 온 라디오를 켜니 개천절 노래가 흘러나왔다. 그리고 '집집마다 태극기를 다세요.' 라는 아나운서의 목소리가 들렸다. 태극기를 꺼내어 대문으로 나가니 하늘은 유난히 푸르기만 하다. 떠도는 흰 구름 만이 의지할 곳 없는 가을의 서정이다.

대나무 깃봉에 태극기를 다니 지금부터 4,300년 전에 단군께서 바람을 타고 오신 것 같이 태극기는 더욱 세차게 바람에 나부끼었다.

10월 9일 (수) 맑음

오늘은 523번 째 한글날이라고 한다. 한글날을 맞아 시 한 수를 써 보았다.

"삼천 만이 생겨났고 강산도 소생했다
문명국 되었도다 문화국 되었구나
흐르는 강물 소리 지저귀는 새들 소리

우리 말 우리 글이 강산과 함께 소생했다
거룩한 세종대왕 문화 발전 여시니
조국 강토 이 세상에 더욱 더 빛나리”

10월 12일 (일) 맑음

큰형님이 콩밭의 콩을 뽑자고 하면서 서두르고, 어머니께서는 콩 나무 뽑는데 가서 좀 도우라고 하셨다. 큰형님과 동생은 일찌감치 사과밭에 가서 콩 나무를 뽑고 있었지만 나는 독서에 정신이 팔려 가기가 싫었다. 그러나 엄마가 시킨 일이라 할 수 없이 밭으로 가니 큰형님과 동생이 약간의 콩을 뽑아놓고 쉬고 있었다. 어떻게 하면 콩 나무 뽑는 작업을 빨리 끝낼 수 있을까 하고 생각하다가 두 편으로 나누어 빨리 뽑기 시합을 했다. 경쟁을 하니 단 두 번만 쉬고 다 뽑았다. 다음에는 뒷산 밭에 있는 콩 나무를 뽑아야 했다. 여태까지 콩을 뽑느라 손이 매우 아팠으나 빨리 추수하지 않으면 콩들이 저절로 터져서 수확량이 줄어들게 된다. 뒷산 밭의 콩은 땅이 메말라서 잘 뽑히지 않았다. 세 뙈기의 밭에서 콩 나무를 다 뽑고 나니 손이 트고, 몇 군데 물집이 생겼다.

10월 13일 (월) 맑음

조회가 있다고 주번이 알렸다. 모두 운동장으로 나오자마자 교무실에서 선생님들이 나왔다. 조회대 위에 교탁과 상품을 얹어 놓았다. 무슨 상을 주는가 보다. 교장 선생님은 나오지 않았고, 교감 선생님이 교단으로 올라오자 3학년 국어 선생님께서 상 받을 학생들의 이름을 부르셨다. 아마 백일장과 독후감에 대한 시상인 것 같다. 나는 백일장에서도 글을 잘 쓰지 못하였고, 독후감도 아무렇게나 써서 제출했지만 표어에는 관심이 갔다. 그러나 나의 이름은 어디에서도 불리지 않았다. 책을 많이 읽은 학생에게도 상을 주었다. 나는 도서실에서 책을 굉장히 많이 읽었으나 카드가 없기 때문에 내 이름은 불리지 않았다. 오늘 상을 못 탄 게 섭섭했다. 어지간한 애들도 상을 탔는데 나는 노트 한 권도 못 받아서 다음부터는 책을 읽고 난 후 즉시 독후감을 쓰고, 일기도 계속 쓰며, 시와 작문도 그때그때 생각나는 대로 써 두어야겠다고 다짐을 했다.

고산 서원 소풍 10월 16일 (목) 맑음

어스름한 새벽 꿈결에 소 우는 소리가 들려 나도 모르게 잠에서 깨어났다. 아버지, 어머니, 그리고 동생들의 떠드는 소리에 밖으로 나가보니 우리 집 암소가 송아지를 낳았다고 한다. 수송아지라서 돈 벌었다고 했다.

오늘은 가을 소풍을 가는 날이다. 새벽부터 함지에 사과, 밤, 감, 떡을 몇 개씩 주어 담았다. 몇 사람이 같이 먹으면 하나씩밖에 먹을 수 없을 것이다. 함지 도시락을 가지고 학교에 가니 같은 반 친구들이 웃는 얼굴로 모여들었다. 조회 시간이 매우 지루하게 느껴졌다. 모두 도시락을 둘러메고 목적지인 고산서원으로 향했다. 1학년과 3학년은 다른 장소로 소풍을 갔다. 넓은 평지를 지나가니 앞쪽에 붉은 산이 보였다. 저기가 우리가 놀 곳인가 하는 생각이 들었으나 우리의 목적지는 거기가 아니었다. 붉은 산을 지나가니 작은 기슭 오목한 곳에 잔디가 깔려 있고, 소나무도 몇 그루 서 있었다. 그곳을 지나 조금 더 가니 고개 하나가 보이고 커다란 나무 몇 그루가 우뚝 서 있었다. 그 나무 아래쪽이 '고산서원'이라고 한다.

선생님들이 잔디밭으로 가서 노는 게 좋겠다고 하여 오던 길로 되돌아갔다. 잔디밭에 도착하자 선생님께서 1시간 반의 자유시간을 주시며 점심을 먹으라고 하셨다. 우리 반 친구들과 여럿이 함께 자리를 잡고 가져온 음식을 내놓고 먹었다. 상철이, 찬수, 그리고 종훈이와 함께 앉아서 먹었는데 상철이와 찬수는 도시락만 싸 와서 내가 가져온 사과와 밤, 떡을 같이 나누어 먹었다. 종훈이는 감 몇 개를 꺼내어 우리에게 주더니 내가 가져온 단감을 자기 주머니에 넣어버렸다. 점심을 먹고 찬수와 같이 빵을 사 먹으려고 갔다. 몇 개의 빵을 사 가지고 풀밭에 앉아서 같이 먹었다. 우거진 풀밭에 누워 서로 많은 이야기를 나누었다.

오후에 노래자랑 시간이 있었다. 노래를 부르는 친구들의 모습이 재미있었다. 특히, 상철이가 쌍둥이인 삼철이와 서로 싸우듯이 노래를 부르는 모습이 우스웠다. 각 반에 분배된 상품을 나누어 주기 위하여 같은 반 친구들끼리 모여 재미있는 놀이를 했다. 우리 반은 선생님께서 '심지 뽑기(제비뽑기)'를 하셨다. 우리 2분단은 재수가 좋은지 노트가 당첨되었다. 10명이 모두 출석했으므로 한 사람이 노트 한 권씩 나누어 가졌다. 가을 소풍은 이것으로 끝나고 현장에서 모두 해산을 했다. 나는 종화, 상복, 찬수 등 친구들과 같이 사진을 찍은 후 경산읍으로 같이 걸어왔다. 참으로 유쾌하고, 재미있고, 즐거운 가을 소풍이었다.

10월 17일 (금) 맑음

오늘은 헌법 개정을 묻는 국민투표일이다. 공화당은 박정희 대통령이 한번 더 일할 수 있도록 헌법을 고쳐 대통령을 세 번까지 할 수 있게 하자는 주장이고, 신민당은 헌법을 고칠 수 없다고 주장하여 국민의 의사가 어떠한지 물어보는 날이다. 자기 당을 위해서 열렬히 주장하는 모습은 옛날 당파싸움을 보는 것 같다. 신민당은 공화당을 욕하고, 공화당은 개헌의 정당성을 적극적으로 설명하고 있다.

점심을 먹고 뒷산 밭으로 고구마를 캐러 갔다. 여문 땅에는 돌멩이가 많아서 괭이가 땅에 잘 들어가지 않고 돌부리에 자꾸 튕기었다. 고구마는 조그만 하여 괭이에 상하기가 일쑤였다. 손이 부르트고 물집도 생겼다. 멀리 보이는 농로에는 투표소로 오가는 사람들이 많이 보였다. 저녁에 라디오를 들어보니 각 지방별 투표율에 대한 통계를 발표하였다. 우리 경산군의 투표율은 93.3%라고 하며, 찬성률은 80%가 넘는다고 하였다.

송백1리 전경_1986

10월 24일 (금) 맑음

오늘은 우리의 평화와 자유를 지켜주고, 공산주의의 침략을 막아주며, 세계평화를 보존하려는 유엔(U.N.)이 설립된 날이다. 하늘은 비취빛 물처럼 푸르기만 하다. 그러나 북한의 어느 곳에서 지금도 노동당 괴뢰의 눈초리에 시달리고 있을 북한 학생들의 모습이 떠오른다. 달디단 빨간 감은 하늘거리는 바람에 흔들리기도 하고, 까치에게 쪼이기도 했다. 첫 서리가 내리고, 고추잠자리는 땅 속으로 숨어들고……. 하늘이 높은 오늘도 유엔군은 여전히 대한민국의 자유와 평화를 지켜주고 있다. 유엔에서 파견되어 이 나라에 와 있는 모든 유엔군 아저씨들에게 너무 감사하다.

11월 12일 (목) 맑음

내일부터 중간고사를 치뤄야 한다. 계획대로 공부하지는 못했지만 밤새도록 열심히 공부했다. 새벽 바람은 점점 차가워지는데 나는 열차를 타러 가는 1시간이 아까워서 수첩에 중요한 것을 적어서 외웠다. 비록 십 리 길을 걸어서 열차를 타고 다니지만 열심히 하는 공부는 그칠 줄 몰랐다. 흡사 중학교 입학 시험 같은 중간고사다. 이젠 시험에 경험이 쌓여서 뜻도 잘 알고 풀이도 어지간히 잘 하게 되었다. 국민학교 6학년 때 어렵다고 생각했던 문제도 중학생이 되고 보니 전혀 어렵게 느껴지지 않는다. 장난치며 배우는 가운데서도 많이 깨달은 모양이다. 내일 시험을 치지만 재미있는 라디오를 손에서 놓을 수 없다. 국군의 방송은 더욱 구미를 당긴다.

장난이 큰 사고로! 12월 15일 (월) 맑음

수업 첫 시간의 일이었다. 영어 선생님께서 흑판에 필기하고 있는데 창완이가 뒤를 돌아보며, '너희들 수학 숙제하지 마라.'라고 하여 아이들이 모두 크게 웃었다. 선생님께서는 화를 내시며, '누구냐. 누가 그랬어! 말 한 사람 일어나!' 하셨다. 창완이는 '무슨 말입니까?' 하니, 선생님은 화를 내며 창완이를 앞으로 나오라고 했다. 그리고는 나를 보시더니 누가 그랬냐고 물었다. 나는 모른다고 대답을 하니 선생님은 화를 내시며 뒷자리에 앉은 다섯 사람을 모두 앞으로 불러내었다. 그러나 우리는 안 그랬다면서 안 나가려 했다. 그랬더니 더욱 화를 내며 뒷자리로 오는 것을 보고 우리는 모두 앞으로 나갔다. 선생님께서는 '누가 그랬느냐?' 하고 물었으나 우리는 계속 모른다고 했다. 그랬더니 '모두 엎드려뻗쳐!' 라고 하셨으나 우리는 엎드리지 않았다. 선생님은 막대기로 막 때리며 엎드리라고 해서 모두 '엎드려뻗쳐' 자세를 취했다. 선생님은 교무실로 가시더니 부서진 막대기를 하나를 가지고 와서 말할 때까지 엉덩이를 때리는 것이었다. 처음에 몇 대 맞으니 굉장히 아팠다. 그러나 몇 대를 더 맞고 나니 별로 아프지 않았다. 눈물이 나오는 것을 참고 친구를 에워싸주려고 우리는 모두 꾹 참았다. 엉덩이를 열 대쯤 맞고 보니 굉장히 아팠다. 우리는 괴로운 듯이 몸을 비틀었다. 옆에서 보고 있던 창완이가 좀 안돼 보였는지 '선생님, 비밀투표를 하면 되지 않겠어요?' 라고 하니, 그렇게 하자고 하셨다. 조그만 메모지에 서명을 하고 이름을 적어서 내주었다.

그러자 선생님은 '이제 여기 명단이 나왔으니 자기가 그랬다고 고백을 하면 용서해 주겠다.' 하고 말씀하셨다. 그러자 창완이는 '선생님, 그 애가 누굽니까?' 하니까 선생님은 '창완' 이라고 쓴 메모지를 들고, '네 녀석 때문에 죄 없는 다섯 명이 매를 맞았다.' 라며 창완이를 마구 때렸다. 창완이는 매를 피하며 달아났다. 그때 선생님이 몽둥이를 놓쳐서 앞에 앉아있던 용재의 눈에 맞아버렸다. 용재의 눈에서 피가 흘러나왔다. 선생님은 얼른 용재를 데리고 교무실로 내려가시더니 병원으로 데리고 가셨다. 신태하 담임 선생님께서 교실에 들어와서 걱정을 하시더니 병원으로 뒤따라가셨다. 우리는 모두 제자리로 돌아왔다.

종례 시간에 담임 선생님께서 창완이에게 1주일간 청소 당번을 시키시며 다음부터는 절대로 그런 장난을 치지 말라고 타이르셨다. '영어 선생님께 솔직하게 털어놓았으면 이런 큰 사고가 나지 않았을 텐데……' 하고 후회를 했다.

12월 16일 (화) 맑음

지난 8일에 시집을 가셨다는 채옥주 선생님(수학 담당)께서 오늘 두 번째로 나오셨다. 그리고 어제의 사건에 대하여 꾸중을 많이 하셨다. 요새는 수학 선생님께서 나를 좋아하시는 것 같다. 지명할 때는 꼭 나를 잘 시키신다. 시집을 가고 나니 더욱 아름다워 보인다. 시집가기 전에는 치마를 입고 오시더니 이제는 바지를 입고 다니신다.

12월 21일 (일) 맑음

오늘은 할머니 댁의 막내삼촌이 장가를 가는 날이다. 어제부터 많은 일가 친척들이 몰려들어 방이 비좁게 되었다. 아침에 경산 조영동의 성문이도 왔다. 우리는 같이 할머니 댁에 가서 맛있는 음식을 먹었다. 성문이를 데리고 냇가에 스케이트를 타러 갔다. 나는 몇 번 물에 빠졌다. 성문이는 올해 중학교 입학 시험을 쳤는데 합격되었다고 했다.

오후에 새색시를 태운 택시가 마을로 들어오는 것을 보고 할머니 댁으로 갔다. 새색시는 키가 아주 작았다. 막내삼촌은 32살이 되도록 장가를 못 갔는데 이런 색시라도 좋은가 보다. 이제 우리 아주머니로 불러야 되겠지. 잔칫집에는 손님이 많지 않았다. 이번 잔치는 잔치 같지도 않다.

12월 24일 (수) 맑음

오늘은 기다리고 기다리던 겨울 방학날이다. 그러나 막상 친구들과 헤어져야 한다고 생각하니 섭섭했다. 1월 24일에 3학년의 졸업식이 있다고 하여 책상을 아래층으로 옮기고 걸상을 한 쪽으로 치워 놓았다. 방과 후 우리 통학생들은 기차 시간을 기다리면서 걸상 조각으로 차기놀이를 하고 있으니 꽤 재미있었다. 와당탕거리는 소리가 아래층까지 들렸는지 지도 선생님께서 올라오셔서 꾸중하셨다.

12월 25일 (목) 맑음

오후에 우체부가 편지 한 통을 전해주었다. 경산읍에 사는 상철이가 보낸 카드였다. 상철이는 예수를 믿는 사람이라 그런지 주로 예수님에 대한 내용이 많았다. 1월 8일쯤 편지를 쓰겠다고 약속을 했는데 벌써 못 잊어서 카드를 보냈는가? 그러나 처음 받아보는 카드는 기쁘기만 했다. 카드 속에는 우스운 글도 쓰여 있었다.

"죽음이냐? 삶이냐? 친구냐?"

12월 27일 (토) 맑음

어제 저녁에 청도 고모 집에 놀러 갔던 동생 금숙이가 이종사촌 창태, 성기와 함께 우리 집으로 돌아왔다. 금숙이는 고모 집에서 얻은 빨간 호박과 빈 깡통을 자루에 넣어가지고 왔고, 창태 형은 떡을 싸 가지고 왔다. 같이 할머니 댁에 인사를 하러 갔더니 새로 시집 온 막내 아주머니가 어서 오라며 반겨주었다. 막내 아주머니는 키도 작고 몸집도 작아서 모두들 '아기 고추' 같다고 이야기했다. 할머니 댁에서 화투 놀이를 하며 놀다가 집으로 왔다.

처음 본 경부고속도로

12월 29일 (월) 맑음

창태 형이 경산 금구동 작은집에 놀러 가자고 했다. 작은아버지께서는 3년 전에 이사를 가셨다. 동생 문현이와 성기도 따라나섰다. 금곡다리 버스 정류장에 도착하니 버스가 방금 떠났다고 했다. 약 1시간 뒤에 도착한 버스를 타고 갔는데 버스에 사람이 많아 복잡했다. 문현이가 차 안에서 자꾸 떠들어서 조용히 하라고 타일렀다. 경산에서 버스를 갈아타고 압량으로 갔다. 처음 가보는 길이라 헤매었으나 부서진 방앗간을 발견하고 겨우 금구동으로 가는 길을 찾았다. 작은아버지 댁에 가니 벌써 오후 3시가 되었다.

점심을 먹고 나서 우리는 새로 뚫린 고속도로를 구경하러 갔다. 자전거를 갖고 갔기 때문에 성기와 문현이에게 자전거를 지키라고 하고서 창태 형과 나는 사촌 동생 치문이를 데리고 금호강을 건너서 '청천'이라는 곳으로 갔다. 멀리서 부옇게 보이는 고속도로 위에는 코로나 택시들이 번개처럼 빨리 달리고 있었다. 더 잘 보려고 고속도로 옆으로 올라가 보았다. 고속도로는 상행 길과 하행 길이 있는데 그 중간에는 잔디로 동산을 만들어 놓았다. 그리고 오르내리는 두 길의 중간에 흰 줄이 그어져 있어서 두 대가 동시에 갈 수 있었다. 참으로 장관이었다. 멀리서 오던 차가 언제 지나갔는지 금방 저멀리 사라지곤 했다.

12월 30일 (화) 눈

창태 형이 모레 학교에 가야 된다며, 송백 우리 집으로 가자고 했다. 점심을 먹고 나서 우리는 송백으로 가겠다고 작은아버지께 말씀 드렸다. 사촌 문백 형과 사촌동생 문화도 따라 나섰다. 우리는 현흥교에서 버스를 타고 오는데 버스 차비가 올랐다면서 한 사람 당 30원을 받았다. 금곡다리 정류장에서 내려 집으로 오는데 눈이 펄펄 내렸다. 나는 고무신을 신고 있어서 발이 몹시 시렸다. 온 산과 들에 흰 눈이 소복소복 쌓였다.

12월 31일 (수) 맑음

사촌 문백 형은 청도에 놀러가려고 우리 집에 왔던 것이다. 그런데 창태 형은 할머니 댁에 인사를 하러 가겠다고 하고는 그만 혼자서 청도 집으로 가버렸다. 문백 형은 자기 마스크까지 가져가 버렸다고 하면서 펄쩍 뛰었다.

'창태 녀석, 내 마스크마저 가져갔구나. 다음에 놀러올 때 요 녀석 가만두지 않겠다!' 하며 별렀다.

1 9 7 0

1월 1일 (목) 흐리다가 갬

1970년도 희망찬 새해가 밝았다. 국기를 다는 것도 잊고 교복을 걸치고 학교에 갔다. 9시가 되어도 학생들은 많이 오지 않았다. 신년식 조회를 마치고 동차[1~2개의 객차로 운행하는 열차]를 타고 삼성역으로 왔다. 새해 들어 차비도 올라 30원이라고 한다. 패스(정기승차권) 요금도 2배(월 460원)로 올랐다고 한다. 라디오에서 새해가 되었다고 굉장히 떠들썩하고 재미있는 프로그램도 많이 했다. 특히 새해 특집을 많이 다루었다.

1월 5일 (월) 맑음

'편지요!' 하는 우체부의 소리를 듣고 밖에 나가보니 우체부가 다섯 통의 편지를 전해주었다. 두통은 큰형님께, 두 통은 둘째 형님께, 그리고 한 통은 내 친구 상철이로부터 온 편지였다. 방학 동안 상철이에게 벌써 두 번이나 편지가 왔는데 이제 답장을 해 줘야겠다. 담임 선생님과 친구들에게 보내줄 7통의 편지를 썼다. 새해에는 다시 좋은 친구도 되고, 친우의 정을 더욱 두텁게 하자는 내용으로 썼다.

1월 11일 (일) 맑음

오늘은 내 생일이다. 아침 일찍 일어나 세수를 하니 오늘 아침은 더욱 맑고도 상쾌하다. 아침 해도 유난히 붉다. 엄마가 찹쌀에 팥을 잔뜩 넣어 차려준 아침밥이 아주 구수하고 맛이 있었고, 특별히 고깃국도 끓여 주셨다. 앉아서 타는 스케이트를 만들어 냇가에 나가보니 얼음이 맑고 매끄럽게 얼어 있었다. 두 손에 송곳을 잡고 타니까 넘어지지 않았다. 진짜 스케이트를 타는 선수들은 어떻게 탈까 궁금했다. 송곳이 있어도 매끄러운 얼음 위에서는 엉덩방아를 안 찧을 수 없었다. 참으로 재미있었다.

1월 17일 (토) 맑음

동생 문현이와 같이 산에 나무를 하러 갔다. 숲이 우거진 곳으로 가니 솔잎이 많이 떨어져 잔디 위에 쌓여있었다. 거기서 우리는 지게를 내려놓고 갈퀴로 솔잎을 긁어 모으기 시작했다. 날씨가 따뜻해서 그런지 졸음이 와서 낙엽 긁어 모으기가 싫었다. 둘이서 얼른 나의 지게에 솔잎을 잔뜩 담아놓고 위로 올라가서 열심히 낙엽을 긁어 모았다. 점심때가 조금 지나서 동생의 지게에 낙엽 더미를 찬찬히 지웠다. 그런데 동생은 산을 내려오다가 여러 번 넘어졌다. 한 번은 내리막길에서 앞으로 고꾸라져서 뒹굴기도 했다. 동생이 지게를 져 본 경험이 적어서 그런가 보다.

1월 22일 (목) 맑음

어머니와 함께 뒷집 디딜방아간에서 누룩을 찧으러 가 있을 때 형이 어머니를 급히 찾았다. 손님이 왔다는 것이다. 방아를 다 찧은 때라 얼른 그릇에 담아서 어머니와 같이 집으로 갔다. 우리 집에 가보니 문 앞에 어떤 아가씨가 서 있었다. 어머니를 보고 기뻐하며 영천에서 왔다고 했다. 영천에는 우리 일가가 살고 있는데 거기서 왔나 보다. 이름은 몰라도 그녀는 나에게 매우 친절하게 웃는 얼굴로 대해 주었다. 그녀는 주민등록번호가 잘못되어 고치러 왔다고 했다. 윗동네 신방에 있는 자기 아버지의 산소를 찾아가서 성묘를 하였다. 그러나 주민등록번호는 고치지 못하고 돌아갔다.

1월 24일 (토) 흐린 후 갬

오늘은 3학년 형님들의 졸업식 날이다. 아침에 버스를 타고 학교에 갔는데 아직도 학생들이 많이 오지 않았다. 졸업식장에 들어가 보니 앞면에 커튼이 쳐져 있었고, 책상도 균형이 잘 잡혀있었다. 9시부터 재학생들이 걸상과 상품을 날랐는데 나도 선생님을 도와 여러 가지 일을 하였다.

10시부터 졸업식이 시작되었다. 약 1시간 30분 동안 식이 진행되었는데 그중에서 축사가 가장 현기증이 날 정도로 지루하였다. 송사를 읽은 졸업생은 울면서 읽어서 눈물이 많이 났다. 졸업가를 부를 때 졸업생 형들은 노래를 잘 부르지 않았다. 같이 지내던 형들이 오늘 떠난다고 하니 참으로 가슴 한 구석이 텅 빈 느낌이다. 그러나 떠나야 할 사람은 떠날 것! 일찍 떠나는 것이 아쉽기도 했다. 오늘에야 비로소 하루라도 더 형들과 같이 공부를 했으면 하는 심정이다.

2월 6일 (금) 맑음

오늘은 설날이다. 신정을 쇠는 게 낫다고 생각하지만, 우리 집안은 구정을 쇠는 아버지, 어머니의 뜻을 따르지 않을 수 없었다. 아침에 차례를 지냈다. 두 번씩 하는 절을 네 번이나 되풀이하자니 약간 지겨웠다. 동네의 다른 집안 사람들은 세 집, 네 집을 돌아다니며 제사를 지낸다고 했다. 오전에 아버지를 따라 할아버지 산소에 성묘를 갔다. 처음으로 가보는 길이다. 멀지는 않았지만 산에 오르니 힘이 들었고, 손수건은 땀으로 흠뻑 젖었다.

저녁에 동무들과 같이 우리 집에서 화투 놀이를 하며 빵 내기를 했다. 처음에는 3:3 동수가 되어 비겨서 우리가 빵을 사 먹지 말자고 하니 상복이와 만호는 다른 집으로 가버렸다. 나중에 세 명의 동무들이 더 와서 일곱 명이 빵 내기를 했다. 150원을 모을 때까지 화투를 쳤는데 우리가 세 번 이기고 상대편은 한번 밖에 이기지 못했다. 빵을 사 먹으니 오늘은 더욱 맛이 있었다. 상호는 자기네가 져서 돈을 내었으니 맛이 없다고 투덜거렸다. 그러더니 상호와 성문이가 또 빠져나가 버렸다. 나중에 알고 보니 그들은 모두 다 계집애들이 노는 곳으로 갔다는 것이다.

2월 13일 (금) 맑음

11일부터 시작된 학기말 시험이 오늘 마무리되었다. 다른 과목은 모두 잘 본 것 같은데 수학은 약간 틀린 것 같아서 걱정이다. 밤 10시까지 잠을 자지 않고 노력한 것이 이런 결실을 맺었으니 참으로 다행이다. 시험 시간에 공부하지 않은 학생들이 책상 서랍 속에서 책을 꺼내보다가 선생님께 들켜 혼이 나기도 했다. 자기의 실력을 나타내지 않고 교과서나 남의 시험지를 훔쳐보는 행위는 진실로 자기 실력이 되지 않을 것이다.

2월 18일 (수) 맑음

요즘은 아주 즐겁고, 전보다 더 명랑해졌다. 방과 후 3반 교실에 갔는데 많은 학생들이 놀고 있었다. 종화와 종식이도 장난을 치며 놀고 있었다. 종화가 괜히 칼싸움을 하자면서 나뭇조각을 치며 날뛰었다. 나는 가만 있을 수 없어 나무조각 하나를 가지고 휘두르니 종화, 종식, 성수 세 명이 합세하여 나에게 덤벼서 밀리면 마구 때리는 것이었다. 나는 참을 수 없어서 성수가 가진 판자를 빼앗아 공격을 막아내고, 있는 힘을 다해 막대기를 휘두르니 종화, 종식이는 도망을 가버렸다. 나는 맞은 것이 분해서 넘어져 있는 성수를 한 대 때리고 판자를 부숴버렸다. 그러자 성수가 말 싸움을 걸어와 말다툼을 하고 있으니 친구들이 뜯어말렸다. 나는 반성을 했다. 물건을 가지고 장난을 치지 말아야겠다고…….

2월 20일 (금) 비 온 후 흐림

오늘은 정월 대보름날이다. 아침부터 이슬비가 내리더니 저녁에는 구름이 잔뜩 끼었다. 저녁에 밖으로 나가보니 꼬마들이 산에서 솔갑(생소나무 가지)을 주워와서 마을 어귀에 쌓아놓았다. 우리는 그것을 쌓아 올려놓고 불을 질렀다. 흰 연기가 뭉개 뭉개 하늘로 떠 올랐다. 흰 연기가 솜 같은 모양으로 피어오르는 모습을 보고 시를 한 수 지을 수 있을 것 같았다. 인간이 다녀온 달이 이 연기에 그을릴 수는 없을 것이다. 구름이 잔뜩 낀 하늘에는 달도 얼굴을 내밀지 않았다. 연기가 온 마을을 덮을 때 어른들이 쇠(꽹과리 등 악기)를 치며 나왔다. 참으로 우스운 일이다. 꼬마들이 주워온 소나무 가지에 우리 학생들이 불을 지르고, 어른들이 북을 치며 논다는 것이…….

2월 21일 (토) 맑음

첫째 시간 수업을 하고 나서 문화교실을 간다고 떠들었다. 수업을 하는 둥 마는 둥 하고 열을 지어 경산극장으로 갔다. 극장에는 국민학교 학생들도 많이 와 있었고, 안에서는 아직 관람을 하고 있는 것 같았다. 약 20분쯤 기다리다가 극장 안으로 들어가 자리를 잡았다. 영화는 국군에 대한 영화를 상영하고 있었다. 아주 우습고 재미있는 두 이등병에 대한 이야기였다. 흑백 영화였지만 유쾌하고 우스운 것이 특징이었다. 영화 관람을 마치고 학교에서 놀다가 완행열차를 타고 집으로 돌아왔다.

2월 24일 (화) 비

오늘은 봄 방학을 하는 날이다. 네 시간 수업을 마치고 종업식을 했다. 나는 우등상과 개근상을 받았고, 평균 성적은 91점이었다. 국어 선생님 말씀에 의하면 전교 1위라고 했다. 버스정류장에 와서 버스를 타고 집으로 돌아왔다. 저녁에 사진을 정리하고 있으니 상복이가 놀러 가자고 불렀다. 모자를 쓰고 밖으로 나가니 뒷집의 성문이도 같이 데리고 가자고 하여 불러내었다. 상복이네 집에서 우리는 편을 갈라서 윷놀이를 했다. 엎치락뒤치락하다가 윷놀이에서 우리가 졌다. 120원으로 라면을 사오니 상복이 어머니께서 끓여 주셨다. 오늘 저녁의 라면은 더욱 맛이 있었고, 또 재미있었다. 밤 11시가 되어 집으로 돌아왔다.

2월 28일 (토) 흐림

국민학교 친구들이 동기회를 한다고 연락이 왔다. 어머니께 놀러 가겠다고 했더니 돈이 없다고 하며 가지 말라고 했다. 하루 동안 섭섭한 마음으로 방 안에 있으니 그립던 옛 친구들이 눈앞에 삼삼하였다. 저녁때 문곤이의 외삼촌이 와서 같이 놀았다. 올해 국민학교 졸업반이라고 한다. 우리는 윷놀이를 하며 재미있게 놀다가 화투 놀이도 했다. 그는 우리 집에서 저녁을 먹고 8시가 되어 문곤이 집으로 돌아갔다.

2학년아, 잘 있거라! 내일부터 3학년이로구나.

2학년 학과 담당 선생님들

국어 구자을 선생님 수학 채옥주 선생님

사회 김병도 선생님 과학 여규영 선생님

영어 이세영 선생님 실업 이호영 선생님

체육 박제영 선생님 음악 신태하 선생님

미술 조옥선 선생님 도덕 이응린 선생님

경산중학교 시절

중학교 3학년 사진

졸업식 모습

경산중학교 3-1반 친구들

경산중학교 3-1반 졸업사진

3장.

대구상고_우정의 뒤안길에서

...... 비가 그치자마자 밭으로 뛰어나가서 예쁜 사과 가지를 꺾었다.

감도 한 가지씩 꺾어 달라고 하여 두서너 개씩 달린 가지를 꺾었다.

우선 밭에 놔두고 대구로 갈 때 갖고 가라고 하면서 사과밭 밖으로 나오니 금곡 아이들이 두어 명 다리에서 놀고 있었다.

친구들이 대구로 가겠다고 하는 것을 잡아서 금방 쪄낸 고구마를 먹였다.

고구마가 타박타박한 맛은 없었지만 친구들은 맛있게 잘 먹었다.

대구상고 우정의 뒤안길에서

1972

9월 1일 (금)

개학일이다. 한 달 열흘간 만나지 못한 학우들이 오늘따라 더욱 그립다. 일각이라도 어서 봤으면 했으나 마음을 진정시키며 8시가 넘어서 교정으로 들어갔다. 교실에 들어서자 그리운 얼굴들이 연방 악수를 청한다. 모두들 건강하고 즐거워 보인다. 성환이와 낙규, 오상이는 편지에 답장을 못해서 미안하다고 했다. 모두들 방학 이야기로 교실이 떠들썩하다. 그래도 수업은 그대로 시작되었고, 선생님들께서 들어오실 때마다 방학을 뜻있게 잘 보냈느냐고 말씀하셨다. 시간표가 바뀌면서 선생님들의 강의 시간도 약간 바뀌었다. 신학기가 시작되니 방학 동안에 공부를 거의 못 했던 것이 후회스럽다. 그러나 손만호 교장 선생님께서 '방학 동안에 보람 있게 보낸 학생과 보람 없이 보낸 학생이 후회하는 것은 미래를 위하여 좋은 것이니, 보람도 후회도 느끼지 않는 학생이 문제다.'라고 하신 말씀을 생각하니 새삼 재출발하는 보람이 있다. 방학 동안 밀린 것을 열심히 해서 제대로 갈고닦아 나가야겠다.

9월 2일 (토)

자취 집 옆방에 살던 시환이가 어제 나갔다고 한다. 거의 1년 동안 같은 집에 살고 있으면서도 그의 누이와 잘 접촉하지 않아 내내 서먹서먹했지만 그래도 나갔다고 하니 섭섭하다. 오후에 서점에 책을 사러 나가려고 하는데 웬 처녀가 시환이가 살던 방 부엌문을 열어보고, 방도 둘러보더니 주인아주머니께 들어오겠다고 했다. 서점에 가서 『새마음의 샘터』, 『데미안(Demian)』, 『바둑』 등 세 권의 책을 사 갖고 오니 벌써 청소를 하고, 짐을 정리하고 있었다. 입주한 두 분 다 여자들이었다. 동생인 듯한 소녀가 나에게 '어떤 학생과 그의 동생이 찾아왔다가 갔어요.'하고 전해주어서 고향 친구 상길이가 왔다 갔는가 하고 상길이 자취 집에 가 보았다. 상길이 동생 춘길이는 오지 않았다고 했다. 집으로 돌아오면서 다시 생각해 봐도 누가 왔다 갔는지 도저히 알 수 없다. 언니인 처녀는 나에게 말도 걸었다. 고향이 어디냐는 등……. 나도 맞장구로 물어보니 화원 유원지 근방에 사는데 동생 공부를 위하여 도지방을 얻었다고 한다.

9월 3일 (일)

8월 30일에 시작했다는 형의 3사관 생도 시험에 1일차엔 합격했다.

오늘은 둘째 날로 신체검사에 돌입하였다. 아침에 일어나 주인 집 아주머니와 명례 엄마가 하는 이야기를 들으니 건넌방에서 자취하는 대성공고 학생이 어젯밤에 시끄럽게 했던 모양이다. 학송이 엄마도 잠을 못 잤다고 했다. 주인아저씨는 아무것도 몰랐다고 했다. 나도 역시 그랬지만.

형은 아침 7시가 되어서 시험장에 갔다. 오후에 집에서 공부를 했다. 1개월 동안이나 공부를 안 해서 그런지, 머리에 녹이 쓸었는지 공부가 잘되지 않았다. 낮에도 명례 아버지는 건넛방 학생이 들어오기만 하면 때리려고 별렀다. 대충 들은 사건 경위는 다음과 같다. 어젯밤에 창섭이는 고향 집에 나가고, 종호만 있으면서 초저녁에 친구 몇 명이 들어왔고, 뒤에 계집애 두 명인가 들어와서 조용히 놀고 있었다. 내가 잠든 뒤에 그들이 술을 마시고 노래를 부르며 시끄럽게 놀았던 모양이다. 명례 아버지가 두 번이나 꾸짖어도 듣지 않고 계속 그랬다는 것이다. 새벽까지 고성방가를 하다가, 두 계집애들이 집에 가느니 안 가느니 하고 싸워서 또 시끄러워졌다고 한다. 그러다가 새벽 일찍 종호는 밥을 지어먹고 나가서 저녁까지 들어오지 않고 있다는 것이다.

저녁 늦게 형이 돌아왔다. 시무룩한 표정이 시험에 떨어진 모양새다. 신체검사는 잘 했는데 면접에서 부진하여 종합 점수가 모자라 낙방했다고 한다. 필기시험도 못 쳐보고 떨어지다니!

9월 4일 (월) 맑음

학교에 가려고 나설 때 형이 내일까지 학교에 못 나간다고 말했다면서 오늘 고향 집으로 갔다가 내일 돌아오겠다고 했다. 학교에 가니 아직도 인사를 못 나누었던 선생님들과의 대면이 있고 보니 마음이 잘 잡히지 않는다. 학교 분위기도 별로 좋지 않았다. 저녁에 자취 집으로 돌아오니 형은 시골에 가고 없었다. 옆방에 새로 들어온 여학생이 야간부인지 나가고 있다. 문틈으로 내다보니 초록색 치마를 입고 있었다. 경북여상에 다니는가 보다.

9월 8일(금) 맑음

오늘은 둘째 용돌 형님이 입대하는 날이다. 본가에 다녀온 문석 형의 말을 들으니, 집엔 임숙이라는 처녀와 석봉이와 작은형의 친구들이 와 있었다고 했다. 선의산에 가서 사진도 찍고, 캠핑도 했다고 한다. 우리들의 장래를 위한 선구자가 되어서 학문의 길로 인도해 주고, 우리 가정의 부(富)를 가져오게 한 사람이 바로 작은형, 용돌 형님이시다. 그런 형님이 군대로 떠나니 퍽이나 섭섭하다. 우리 집은 이제 체제가 잡혀서 마을에서도 인정해 줄만한 위치에 선 셈이니까 형님이 없더라도 별 걱정거리는 없을 것이나 입대하는 형님을 학업 때문에 전송을 못해준 것이 미안스럽다.

9월 17일 (일)

추석 때까지 시골에 나가지 않겠다고 결심을 했지만 부득이 나가야만 했다. 어제 시골집으로 나오다 보니 8월 말에 대구로 갈 때보다 많은 변화가 있었다. 대뜸 눈에 띄는 게 가을 들판이다. 벌써 벼들이 고개를 숙이고 먼산엔 언뜻언뜻 단풍이 보인다. 자연의 변화가 이다지 빠른 줄은 몰랐다. 햇빛도 서늘해진 것 같다. 과수원의 사과는 새색시의 연지 모양 중간부터 발갛게 물들기 시작했다. 더욱 놀란 건 감들이 하늘의 창조물의 솜씨를 뽐내고 있는 것이다. 밤도 살이 배어 알밤이 뾰족이 얼굴을 내밀고 있고, 오도독 씹히는 밤 맛도 일품이다. 한여름에 푸릇푸릇하던 포도나무는 한 물이 가서 허전하고 이파리만 매달려 있다. 가련한 건 이것 뿐인가 보다.

9월 21일 (목)

내일이 추석이라 6교시 수업을 마치자마자 짐 보자기를 싸서 동대구역으로 달려갔다. 거의 오후 3시가 되었다. 완행열차 시간이 지난 것을 알고 혹시 임시열차라도 있는가 하고 살펴보았으나 6시의 통근열차밖에 없다. 남부 버스정류장으로 가볼까 하고 생각해봤지만 혹시라도 버스가 복잡하여 못 타고 다시 오는 것보다는 동대구역에서 계속 기다리는 게 나을 것 같았다. 『새마음의 샘터』를 꺼내어 읽고 있으니 시간 가는 줄 몰랐다. 열차 안에서도 자리를 잡을 수 있어 독서를 계속했다.

삼성역에서 내려 시골 집으로 오던 중 금구동 작은아버지를 만났다. 사촌 문백 형과 여동생 문화와 같이 귀성하시는 중이셨다. 문백 형과 이야기를 하면서 오니까 심심하지 않았다. 고향집에서는 벌써 우리를 기다리고 있었다. 호박떡을 먹으니 별미인 듯 맛있다. 저녁을 먹고 있으니 고모와 삼촌도 오셨다. 같은 열차를 탔는데 뒤떨어져서 오신 모양이다.

다만 기다렸을 뿐이다. 한반도에서의 가장 큰 명절인 추석을. 한가위의 붉은 해는 동산을 솟아올라 영광의 대한 민족의 앞날을 밝혀줄 것이다. 기어코 성취시켜줄 것이다. 이러한 날을 헛되이 보내야 되겠는가! 먼저 조상님께 예를 드리며 우리 자손들의 씩씩한 모습을 보여드려야 되지 않을까?

아침에 형의 와이셔츠를 입고 차례를 지냈다. 예를 마치고 포도주를 조금 마셨더니 식사 때 머리가 빙 돌았다. 독한 포도주인가 보다. 오후에 성묘를 갔다. 문곤이와 문찬이가 냇가에서 고기를 잡다가 따라왔는데, 문곤이는 짧은 옷을 입고 있었다. 산소에 올라가다가 감도 따고 밤도 주웠다. 큰형님은 웃으면서 그것들을 산소에 놓고 절을 하라고 하셨다. 할아버지 묘부터 시작해서 많은 조상들의 묘지를 살펴보았다. 어떤 묘지는 봉분 자국만 남아있었다. 풀에 쐐기벌레가 많아서 문백 형은 두 곳이나 쏘였다며 자꾸 긁고 있었다. 나도 등 뒤에 쏘여서 아팠으나 긁으면 더 아픈 것을 알고 그냥 참았다. 수풀을 헤쳐가며 산소를 찾아 다닌 시간이 거의 한 시간이나 되었다. 금숙이와 문화는 빨갛게 익은 포구를 딴다고 야단이다. 문현이, 문찬이, 문곤이도 같이 어울렸다. 산소에서 내려오던 중 포구를 따던 애들이 '노루야!' 하고 외쳐서 돌아보았으나 아무 것도 보이지 않았다. 바로 옆을 지나가는 것을 보았다고 했지만 아무리 살펴봐도 보이지 않았다.

산기슭에 있는 산소를 돌아보고 있던 중 작은아버지께서 '돌사과나무' 라고 하시면서 작고 빨간 열매를 가리키셨다. 문백 형과 함께 그 열매를 따 먹어보니 흡사 사과 맛과 같으나 알갱이가 작았다. 이 나무에 사과가지를 접붙이신다고 하셨다. 산소에서 윗동네인 신방동을 거쳐서 오다가 한 집에 아이들이 많이 몰려있는 게 보였다. 그중에 국민학교 친구였던 해관이가 보였다. 키가 큰 해관이는 신사복을 입고 머리를 다듬어 왔는데 마치 어른 같아 보였다.

산소를 갔다가 집에 왔을 때 경산 조영동의 성문이가 그의 부친, 삼촌과 함께 성묘 가는 것을 보았다고 했다. 문백 형과 내가 마을로 들어올 때 다른 길로 와서 만나지 못했던 것이다. 저녁때가 되어서 성문이 일행이 우리 집으로 와서 만났다. 자전거를 타고 온 모양이다. 성문이 부친은 저녁 식사 후에 나에게 성문이가 공부를 거의 안 한다며 걱정을 했다. 내가 성문이에게 물어보니 성문이는 책이 없어서 공부를 못 한다고 하는 것이다. 건넌방 서재에 있는 중3때 사용했던 영어 교과서 한 권과 영어 및 수학 문제집을 주며 열심히 공부하라고 했다. '네가 열심히 공부하지 않으면 장래에 너만 손해다.' 라고 타이르며 자세히 설명해 주었다. 성문이도 노력해 보겠다고 약속했다. 고교 입시는 우리 학교에 응시하기로 약속을 했다.

이웃 동네 악동들 9월 23일 (토)

아침에 버스를 타고 학교에 가니 과외 수업을 진행하고 있는 중이었다. 고향 집에서 바로 학교로 오니까 약 20분 정도 늦었다. 오후에 자취 집에 갔다가 알밤 몇 개를 학송이, 정란이, 능자에게 주니 좋아했다. 다시 송백 고향집으로 돌아오니 아직도 성문이는 우리 집에 있었다. 사촌 여동생 문화도. 문화가 영어 발음 기호를 잘 모른다고 하여 가르쳐 주고 있는데 성문이도 잘 모른다고 했다. 중학교 3학년 학생이 발음 기호도 모른다니 기가 막혔다. 발음 기호를 적어주고 읽는 법을 대강 가르쳐 주었다.

저녁 무렵 안골목에서 사는 친구 상군이와 바둑을 두며 놀다가 집으로 돌아오는데, 삼거리 상길이네 집 앞에 금곡동 아이들인 요일이와 병구, 그리고 내가 잘 모르는 한 아이, 이렇게 세 사람이 있었다. 병구와 이야기를 하다가 '우리 집에 가서 저녁을 먹자.' 하며 이야기를 하고 있는데 옆에 있던 요일이가 담배를 피우고 있어서 피우지 말라고 말렸다. 그러자 보고만 있던 문백 형이 요일이를 사정없이 서너 차례 때렸다. '아까 동네 한복판에서 담배를 피우지 말라고 했는데 또 피우냐?' 하면서. 요일이는 문백 형에게 맞고는 담배를 내동댕이치고 화를 내며 금방이라도 싸울 기세였다. 내가 '참아라.' 하고 말리니 요일이는 더 날뛰었다. 나는 '냇가에 가서 이야기를 좀 하자.' 라고 하며 요일이를 잡아끌었다. 문백 형은 '너 몇 살인데 남의 동네 한복판에서 담배를 피우냐?' 하며 야단을 치길래, '형은 어서 집에 가라.'고 말리니 그제야 집으로 갔다. 요일이는 '그 사람 좀 불러내라.' 하며 들쑤셨다. '이제 그만하고 너희 동네로 내려가라.'고 하니까 우리 집 앞까지 와서도 떠들며 웅성거렸다. 문도 형이 나와서 '너 정말 이럴 거냐?' 하며 때릴 듯이 야단을 치니 요일이는 기세가 좀 꺾이었다. '내가 조금만 이야기할 테니 그 사람을 불러내 주소.' 하기에 문백 형을 다시 불러왔다. 문도 형이 송일교에 가서 이야기하자며 끌고 가길래 형은 집에 들어가시라며 억척을 부렸다. 문도 형이 집에 들어가고, 이번엔 문석 형이 나왔다. 송일교 위에서 이야기하다가 자꾸 싸우려고 사태를 끌고 가기에, 내가 문백 형에게 서로 사과하라고 했다. 겨우 둘이 화해를 하려고 하는데 이번엔 병구가 나섰다. 문백 형에게 3년 전에 맞았다고 하며 대들었다. 그래서 내가 문백 형을 집으로 들어가라고 보내버렸다.

다시 우리 집 앞에 가서 옥신각신하니 엄마가 나왔다. 나도 이젠 참을 수 없었다. '너희들 정 이럴 테면 나도 가만있지 않겠다. 당장 우정을 끊겠다!' 하고 강하게 나오니 그제야 미안하다면서 사과를 할 테니 문백 형을 불러내어 달라고 했다. 나는 안 된다며 거절을 하니 '그러면 술이나 한잔 하고 가자.' 하면서 조합(매점)으로 향했다. 그때 상군이도 밖으로 나왔다. 벌써 날이 어둑어둑해졌다.

조합에 들어서니 마을 청년들이 막아서며, '여기 왜 왔느냐?' 하며 때리려고 하니, 병구는 부리나케 달아났다. 요일이는 구길(신작로가 아닌)로 금곡동으로 가려고 한다고 하니 성호 형이 멱살을 잡더니 당장 내려가라고 야단을 쳤다. 요일이가 다시 신작로 길로 가려고 하니 태훈이 형이 나와서 사건의 경위를 듣고 '내가 처음부터 그럴 줄 알았다면 너희들 혼났을 거다.' 하며, '엊저녁에 동네에 무슨 일이 있어서 그러니 조용히 내려가라.' 하며 타일렀다.

요일이와 작별 인사를 하려고 이야기를 하며 신작로 길로 가고 있으니 '용도'라는 애가 늦게 우리 동네로 들어오고 있었다. 병구가 '우리 피 보고 간다.' 라고 하니까 함께 되돌아갔다. 그들을 배웅하고 마을 어귀로 돌아올 때 배에서 쪼르륵 소리가 났다. 이웃 동네 악동들 때문에 저녁도 못 먹고 설쳐서 그런가 보다.

친구들의 송백동 방문

10월 3일 (화) 비

오늘은 개천절로 공휴일인데 도(경상북도)의 지시가 내려와서 개천절 기념식을 하였다. 아침부터 날씨가 흐리더니 기념식을 시작하기 전에 비가 내렸다. 우천 관계로 9시에 식을 할 예정이었으나 30분 늦게 식이 시작되었다. 학년별로 교실 몇 곳에 모여 동시에 진행하였다. 우리는 2학년 5, 6, 7, 8반이 한 조가 되어 8반 교실에서 식을 하였다. 기념행사 중에 담임 송백문 선생님께서 말마다 '하나의'라는 말을 계속 써서 어찌나 우스웠는지 참느라고 혼이 났다. 며칠 전에 송 선생님은 조례 시간에 들어오자마자 '그리고' 하면서 말을 하시더니, 오늘은 유달리 '하나의' 라는 말을 많이 쓰셨다. 수업 시간 중에도 보통 잘 쓰시는 말은 '뭐냐 하면' '또 하나의' '혹은 또는'이라는 단어를 자주 써서, 애들이 한 시간 동안 같은 말을 얼마나 많이 하는가를 세어보곤 하였다. 선생님의 개회사가 끝나자 국민교육헌장 낭독, 국민의례 등을 간단히 하고 각 반으로 헤어졌다.

나는 오늘도 하복을 입고 있었다. 예정대로 내일 수학여행을 떠난다면 오늘 고향 집으로 가서 동복과 여행 채비를 하려고 했는데 여행 일정이 바뀌어서 갈 수가 없었다. 그래서 책가방도 갖고 왔다. 개천절 행사를 하기 전에 성환이에게 '어제 논하던 우리집(고향) 방문을 정말로 할 텐가?' 하고 물으니 영수와 의논해봐야겠다고 했다. 식을 마친 후 종훈이와 같이 영수를 만나 이야기를 하니 오늘 가자고 했다. 영수의 자취집에 가서 의논하려고 네 명이 함께 가고 있는데 길에 우연히 준곤이를 만났다. 준곤이에게 같이 가자고 하니 좋다고 했다. 영수 자취집에 가서 의논한 결과 비가 오더라도 오늘 가기로 확정했다.

다섯 명이 남부 버스 정류장까지 걸어갔다. 보슬비가 내리는 가운데 버스표를 사서 고향으로 가는 버스를 탔는데 차 안이 복잡하였다. 경산읍에 들어서니 도로 가에 코스모스꽃이 만발해 있어서 기분이 좋았다. 줄지어 서 있는 코스모스 길! 문득 '코스모스 길'이라는 노래 가사가 생각났다. 정말 그 길에서 꽃향기를 맡으며 생각에 잠겨 걸어보고 싶다. 성환이와 준곤이는 나와 같이 버스 앞쪽으로 탔고, 종훈이와 영수는 버스 뒤쪽에 타고 있어서 금곡다리에서 내릴 때까지 이야기를 나누지 못하였다.

금곡다리에서 버스를 내리니 비가 많이 내리고 있었다. 영수가 우산을 가져와서 성환이와 같이 쓰고, 종훈이는 대구에서부터 고치던 우산을 다 못 고친 상태로 쓰고, 준곤이와 나는 앞서가서 기다린다면서 금곡1동 조합까지 달음질쳤다. 금곡 조합에서 부서진 우산이었지만 부득이 60원에 하나를 샀다. 그곳에 아는 아이가 있어서 이야기를 하고 있으니 친구 일행이 나타났다. 준곤이는 뽀빠이 과자 몇 개를 사서 우리에게 하나씩 주고는 우리가 쉬고 있을 동안에 먼저 가겠다며 나갔다. 종훈이의 우산을 고치면서 금곡2동까지 걸어왔는데 준곤이가 어디 갔는지 보이지 않았다. 큰 소리로 불러봐도 대답이 없었다. 혹시나 다른 길로 갔을까 걱정을 했다.

고향 송백동 마을 입구에 있는 송일교에 오니 바로 옆에 있는 사과밭에서 엄마가 '경문이 오냐?' 하고 부르기에, '응, 엄마. 친구들과 함께 왔어.' 하면서 친구들을 데리고 집으로 갔다. 그때 준곤이가 웃옷을 벗고 슬리퍼를 신고서 우리집에서 나왔다. 어떻게 우리집을 찾았는지 궁금했다. 준곤이는 물어물어 찾아왔다고 웃으며 말했다. 집에서 옷 정리를 대강하고 나서 사랑채에 계신 아버지께 인사를 드리러 갔다. 아버지께서는 고추 깍대기[꼭지의 사투리]를 따는 중이었으나 모두 절을 하고 작은방으로 건너갔다.

마침 엄마가 광주리에 사과를 잔뜩 담아가지고 왔다. 자리에 앉자마자 방금 가져온 사과를 내놓으니 배가 고팠던 탓인지 모두 사과를 맛있게 먹었다. 사과를 먹고 나니 바로 점심 식사가 들어왔다. 반찬도 제법 잘 차려서 나왔다. 그때가 2시쯤 되었는데 모두 잘 먹었다. 밥을 먹고 나니 하늘의 먹구름이 걷히고 있었다. 영수와 성환이가 바둑을 둘 동안 종훈이와 준곤이는 화투를 쳤다. 상길이 모친이 찾아와서 상길이 자취방 문제가 어떻게 되었는지 물으셨다. 오늘 상길이가 자취방을 옮길 거라고 전하며, 전에 보았던 그 방은 얻지 못했다고 말씀드렸다.

비가 그치고 구름이 걷히자 친구들은 이제 대구로 돌아가자고 했다. 엄마에게 고구마를 좀 삶아 달라고 부탁하고 친구들을 사과밭으로 데리고 갔다. 새로 짓던 원두막은 아직 마무리가 되어있지 않았다. 집에서 사과와 밥을 많이 먹어서 그런지 친구들은 밭에서 사과를 잘 먹지 않았다. 준곤이는 사과 가지를 하나 꺾어도 되냐고 물어서 꺾어도 된다고 했다. 지금 허락해 주지 않으면 나중에 후회할 것 같아서 꺾으라고 한 것이다. 사과밭 안쪽에 있는 단감나무에 가서 단감을 하나씩 따 먹었다. 대추도 물론 따 먹고. 그때 갑자기 소나기가 내려서 급히 원두막으로 달음질쳤다. 옷이 흠뻑 젖었으나 그래도 모두 즐거운 표정들이다. 비가 그치자마자 밭으로 뛰어나가서 예쁜 사과 가지를 꺾었다. 감도 한 가지씩 꺾어 달라고 하여 두서너 개씩 달린 가지를 꺾었다. 우선 밭에 놔두고 대구로 갈 때 갖고 가라고 하면서 사과밭 밖으로 나오니 금곡 애들이 두어 명 다리에서 놀고 있었다. 친구들이 대구로 가겠다고 하는 것을 붙들어서 방금 쪄낸 고구마를 먹였다. 고구마가 타박타박한 맛은 없었지만, 친구들은 맛있게 잘 먹었다.

오후 4시 30분쯤 되어서 친구들은 집을 나섰다. 부모님께 폐를 끼치고 간다면서 인사를 드리고 신작로로 나갔다. 얼른 과수원으로 가서 아까 꺾어놓은 사과와 감 가지를 하나씩 갖고서 작별 인사를 나누었다. 친구들은 '참으로 재미있게 잘 놀았다.'며 고마워했다. 멀리 사라져가는 친구들에게 손을 흔들며, 송백동의 일품인 휘파람 비슷한 것을 불어주었다. 친구들도 휘파람으로 화답하였다.

10월 8일 (일) 맑음

어제 다시 고향집에 와야 했다. 양식이 없어서. 집으로 나오는 차 안에서 버스 차장과 말다툼이 생겼다. 나는 전에도 버스를 탈 때 대구에서 경산까지는 버스표를 끊어서 타고, 경산에서 금곡 다리까지는 현금으로 지급했는데 차장은 장거리를 이용했으니 차비를 더 내놓으라고 했다. 크게 시비를 걸어 다툴까 하다가 체면 문제도 있어서 달라는 대로 다 줘 버렸다. '얍살하게 놀지 마라.' 라고 빈정대던 그 말! 내가 얍

살하게 살았단 말인가? 내가 비열한 자식이었던가? 어제 종일 그 말 때문에 맘이 뜨직했다.

오늘 오전에 청도 이종사촌인 성기가 우리집에 놀러 왔다. 청도에서 버스를 타고 왔다면서 감 한 바케스를 가져왔다. 터진 감도 있었다. 오후에 소를 몰고 산에서 풀을 뜯겼다. 이제 산에는 풀이 거의 없고 칡 줄기 등 소가 먹기 힘든 것들만 남아 있다. 그렇지만 가끔 푸르스름한 곳이 남아있어서 그곳에서 소를 풀어놓아 먹게 하였다. 밤나무 두세 그루가 보여서 살펴보니 나무 밑에 알밤이 몇 개 떨어져 있다. 아직 껍질을 까지 않은 밤송이도 흩어져 있다. 밤송이를 까고 주운 알밤이 두 바지 주머니에 반 이상이나 채워졌다. 송아지가 어미 소에게 자꾸 달려들기에 떼어놓고 칡 잎을 따서 먹였다. 어저께 경산 시장에서 샀다는 암소는 송아지처럼 잘 먹지 않는다. 풀도 못 뜯어먹길래 화가 나서 회초리로 때리곤 했다.

서산의 그림자가 커져갈 때쯤 멀리 노란 단풍이 든 나무가 보이기에 가보니 산대추나무였다. 가지에 불그스레한 것들이 많이 달려 있었다. 가지를 휘어잡고 따서 먹기도 하고, 바지 주머니에도 담으니 주머니가 터질 것 같았다. 대추들이 더 못 들어가겠다며 튀어나왔다. 빤히 내려다보이는 산 아래 길에서 사촌동생 문화가 자기 집으로 돌아간다면서 손을 흔들었다. 동생 문현이와 이종사촌 성기가 자전거를 타고 문화를 바래다주고 있었다. 문화에게 잘 가라고 외치니 뒤따라 가던 다른 애가 '응.' 하고 대답을 하여 모두 웃었다. 그 뒤에 이웃집 친구인 성문이가 '대구로 들어간다.' 하면서 소리를 치길래, '잘 가거래이!' 하고 화답해

주었다.

소를 몰고 집으로 오니 이종사촌 형 창태가 와 있었다. 대구에 있다가 심심해서 나왔다며. 창태는 대구에서 학교에 다닌다고 했다. '무슨 학교냐? 대학교에 다니냐?' 하고 물으니, 대구공고에 다니는데 특설반 비슷한 코스라고 한다. 시험으로 학생을 뽑아서 1년 동안 야간 학습을 해서 졸업을 시킨다고 했다. 한 반에 20명이 수업을 받는데 모두 국가장학생으로 수업료 없이 공부를 한다고 했다.

10월 9일 (월)

오늘은 세종대왕께서 한글을 반포하신 날이다. 한글은 오늘날에도 세계에 자랑할 만한 글자다. 우리 조상들의 뛰어난 창조적 재능의 결과라고 할 수 있겠다. 고문(古文)을 배우면서도 대왕의 크나큰 공덕을 깨닫는 바이나 오늘은 더욱 감회가 새롭다. 오전에는 이종사촌인 성기와 이런저런 이야기를 하면서 보내다가, 성기가 오후에 학교에서 교련 연습을 한다면서 서둘러 떠나갔다. 아직 검열을 받지 않았다면서. 성기가 다니는 이서고등학교는 남녀공학이라고 하던데 이상해서 물어보니 여학생도 남학생과 같이 교련 수업을 받는다고 했다. 더욱 신기한 것은 남녀가 같은 반에서 공부를 한다는 것이다. 남학생의 실업 시간과 여학생의 수예 시간엔 어떻게 하느냐고 물으니, 그 시간에는 헤어져서 배운다고 했다. 아주 이상적인 학교인 것 같다. 오후에 창태 형과 같이 대구로 돌아왔다. 나는 수학여행 때문에 짐이 상당히 많았는데 창태 형이 우리 자취집까지 가 주겠다고 했다. 109번 입석 버스를 타고 한 바퀴를

빙 돌아서, 또 버스에서 내려서 골목길을 빙빙 돌아가니 '왜 이래 길이 기냐?' 하면서도 유유히 따라와 주었다. 자취집에 가서 저녁을 먹고 창태 형에게 약도를 그려주며 한번 찾아오라고 했다. 경북공고 정문까지 창태 형을 바래다 주었다.

경주 여행 중의 해프닝 ——— 10월 15일 (일) 비

몇 주 전부터 친구들과 약속했던 대로 오늘 경주에 놀러 가기로 했다. 아침에 일찍 일어나려고 어젯밤 10시 전에 잤으나 일어나보니 거의 6시 반이 되었다. 설익은 밥을 훌훌 비벼서 먹고, 어제 봐둔 대로 경북여고 앞 정류장에서 버스를 탔다. 시계를 들여다보면서 조마조마한 마음을 누르며 고속버스터미널로 달려가니 성환이가 손을 흔들었다. 친구들이 다 왔느냐고 물으니 주동자인 영수가 안 왔다고 한다. 차표를 사지 않고 기다리다가 준곤이가 8시 40분에 출발하는 버스표 5장을 겨우 샀다. 영수 것을 포함하여. 함께 가는 사람은 나와 준곤, 성환과 그의 사촌동생. 버스 출발 시간까지 기다렸으나 영수는 끝내 나타나지 않았다.

'영수 이 자식. 자기가 경주에 놀러 가자고 해놓고 안 오네.' 하며 원망을 했다. 시간이 되어 버스에 오르니 공교롭게도 가장 뒷자리에 앉게 되었다. 남는 표 한 장은 준곤이가 경주로 가는 한 처녀에게 팔아서 같이 앉아가게 되었다. 나는 오른쪽 창가에 앉아 바깥 풍경을 구경하며 갔다. 차창에 왔다갔다하는 경치를 구경하니 구름이 끼었던 버스터미널에서의 마음은 사라지고 비둘기처럼 훽 날아가는 기분이었다. 차 안에서 준곤이와 성환이는 표를 팔았던 그 처녀와 계속 이야기를 나누고 있는 것을 보았으나 개의치 않았다. 그런데 경주에서 버스를 내리면서 곧 알게 되었다.

경주 거리에는 사람들로 들끓었다. 경주 관광 자원봉사자가 손에 쥐어주는 팜플렛을 보니 '대 신라 문화제'라는 표지로 축제 일자 별, 시간대 별로 프로그램을 상세하게 소개하고 있었다. 성환이가 따라오라고 손짓하여 따라갔더니 버스에 동승하였던 그 처녀를 앞세우고 자꾸 어디론가 가고 있었다. 복잡한 사람들을 헤치며 따라가는데 경주역 앞에서 요란한 농악 소리가 나며 꽤 시끄러웠다. 그곳을 빠져나와 중앙 통로를 따라가다가 옆길로 빠져나가니 어느덧 경주 박물관 앞에 도착하였다.

우리를 안내해 주던 그 처녀는 '구경 잘 하고 가라.'고 하면서 작별인사를 했다. 입장권을 사서 박물관 안으로 들어가니 국민학교 시절에 수학여행을 와서 구경하였던 곳이지만 그때와 많이 달라진 것 같았다. 아마 더 많이 배운 후에 다시 보니까 고인(古人)들을 이해하는 폭이, 국민학교 6학년 때보다 더 커졌는가 보다. 전시해 놓은 옛 토기들도 예전에는 이상한 것처럼 보였지만 미묘하고 섬세하게 만든 문양들이 새롭게 느껴졌다. 금귀걸이, 금팔찌 등 금 제품과 갑옷, 옥피리, 특히 금관이 눈부시게 아름다웠다. 박물관 뒤에 있는 정원에는 머리 없는 석상들이 열을 지어 서 있었다. 그 뒤의 사당엔 석기들이 질서 있게 정리되어 전시되고 있었다. '성덕대왕 신종에 가보니 12만 근이라는 무게의 육중한 큰 종이 억세게 굵은 나무에 매달려 있고, 옆에는 타종대가 옆으로 묶여있었다. '에밀레종'이라는 전설이 눈에 삼삼하다.

구경을 마친 후 사진 몇 판을 찍고는 박물관을 나왔다. 주동자가 없어서 경주 안내서를 한 권 샀다. 안내서를 따라서 먼저 김유신 장군 동상을 찾아갔다. 걸어서 가니 꽤 멀었다. 넷이서 걸어가면서 나는 어제 일이 우습기도 하고 '혹시나' 하는 생각도 들었다. 선생님께서 오늘이 일요일인데도 불구하고 아침 청소를 하는데 모두 나오라고 하셨다. 그런데 나와 성환이, 영수는 '촌에 나가서 내일 못 나옵니다.' 하고 선생님께 승낙을 받으러 가려다가 준곤이도 나오라고 했던 생각이 나서 웃음이 나왔다. 한편으로는 혹시 영수가 버스를 타러 나오다가 선생님께 붙들리지 않았을까 하는 걱정을 했다.

어느덧 김유신 장군 동상에 다다르니 인공림인지 숲이 우거져 있다. 무거운 다리를 끌고 한 계단씩 올라갈 때마다 김유신 장군께서 삼국통일을 위해 싸우시던 모습이 더 선명하게 떠올랐다. '이제 다 올라왔다.' 하는 성환이의 소리를 듣고 정신이 들었다. 하늘을 향해 칼을 겨누며 군사를 지휘하는 마상의 장군이 용맹스럽게 보였다. 부릅뜬 두 눈, 칼날 같은 눈초리에 천군만마가 꿇어 엎드릴 것 같다. 동상 뒤를 돌아보니 넓은 숲이 눈 아래 펼쳐져 있고, 고왕(古王)들의 무덤 같은 작은 산들이 경주시를 아담하게 둘러싸고 있다.

김유신 장군에게 하직 인사를 하고 경주운동장으로 가려다가, 숲속에서 조금 남아 있는 빵과 사과를 먹고 다시 시내로 들어갔다. 불국사를 먼저 구경하자고 하는 준곤이의 의견에 따라 불국사 행 버스를 탔다. 오늘따라 손님들이 매우 많아서 자리를 잡을 수 없었다. 복잡한 차 안에서 이리저리 밀리면서 억지로 가고 있는데 중간쯤 왔을까 비가 내리기 시작했다. '아침부터 날씨가 좋지 않더니 결국 비가 오고 마는구나!' 하고 생각하며 불국사에 도착하니 12시 15분이다. 준곤이가 언제 차창으로 봤는지 '우리 반 친구 J다!' 하며 급히 내려 빗속으로 헤쳐가기에, 나도 정말인가 하며 따라가 보니 사실이었다.

J는 우리 반 친구인 T, D, Y와 함께 버스정류장에서 서성대고 있었다. 객지에서 같은 학교 한 반 친구들을 만나니 여간 기쁘지 않았다. 악수도 한 번 하기 아쉽듯이 이야기를 나누는데 J에게는 회의감도 없지 않았다. 어제는 촌에 볼일이 있어 가기 때문에 우리와 같이 경주에 못 간다고 해놓고 이제 와서 딴 애들과 놀러 오다니! 준곤이과 성환이가 1분 정도 대화를 나누다가 불국사 쪽으로 가기에 나도 다음에 만나자고 하면서 그들과 헤어졌다.

비가 계속 내리고 있어서 우선 대웅전 앞에서 비를 피했다. 빗속에서 사진을 찍었다. 준곤이가 자동 카메라로 사진을 찍고 있는데 어쩐지 사진기가 이상하게 느껴졌다. 사진을 찍고 나서 필름을 돌리면 필름이 계속 돌아가는 게 아닌가! 계속 사진기를 만지작거리다가 필름을 꺼냈는데 사진 몇 장을 못 쓰게 되었다. 불국사 내 여기저기를 다니며 사진을 찍고 있는데 친구 Y가 오더니 이야기를 좀 하자면서 따라왔다. 우리는 대꾸도 안 하고 사진을 찍은 후 불국사 바깥으로 나오니 J가 이야기를 좀 하자면서 계속 따라왔다. 그때가 1시 20분쯤 되었는데 말다툼이 시작되어 오늘 구경은 거의 할 수 없는 지경이 되었다. 준곤이는 다투기 싫다면서 내물왕릉에서 하는 글짓기 대회에 간다고 하며 먼저 갔다. J

는 성환이를 붙들고, T는 나를 붙드니 성환이 사촌도 같이 붙들려 논쟁을 했다. 성환이는 약속을 저버린 J를 힐책하며 이야기를 하기도 싫으니 가겠다고 야단이었다. 이 판에 내가 나서면 더 할 것 같아서 학교에 가서 이야기를 하자면서, 준곤이가 어찌 되었는지 찾아야겠다고 하면서 버스정류장으로 갔다. 모두 같이 가서 준곤이를 찾아보았으나 벌써 가고 없었다. 이렇게 된 바에야 결론을 짓자고 하면서 Y는 억지로 우리를 음식점으로 끌고 갔다. 자기들은 이미 점심을 먹었다면서 우리들의 식사와 법주 한 주전자를 주문했다. 거기서 서로 타협을 하고 우리는 볶음밥을, 그들은 술을 한 잔씩 마셨다. 나올 때 계산서를 보니 식사가 400원, 술이 200원이라고 했다. 음식값에 깜짝 놀랐으나 J가 모두 지불했다.

도로 중간중간에 포장을 진행하고 있었으나 관광도시로서의 경주의 면모는 일신하고 있었다. 내물왕릉에 오니 비가 그쳤다. 그런데 글짓기 대회가 벌써 끝났는지 준곤이의 모습은 보이지 않았다. 계림 숲을 구경하는 둥 마는 둥 하고, 모두 반월성으로 올라갔다. 마침 농악 놀이와 활쏘기 대회가 한창 진행 중이었다. 혹시라도 준곤이가 거기에 있나 하고 찾아보았으나 헛수고였다. 경주여고생들이 아양을 떨며 물건 하나를 사 달라고 하여 성환이는 받침대를, 나는 껌 한 통을 사 주었다. 이번에는 D와 Y를 놓쳐서 찾다가 안압지로 가니 Y가 '준곤이를 봤으나 차마 못 잡겠더라.' 해서 성환이가 '어느 쪽으로 갔느냐?' 하면서 찾으러 뛰어갔다. 우리는 잔디밭에 앉아있다가 성환이가 준곤이를 못 찾았다면서 돌아오기에, J 일행과 함께 경주 시내로 들어갔다.

대구로 가는 고속버스 막차가 8시라고 하여 얼른 동양고속으로 가서 차표 세 장을 구입했다. J 일행을 보내고 시내 구경을 더 하다가 중국 음식점에 가서 저녁을 사 먹었다. 중국집 벽에는 장개석 총통의 사진이 걸려 있었다. 우리 뒤에 대구에서 온 다른 손님 몇 사람이 들어왔는데 식당의 처녀와 농담을 설설 걸기 시작하였다. 식당 종업원은 중국에서 대학에 다닌다면서 1개월간의 방학을 맞아 한국의 부모님 집에 왔다고 했다. 그녀는 술 '빼갈'을 중국말로 '빠이갈'이라고 하면서 독특한 발음으로 여러 가지 재미있는 이야기를 했다. 손님들이 자꾸 들어오기에 우리는 자리를 비켜주었다.

고속버스터미널에서 기다리다가 밖으로 나가서 기념품을 사서 돌아오니 성환이가 영수와 이야기를 하고 있었다. 내일 학교에 오면 혼을 내려고 했으나 막상 만나니 매우 반가웠다. '어찌된 일이냐?' 하면서 빵집으로 데리고 가서 영수의 이야기를 들었다. 영수는 먼저 경주로 와서 기다렸다는 것이다. 영수는 자기 나름대로 우리들을 찾아 경주 시내를 뒤졌다고 하며, 내일은 학교에 못 가겠다고 했다. 잘 알겠다고 하고서 다시 버스터미널로 오니 준곤이가 거기 있었다. 어찌나 반갑던지 막 때리니 준곤이는 달아났다. 그는 불국사에서 우리가 논쟁을 하고 있는 것을 보고 혼자 버스를 타고 내물왕릉에 가니 벌써 글짓기대회가 끝이 나고 아무도 없어서 반월성으로, 포석정으로 혼자 돌아다니다가 대학에 다닌다는 한 청년을 만나 여러 가지를 얻어먹었는데 사기꾼 같아서 도망쳤다고 하며, 자기가 다닌 곳의 이야기를 해 주었다. 고속버스 차표를 샀느냐고 물어보니 동양고속 8시 차표를 샀다고 한다. 어찌나 이렇게 잘 맞아가는지……. 영수도 우리가 타는 버스에 같이 타겠다면서 가방을 가지러 갔다.

그때 불꽃놀이가 시작되었다. 약 5분 정도 진행된 불꽃놀이는 대부분 대구에서 본 것이라서 별로 흥미가 없었다. 영수가 뒤늦게 뛰어와서 버스를 겨우 탔는데 성환 사촌의 옆자리에 앉아서 가게 되었다. 낮부터 일어난 일들이 모두 우연히 일어난 일의 연속이었다. J 일행과 불국사에서 만난 것, 경주 시내에서 성환이 사촌이 영수를 만난 것, 그리고 준곤이를 같은 버스터미널에서 만나고 같은 버스를 타게 된 것 등. 대구로 돌아오는 길에 영천에서 불이 난 현장을 차창으로 보기도 했다. 아침에 우울했던 기분과 달리 귀로의 길은 훨씬 즐거웠다. 대구에서 시내버스를 타고 자취 집으로 돌아오니 밤 10시가 되었다.

10월 21일 (토)

요즘 수학여행 때문에 손해가 막심하다. 가장 심한 것이 공부다. 여행, 여행하고 떠들어대는 바람에 약 두 달(9~10월) 동안 마음이 들떠서 공부가 제대로 되지 않는다. 수학여행 후에는 중간고사가 있는데……. 그다음으로 부모님께 죄책감이 들었다. 9월 30일부터 수학여행을 간다며 준비를 하느라 야단을 떨었는데 못 갔고, 10월 4일 계획도 무산되었으며, 10월 9일 및 10월 19일 계획도 파투가 났다. 이렇게 네 번이나 일정이 바뀌는 소동으로 부모님께 신용만 잃게 되었다. 선생님들께서는 처음에 설악산을 예정하였으나 도(경상북도 교육청)의 불승인으로 좌절되었고, 다시 속리산으로, 그다음은 대관령을 경유하여 설악산으로 가는 코스를 잡았지만…… 이렇게 여러 가지로 제안을 했지만 들통이 나고, 이제야 철도가 뚫려 24일 저녁 6시에 설악산으로 떠나기로 확정되었다. 그동안 선생님들 사이에서도 말이 많았고, 수업도 거의 안 했던 것이다. 학교에 줄 선물 같은 것도 없애고, 적절한 비용만 받을 뿐, 남는 돈은 전부 반환한다면서 300원을 도로 내어주었다. 수학여행 경비 3,500원은 아마 대구 시내 학교 중에서 가장 싼 축에 속할 것이다.

12월 13일 (수)

나는 무슨 시험을 치든지 치루기 전에 마음을 바로잡고 잠시 동안 마음의 기도를 올린다. 그렇다고 하느님이나 구세주에게 비는 것이 아니고, '내 맘의 격려' 라고나 할까, 그런 정도로 눈을 감고 묵념한다.

'오늘의 고사를 잘 치게 해 주세요. 절대로 부정행위는 하지 않겠습니다. 열심히 공부한 만큼 충분히 실력을 발휘할 수 있게 해 주세요.'

간단하나마 나에겐 주기도문 같은 것이랄까? 아니, 그 이상일 지도 모른다. 그래도 문제를 차근차근 살피고, 문제를 다 풀었을지라도 다시 두세 번 반복해서 살펴보고, 종이 울리기 전에 먼저 나가는 적은 거의 없다. 이런 행동이 시험을 잘 보고, 앞날에 곧게 살겠다는 나의 마음의 자세인 것이다.

1973

1월 1일 (월) 맑음

1973년 둥근 해가 힘차게 떠올랐다. 저 태양 위에 검은 소 한 마리가 올라탔나 보다. 믿음직스럽고 부지런하고 끈기 있는 계축년 새해. 대구 상고에 입학한 지 어느덧 2년이 지나갔고, 실력도 꽤 는 것 같다. 금년엔 어떻게 이 중대한 한 해를 잘 설계하여 미래에 후회가 없게 할까? 신년도 계획부터 통론 해야겠다. 금년의 나의 주제는 "총력 공부의 해"로 정한다. 무엇보다도 가을에 은행 입사 시험이 있거니와 대학 진학을 위해 필요한 예비고사에도 합격할 수 있어야 되겠다. 혹시 대학 입시를 치러야 할지도 모르니까. 어느 해보다 더 착실하고 끈기 있게 열심히 노력해야겠다.

1월 5일 (금) 맑음

며칠 동안 여러 학원에 나가봤다. 먼저 고려학원에서 『영어정해』 강좌를 들어보았다. 학원 시설이 잘되어 있었으나 강사가 기침을 자꾸 하여 친구들이 될 수 있으면 수강증을 끊지 말라고 권했다. 일신학원은 고려학원보다 시설이 미비하였으나 강사의 강의가 고려학원보다 나은 것 같았다. 그러나 강사의 발음이 엉망이어서 며칠 듣다가 그만두었다.

지난달 12월 30일에 대명동에서 신천동으로 자취집을 옮겼다. 외갓

집 친척할머니(고모 할머니)의 집인데 할머니께서는 방이 날 때까지 아주머니의 친동생인 석봉 형과 같이 지내라고 하셨다. 문석 형이 대구에 있었으나 어제 문도 형님이 와서 아침에 급히 짐을 옮겨주었다. 주인집 아저씨께서는 감사하게도 리어카로 짐을 실어다 주셨다. 문석 형은 주인에게 돈을 1,000원이나 주었다. 많이 준 것 같았으나 그동안 신세를 진 데 대한 고마움의 뜻으로 준 것이다. 이사 후 두 형은 고향 집으로 나갔다. 석봉 형은 밥은 자기 누님댁(할머니 댁)에서 먹고, 저녁에 잠만 같이 잤다. 나 혼자 방을 사용하는 셈이다. 학원에 나가지 않은 요 며칠간 아주머니댁 꼬마들이 자꾸 와서 노는 바람에 공부가 잘 안 되었다. 그래서 휴식 차 며칠간 고향 집에 나가기로 작정하고 경산으로 향했다.

1월 8일 (월) 맑음

오늘이 음력 12월 4일, 내 생일이다. 공부에 정신이 팔려 내 생일도 잊고 있었는데 마침 고향에 오니 반가운 날이 기다리고 있을 줄이야! 엄마는 '생일상 받으려고 집에 나왔지?' 했다. 나는 억울했다. 엄마는 내 생일이라고 팥밥을 한 그릇 수북이 담아 주셨다. 갖가지 반찬도 만들어 주셔서 감사하며 맛있게 먹었다.

요 며칠간 산에 가서 땔 나무도 마련해오기도 하고, 동생들 공부도 가르쳐주었으나 정작 내 공부는 잘 되지 않는다. 그래서 내일 대구로 들어가기로 했다. 요새 시골은 새마을운동이 한창이다. 농촌이지만 수도를 놓으려고 관을 파묻고 있다. 오늘 그 일을 도와주었다.

1월 13일 (토)

45회 선배들의 졸업식 날이다. 아침 9시 반경 학교에 가니 벌써 축하객들이 많이 모여들고 있었다. 나는 졸업생 옆줄에 서서 학부모와 친구들의 출입을 막고 밀가루 뿌리는 것을 막으라는 임무를 부여받았다. 졸업식이 끝나고 교실로 입장할 때 밀가루를 뿌리고, 꽃다발을 목에 걸어주는 등 매우 난잡한 모습들이 눈에 띄었다. 고향 친구이자 한 해 선배인 상우의 모친과 동생이 왔기에 교실로 안내하여 만나게 해 주었다. 상우 친구인 문석 형과 윤희도 축하객으로 왔다.

졸업식이 끝나고 남은 일은 강당의 걸상을 교실로 운반하고 정리하는 것이었다. 무수한 꽃다발과 풍선, 카메라맨, 케이스 장수 등 거의 모두가 허례허식에 불과한 것들뿐이다. 졸업장을 받은 후 어떤 학생은 유리창을 깨는 등 야단법석이고, 어떤 학생은 온몸에 밀가루투성이로 사진을 찍고 있다. 왜 이렇게 질서가 없고 엉망인지? 무엇을 배웠기에 저 모양인가? 걸상을 나르며 생각에 잠기었다. 모두 말끔히 치운 후 곧장 집으로 돌아왔다.

1월 14일 (일)

아침에 주산 시험을 치러 갔다. 중앙통을 거쳐 경리 학원에 가니 시험을 치는 것 같지도 않았다. 몇몇 학생이 주산을 놓고 있었다. 옆 교실로 들어가서 1시간가량 연습을 하였다. 시험 보는 학생들 대부분이 우리 학교 학생들이다. 교실에는 날씨가 춥다고 난로를 피워 놓았다. 주산 시험은 별로 어렵지 않았다.

오후에 경산으로 나갔다. 대구에서 영남대학으로 가는 버스를 타고 가니 30분가량 걸렸다. 영남대 입구에서 내려 친척 아주머니께서 말씀하신 대로 바라보니 담뱃잎을 건조하는 집(담뱃굴)이 하나 보였다. 그 집으로 찾아가니 S의 여동생이 놀고 있다가 반겨주었다. 집이 흡사 움집 같았다. 이런 집이 있었나 할 정도로 의심스러웠다. 마침 아주머니도 있었고, S도 있어서 같이 이야기를 좀 하다가, 준비해 둔 집으로 가보니 출입문도 없고 거의 다 찌그러진 집인데 주인이 대구에 있으니 좋다면 당분간 그곳을 사용하라고 하셨다. 다시 S네 집으로 와서 옆방을 살펴보니 토끼굴 같은데 나는 키가 커서 머리가 천정에 닿았다. 차라리 이곳이 나을 것 같아서 여기서 S를 가르치겠다고 말씀드렸다. 이런 집에서 안 자라서 그런지 매우 불편했다. 나는 좋은 집에서 살았구나 하는 생각을 했다. 이런 집에서라도 S의 진학을 위해 열흘간 부지런히 가르쳐 주어야겠다.

1월 16일 (화) 맑음

오늘은 학교에 나가는 날이다. 아주머니께 말씀드리니 차비를 주셨다. 대구 자취집에 가보니 엄마가 와 있었다. 학교에 가니 반 친구들이 몇 명 와 있을 뿐 선생님들도 안 보여서 교무실로 가서 담임 선생님 책상 위에 메모를 써 놓고 집으로 돌아와 버렸다. 엄마는 벌써 배추를 사다가 간을 쳐 놓고 친척 결혼식에 갈 준비를 하셨다. 11시인데 점심을 먹으라면서 밥을 차려 주셨다. 12시쯤 시내버스를 타고 고려예식장을 찾아갔다. 외가 어른들이 많이 와 있었다. 만난 지 오래되어서 잘 알아

볼 수 없었다. 1시 20분에 식이 시작되었고, 2시쯤 마쳤다. 예식장을 나와서 지정해준 식당에서 오래 기다려 우동 한 그릇을 먹고 나오려 했으나, 엄마는 무슨 일이 그리 많은지 이리저리 둘러보며 꾸물거렸다. 오후 4시가 되어 자취 집으로 돌아왔다. 엄마에게 김치를 담가 달라고 부탁하고는 경산 S네 집으로 나왔다.

1월 22일 (월)

오늘은 S의 고등학교 입학시험 날이다. 엊저녁에 S를 데리고 대구 자취 집으로 왔다. 아주머니께서는 500원을 주시면서 필요한 것 사는 데 쓰라고 하셨다. 어제 오후에 수험표를 받으러 대구농고에 갔다가 친구 석우를 만났다. 중학교 때 같은 반에서 공부했던 친구다. 2년이나 놀다가 시험 치러 왔다고 했다.

오늘 아침밥을 지어서 S에게 많이 먹으라고 주었다. 좋은 기분으로 시험을 보도록 잘 대해 주었다. 시험장으로 가면서 주의할 것 등을 말해주고는 '맘 푹 놓고 시험을 봐라. 합격이 되면 좋고, 안 되면 다음에 또 기회가 있으니까.' 하며 위로해 주었다. 교문 앞에서 엿을 사 주었다. 엿같이 철석 붙으라고. 점심때에 아주머니께서 오셨다. 점심을 준비해 두고 S가 점심 먹으러 올 때를 기다리니까 이내 S가 시험장에서 나와서 같이 밥을 먹었다. 아주머니는 혹시 S가 점심을 사 먹으려다가 사람이 많아서 못 사먹을까 봐 걱정이 되어 오셨다고 하셨다. 가져온 문제지로 해답을 맞추어 보니 영어, 수학이 형편 없었다. '혹시나?' 하는 기대감도 없지는 않았다.

1월 25일 (금) 흐림

오늘은 문석 형의 졸업식 날이다. 형은 아침 일찍 학교에 가면서 졸업식장에 와달라고 부탁했다. 10시 반이 넘어서 대명동으로 갔다. 전에 살았던 자취집에 들러보니 마침 이화 누나도 있었고, 정란이도 와 있었다. 이화 누나에게 형 졸업식장에 놀러 가자고 하니 '오늘이 틀림없냐?'고 하면서 꼭 가보겠다며 화장대에 앉았다. 정란이도 반가워하며 좋아했다. 12시쯤 되어서 대구공고로 가니 교문 앞에는 장사꾼들이 법석을 떨었다. 이화 누나는 액자와 사진첩을 사고, 나는 꽃다발을 샀다. 꽃다발을 갖고 졸업식장에 들어가려고 하니 못 들어가게 막았다. 꽃다발은 일절 못 들어오게 한다고 했다. 밖에서 기다리다가 국민학교 친구인 정열이를 만났다. 하는 수 없이 정란이에게 친척 집에 꽃다발을 맡겨 놓았다가 졸업식이 끝나면 갖고 오라고 부탁했다.

강당 안에는 아직도 졸업식이 진행되고 있었다. 대열 밖에 서 있는 학생들도 있고, 들락날락하며 다니는 졸업생도 있었다. 한 학생은 시상대에서 자기 이름을 호명해도 단 앞으로 나가지 않았다. 학교 기풍을 잘 알 수 있는 광경이었다. 식을 마치고 교실로 들어간 뒤 오랫동안 기다려도 형이 나오지 않았다. 이화 누나가 교실에 한 번 가 보라고 했다. 일반인은 출입을 못 하게 입구에서 선생이 지키고 있었다. 모자를 벗고 이름표를 감추고 들어가다가 문지기 선생에게 들켰으나 얼른 형을 만나고 나오겠다고 하니 들여보내 주었다. 형의 반을 찾아가서 어디서 기다릴까 하고 물어보니 농구대 밑에서 기다리라고 하였다. 한참 동안 기다리다가 상길이 동생 춘길이를 만났다. 문백 형과 상우도 축하를 하러 왔다. 2시가 넘어서 형이 나와서 사진을 몇 판 찍고 있는데 눈발이 비치기도 하였다. 학교에서 나와서 사진관에서 기념사진을 찍고 상길이 자취집에서 우동을 시켜 먹었다.

나는 꽃다발과 액자 등을 갖고 먼저 나와서 자취집으로 돌아오다가 S의 시험 결과가 어떻게 되었는지 궁금하여 대구농고에 가 보았다. 벽에 붙어있는 합격자 발표문을 쭉 훑어보니 임업과에 S의 이름이 올라와 있었다. 참으로 다행이라고 생각하며 자취 집에 오니 S가 다녀갔다고 전해 주었다. 액자 등 형의 졸업 축하 물품을 챙겨서 촌으로 나왔다.

2월 3일 (토) 맑음

설날이다. 민족의 명절인데 고향에 못 내려가게 되어 마음이 서글펐으나 한 해를 혼자 계획해 볼 좋은 기회라고 생각했다.

솟았다 밝은 해는

넓은 들판과 산야를 비추고

외줄기의 내 인생도 훤히 비춰주리.

밝았다 붉은 해는

온 세상과 나의 가슴을 밝히고

깨끗한 내 마음에 새 기운이 솟으리.

떠올랐다 붉은 해는

전 세계의 평화와 인류의 행복을 위해

우리들의 심령을 새롭게 창조하리.

올해는 세계인의 복지를 위해,

전쟁 없는 세계를 위해,

기아 없는 세계를 위해 기도를 할까?

무엇보다도 저 태양은

내 인생의 결정적인 순간인

이 한 해를 어떻게 설계하고 있을까?

불사조가 되어

저 붉고 붉은 태양 속에 숨겨져 있는

나의 미래를 들여다보고 싶다.

4월 8일 (일)

3학년이 되니 공부에 신경이 더 많이 쓰이고 더욱 바빠졌다. 매일 아침 8시에 등교하여 오후 7시 30분에 집에 돌아오게 되어 하루하루가 공부 속에 파묻힌 셈이다. 3월 초엔 재미가 있었으나 이젠 그 열기가 좀 떨어지는 것 같다. 정신 차려야겠다.

어제 고향집에 갔다가 오늘 새벽 차로 귀로 했다. 평일과 마찬가지로 학교에 갔다가 저녁 8시가 다 되어 자취집으로 돌아왔다.

개교 50주년 기념 행사

4월 15일 (일) 비

내일이 개교 50주년 기념일이다. 그 행사 중 하나로 오늘 저녁에 전야제가 있었다. 개교 50주년 행사를 위해 거의 1주일 동안 공부를 별로 못 했다. 특히 나는 11일의 교지 발간을 위해 교정 작업을 하느라 본과 수업은 전혀 못 받고 종일 글만 들여다 보았다. 선생님께서 사 주시는 점심을 먹고 계속 일만 하자니 나중엔 머리가 아팠다. 6교시를 마칠 즈음 모두 마무리 지었다. 교지에 나의 작품인 '녹림의 왕자'도 실렸다. 개교 기념행사를 위해 나도 많은 일을 한 것이다.

저녁을 먹고 학교로 갔다. 방금 비가 그쳤기 때문에 운동장엔 물이 흥건히 괴어 있어 모래를 실어 붓고 있었다. 삽을 들고 도와주었다. 전야제가 시작되자 먼저 농악대가 운동장을 돌며 흥을 돋웠다. 우스꽝스럽게 만든 갖가지 의상이 재미있고, 모두들 열의를 가지고 하고 있었다. 3학년의 기마전이 서장을 이루고, 2학년의 줄 당기기, 1학년의 장대 넘어뜨리기가 연이었다. 야간부도 같은 방식으로 장식해 나갔다.

다음으로 강당에서 '특기 자랑'이 있었다. 모두들 잘 했다. 웃기고 웃으며 즐겁게 시간을 보냈다. 특히 '이수일과 심순애' 연극은 복장까지 잘 차려 입고, 가발을 쓰고 나왔다. 연기도, 제스처도 잘 했다. 전야제를 마치고 집에 오니 9시 30분이었다.

4월 16일 (월) 맑음

어제 저녁 전야제에서 1학년은 장대 넘어뜨리기, 2학년은 줄 당기기, 3학년은 기마전을 했다. 모두 전반과 후반으로 나누어서 실시했다. 바로 오늘 4월 16일이 대상 개교 50주년의 역사적인 날이다. 날씨는 흐리는 듯 하더니 맑게 개이고, 학교의 하늘에는 개교를 축하하는 커다란 애드벌룬이 둥실 떠 있다. 아침 9시부터 식이 시작되고, 수많은 동문 선배님들과 은사님들, 그리고 현해탄을 건너온 일본인 선배님들이 자리를 같이 하셨다. 어느 날보다도 이날 아침은 엄숙한 분위기였고, 면면히 흘러내려온 대상 기질이 그대로 노출된 것 같았다. 정연히 열을 짓고 거의 1시간 동안이나 서 있었다. 교장 선생님께서는 일본 선배님이 후배들 칭찬을 여러 번 한 것도 사실이라고 늘 말씀하셨다.

장엄한 교가가 운동장에 메아리치는 가운데 열린 개교 반세기 기념식은 감사장을 비롯한 여러 가지 수상에 뒤이어 시계탑 개막식으로 진행되었다. 시계탑은 일본인 선배들의 모금으로 건립한 것이다. 개교 50주년의 주요 행사는 50년사 발행, 사진전, 시전(詩展)을 비롯하여 미술전 등이 며칠간 계속 되었고, 시계탑 건립과 더불어 겨레의 얼이 깃든 본교 교정에 태극단 기념비가 건립 중이다.

나는 이 기념식을 위해 며칠간 교지를 만드느라 선생님과 같이 바빴음이 보람찬 것이다. 교지에는 나의 작품도 실려 있었기에.

현해탄을 건너온 선배들 중에서 교정을 향해 큰절을 하는 사람도 있었고, 교문에 들어오자마자 펑펑 우는 사람도 있었다고 한다. 올해는 개교 50주년이라는 큰 사건으로 인해서 대상이 전국에서 두각이 드러나기를 기대한다. 우선 운동 경기에서 야구가 전국을 제패하고, 테니스 역시 제패하길 기대하며, 럭비도 크게 기대된다. 그리고 우리 학생들도 공부에 전념하여 전국 최고의 상업학교임을 자랑하여 경북을 빛내고 나라를 빛내는 참된 일꾼이 되어 국가사업에 봉사하기를 믿어 마지 않는다.

개교 50주년 기념

대구상업고등학교

친구들과의 추억

4장.

취직 시험의 희비

...... 어느덧 웅장한 서울의 거리가 시야에 들어올 때는 3시가 조금 지나서였다.

영등포를 지나니 최초로 보이는 은행이 신탁은행이다. 신탁은행에 원서를 낸 친구들이 '와!' 하고 소리쳤다.

다음은 중소기업은행, 국민은행... 그때마다 아우성이 일었다. 한강 철교를 건넜다.

난생처음 오는 서울! 왠지 첫인상이 께름칙하다.

맘속에는 이 거대한 도시에도 가난한 사람들이 있을 것이라고 생각하니 넉시(미국의 경제학자)의 '빈곤의 악순환'이란 말이 뇌리에 떠올랐다.

감정을 억제하고 첫발을 디디니 서울의 천지가 모두 내 것 같이 느껴졌다.

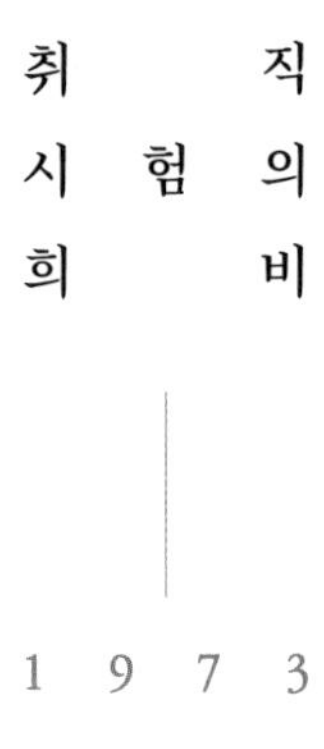

10월 1일 (월) 맑음

드디어 입행 시험이 가까워졌다. 나는 큰맘을 먹었다. 이왕 시험을 치를 바에야 좀 대결할 만한 직장, 나에게 가장 맘에 드는 산업은행에 지원하기로 작정하고 담임 선생님께 신청했다. 선생님께서는 별로 꺼리지 않으시고 승낙해 주셨다. 그래서 지난 9월 25일까지 입행 원서 자료를 준비하느라 바쁘게 보냈다. 이제 시간이 별로 없다. 시험 날짜가 이달 7일이기 때문이다. 지난 여름 방학 동안 열심히 공부했다고 자부하지만, 입행 시험이 작년보다 1개월이나 앞당겨져 마음이 바쁘다. 총정리를 서둘렀다. 앞으로 엿새 남았다.

10월 3일 (수) 맑은 후 비

아침 일찍 모친께서 오셨다. 개천절이라 학교에 늦게 가도 되었기 때문에 지체하는 동안에, 첫 버스로 오셨는지 머리에 보따리를 이고 들어오는 것을 맞을 수 있었다. 아주머니댁 애들이 귀찮게 법석였다. 9시가 다 되어서 학교에 가려고 하니 엄마는 성급히 삭혀온 감을 먹으라고 내주셨다. 모정처럼 단 감이다. 두세 개 먹고 학교로 갈 때 가방에 몇 개 넣어주었다. 학교에 가서 먹으라고. 학교에 가니 가랑비가 내렸다.

10월 4일 (목)

내일 아침 열차로 서울로 떠난다고 했다. 마음이 들떠 있어서 학교에서 공부가 잘 되지 않았다. 교감 선생님의 주의 말씀을 듣고 나서 학생들은 일찍 하굣길에 나섰다. 나는 남아서 주산과 상식을 공부하다가 4시쯤 나와서 집으로 가는 길에 목욕을 했다. 엄마께서 따뜻한 고깃국을 끓여 놓으셨다. 닭을 사서 푹 고아주겠다고 했으나 안 먹을 테니 하지 말라고 했는데 쇠고기를 사다가 국을 끓여 놓았다. 밥을 맛있게 먹었다. 저녁에 나머지 공부를 마쳤다. 내일 출발할 준비도 대강 해 두었다.

첫 서울 나들이

10월 5일 (금) 흐림

드디어 서울로 출발하는 날이다. 아침 일찍 일어나 세수를 하고 공부를 간단히 했다. 문석 형과 사촌 성문이는 먼저 집을 나서서 직장이며 학교로 나갔다. 주산도 연습해 두었다. 오늘은 손도 못 댈 테니까. 엄마는 오늘까지 돌봐 주셨다. 꼭 시험에 합격하라고 엿까지 사다 주시고, 갖고 온 사과와 밤도 가방에 넣어 주셨다. 가방이 작아서 손가방에 책을 넣었다. 같은 집에 사시는 친척 할머니와 아주머니께 인사를 드리고 나서 버스를 타러 나가니 엄마는 버스 정류장까지 나와 배웅해 주셨다. 최선을 다하겠다는 다짐을 하고서 하직했다.

동대구역에는 학생들이 많이 나와 있었다. 모두들 깊은 각오를 한 표정으로 삼삼오오 모여서 이야기를 하고 있었다. 9시 50분쯤 모여서 개찰을 시작했다. 열차를 타는데 약간의 혼선이 있었으나 모두 자리를 잡고 앉아가게 되었다. 10시 30분이 되어 열차는 서서히 서울을 향해 나아갔다. 우리는 열차를 타고 가는 도중에 내내 책을 들고서 공부를 했다. 마지막 순간까지 열심을 다 하겠다는 자세들이다. 흘낏흘낏 보이는 차창으로 오곡이 풍성하게 익어가는 싯누런 황금 벌판이 널리 펼쳐지고 있다. 새마을운동으로 논밭이 깔끔하게 다듬어져 있고, 빨강, 파랑, 또는 거무스름한 색깔의 슬레이트나 기와집들이 보기에도 아담하게 꾸며져 있다. 참으로 새마을운동이 잘 되었구나 하고 감탄했다. 우리 농촌이 저렇게 잘 사는 정도라면 타국에 못지 않으리라고 생각했다. 대전역을 지날 때 점심을 먹었다. 엄마께서 싸주신 김밥은 그래도 맛이 있었다. 열차를 타고 가서 그런지 시간은 잘도 흘러갔다.

웅장한 서울의 거리가 시야에 들어올 때는 3시가 조금 지나서였다. 영등포역을 지나니 최초로 보이는 은행이 신탁은행이었다. 신탁은행에 원서를 낸 친구들이 '와!' 하고 소리를 질렀다. 다음은 중소기업은행, 국민은행…… 그때마다 아우성이 일어났다. 한강 철교를 건넜다. 난생

처음 오는 서울! 왠지 첫 인상이 께름칙하다. 마음 속에 이 거대한 도시에도 가난한 사람들이 있을 것이라고 생각하니 넉시(미국의 경제학자)의 '빈곤의 악순환' 이란 말이 뇌리에 떠 올랐다. 감정을 억제하고 첫 발을 내디디니 서울의 천지가 모두 내 것 같이 느껴졌다.

서울역을 나와서 인원 점검을 한 후 예약한 여관을 향해 출발했다. 서울의 지리를 모르는 나는 앞사람의 뒤만 바라보고 따라갔다. 남대문을 지나고, 시청을 지나서 삼일빌딩을 거쳐갔다. 신호등 신호가 길어서 기다리기에 지겨웠다. 인파도 많이 들끓었다. 확실히 대구보다 공기가 나쁜가 보다. 코가 막히는 것 같고, 목이 쇠하게 느껴졌다. 공해라고 하는가? 자동차들이 끊임없이 달리고 사람들이 부딪히며 지나갈 정도니까 이렇게 공기가 나쁜가 보다. 1반 선생님은 먼저 가시고 우리는 4반 변 선생님을 따라가며 이야기를 하다가 그만 앞 줄을 놓치고 말았다. 찬홍이와 같이 앞으로 달려가 살폈으나 보이지 않았다. 큰일 났구나 싶었는데 변 선생님께서 지나가는 사람들에게 물어서 오던 길로 되돌아가서 여관을 찾아갔다.

우리에게 배정된 방은 상도여관 17호실이다. 벌써 선착자들이 기다리고 있었다. 17호실에는 외환은행과 산업은행 지원자들이 차지하게 되었다. 우리 반 애들 중에서 모두 성격이 좋은 애들이다. 모두 6명이 한 방을 쓰게 되었는데 방이 좁았다. 이불을 들춰보니 물이 흥건하였다. 순간 '누가 오줌을 쌌나?' 하고 의심하였으나 방 구석에 수도꼭지가 보였다. 이불로 물이 닦이도록 덮어두고 그 위에서 잠깐 눈을 붙였다. 먼 길에 피곤했는가 보다. 벌써 저녁 때가 다 되었다. 첫날부터 저녁식사가 나쁘게 들어오기 시작했다. 김치, 잡채, 깍두기에다 동태국 그것 뿐이다. 출출한 김에 그것이라도 실컷 먹었다.

저녁부터 선배님들이 찾아 들기 시작했다. 각 은행마다 한 두 명이 찾아와 자기 은행의 출제 경향을 자세히 알려주었다. 산업은행 선배님도 찾아와 위로해 주었다. 시험 방법, 요령 등을 가르쳐주고 질문에 답변도 헤 주었다. 밤 늦게까지 선배님들이 계속 찾아 왔는데 어떤 선배는 볼펜을 선물하였다. 고향 친구이자 1년 선배인 상우도 찾아왔다. 서울은행에서 근무하고 있는 상우는 시험을 마치고 시간이 있으면 전화하라면서 전화번호를 적어 주었다. 선배들이 돌아간 후에 밤 1시까지 공부를 하다가 서울의 첫날밤을 보냈다.

10월 6일 (토)

오늘 아침에도 엊저녁과 같이 식사 시간에 시끄러웠다. 각 방마다 서로 먼저 먹으려고 심부름꾼 꼬마를 유도하는 작전을 펼치고 있었다. 우리 방은 밥이 늦게 들어와서 얼른 먹고서 파고다공원 옆으로 갔다. 학년 주임인 1반 담임 배동모 선생님의 말씀을 듣고 나서 은행 별로 모여서 인도해주시는 선생님을 따라 나섰다.

산업은행 지원자는 모두 7명이었다. 의외로 적은 인원이다. 타 은행에 지원한 애들이 먼저 떠난 후에 우리 일행은 유람을 가는 것처럼 지도 선생님인 배동모 선생님을 따라갔다. 참으로 인원이 적어서 단출하였다. 산업은행 본점은 여관에서 찾아가기도 쉬웠다. 서울 시내 길을 잘 모르나 직각으로 돌아서 쭉 나가니 한전 옆에 붉은 색의 산업은행 건물이 아담하게 서 있었다. 배 선생님과 이런저런 이야기를 하면서 은행에 도착하여, 어젯밤에 찾아왔던 선배님에게 전화를 하였다.

오늘은 선배님 세 분이 나오셨다. 선배님을 따라 은행 2층 식당에 올라가서 이야기를 하면서 콜라 1병씩 마셨다. 2년 전에 혼자 입행 시험에 합격했다는 선배는 선생님 앞에서 우리들에게 '오늘밤에 술 마시고 노름을 하다가 자거라.' 하니, 선생님은 허허 웃기만 했다. 아마 마음 푹 놓으라는 이야기 같다. 작년에 시험장으로 사용했다는 강당을 둘러보니 탁구선수들이 열심히 탁구를 치고 있었다. 아주 능숙하게 치는 모습을 구경하다가 선생님께서 인사부에서 나오시는 것을 보고 같이 밖으로 나왔다. 배 선생님께서는 오후에 수험표를 교부 받는다고 하셨다. 여관으로 돌아오다가 배 선생님은 딴 볼일을 보러 가시고 우리끼리 돌아왔다.

아직 점심 시간이 되지 않아서 여관 앞에서 의논하여 파고다공원에 구경을 갔다. 입장료는 10원. 공원은 예상외로 규모가 작았다. 3 · 1 독립만세운동으로 유명한 곳이다. 3 · 1 독립만세운동 기념탑과 13층 석탑이 주위의 현대식 건물에 억눌린 듯 다소곳이 서 있다. 벽면에는 교과서에서 많이 보아왔던 조각들이 새겨져 있었다. 1919년 그날의 함성이 귀에 들리는 것 같았다. 함께 갔던 친구들이 벌써 밖으로 나갔는지 보이지 않았다. 뒷문으로 나오니 식권에 지정된 식당이 보였다. 혼자 점심을 먹고 여관에 가니 아직 친구들이 돌아오지 않았다. 창고에 있는 헌 상 하나를 꺼내어 주산 연습을 했다.

얼마 있지 않아 친구들이 점심을 먹고 들어왔다. 주산을 한 장 놓을까 말까 하고 있는데 벌써 다른 방 친구들이 수험표를 받으러 가자고 하면서 서둘렀다. 오후 2시에 수험표를 받기로 되어있는데 벌써 친구들이 모여있다고 했다. 빠른 길로 가자고 하며 삼일 빌딩을 경과하여 찾아갔다. 오전에 선생님과 같이 갔던 길보다 더 빨리 간 것이다. 벌써 대학생 지원자들과 다른 학교에서 온 학생들도 몇 명 와 있었다. 경남 마산상고에서 온 애들과 이야기를 나누었다. 거기선 2명이 왔다고 했다. 오전에 안내해 주셨던 선배님이 부산상고에서 왔다는 두 학생을 소개해 주셨다. 그 학생들과 악수를 하고 나니 선배님은 다른 학교 애들이 들으라는 듯이 '대구상고와 부산상고 외에는 모두 별 것 없다.'고 하며 기운을 북돋우어 주었다.

2시가 되자 인사과에서 나온 분이 확성기로 모두 모이라고 하더니 프린트 한 장씩 나누어 주었다. 수험번호는 접수번호 그대로라고 했다. 집합 장소가 좁고 대로 옆이라 자동차 소음 때문에 확성기 소리가 잘 들리지 않았다. 그리고는 해산을 했다. '뭐가 이러노.' 하는 생각이 들었다. 선배님의 주의 사항을 듣고 여관으로 돌아왔다. 저녁을 먹고는 마무리 공부를 대충 하고서 10시경에 일찍 잠자리에 들었다.

입행(入行)시험과 남산 구경 ―― 10월 7일 (일) 비 온 후 맑음

오늘은 나의 운명의 날이다. 내 인생의 대로가 어디로 향하느냐 하는 결정적인 날이다. 그저께 엄마가 준 엿을 꺼내 옥상으로 올라갔다. 먼저 하느님께 시험에 합격이 되든 안 되든 간에 나의 인생의 목적을 완성할 수 있는 길로 인도해 달라고 기도했다. 그리고 부모님의 온정에 감사하고 최선을 다해 시험을 치겠다고 묵도했다. 가랑비가 조금 내리는 서울의 아침이다. 사흘째 되어서 엿은 하나로 뭉쳐져서 잘 떨어지지 않았다. 그래도 엄마가 시험에 붙으라고 주신 것인데 알뜰히 빨아먹었다. 어제보다 아침 식사가 더 일찍 나왔다. 반찬은 전과 마찬가지로 별로 좋은 것이 없었으나 그래도 맛있게 먹었다. 식사 후 주산 연습을 하다가 다른 반 애들이 부르러 와서 일찍 시험장으로 향했다. 아침 거리는 어제 저녁때보다 훨씬 덜 붐볐다. 어제 갔던 길로 곧장 가니 8시 반쯤 산업은행에 도착하였다. 수험생 몇 사람이 와 있었다. 우리는 시험시간까지 공부하고자 했다. 2층 식당에 가서 할까 하다가 본관 앞에서 그냥 하자고 해서 거기서 메모장을 꺼내 들고 한 자라도 더 머리에 넣고자 했다. 나는 부기 용어 정리를 대강 읽어 봤다. 9시까지 거의 한 번 쫙 훑어봤다. 그동안에 다른 수험생들도 왔다. 9시가 되니 시험관들이 나와서 모이라고 했다. 아직도 가랑비가 조금씩 내리고 있었다. 수험번호대로 모여서 시험장으로 안내되었다. 어제 가본 그 강당이었다. 내 번호 73번은 쉽게 눈에 띄었다. 깨끗한 베니어 책상 위에 내 수험표가 붙어있다. 의자도 편하고 좋았다. 자리에 앉아서 심호흡을 했다.

첫째 시간 과목은 '작문'이었다. 예상치 못하였으나 마음을 굳게 먹고 작문에 임했다. 제목은 '나의 교우'였다. 우선 간단한 메모를 하고서 줄줄 써 내려갔다. 남은 시간을 봐가며 학교에서 연습을 한 대로 써 내려갔다. 둘째 시간은 '영어' 였다. 처음에 영어 해석, 다음에 문장 맞추어 잇기, 그리고 올바른 단어 고르기, 마지막에 영작문이었다. 영어 해석 중 'beacon' 이라는 단어가 걸렸으나 과감하게 '깃발'이라고 번역

했다. 영작도 마음에 걸렸다. 틀린 것 같다.

셋째 시간은 '부기' 였다. 처음에 정산표 작성 시에 좀 떨렸으나 깨끗이 마무리했다. 분개 문제도 좀 까다로웠지만 잘 넘기고, 용어 해설도 아침에 읽어본 메모지에서 거의 출제되어 잘 써 내려갔다. 넷째 시간은 '상식' 과목이었다. 별로 어려운 게 없었으나 '상평창'의 용어 설명 중 약간 미스가 있었지만 잘 정리하였다. 다섯째 시간은 '주산'이었다. 주산은 문제지가 프린트물로 나오는가 했는데 인쇄물이었다. 시간을 10분 더 주었다. 그러나 한자 전표가 예상외로 백만 단위로 나왔다. 전표산 계산 중 좌우 답란의 혼동이 있었으나 무사히 다 계산하였다. 한자 전표산 계산이 좀 걱정스러웠다.

시험을 다 마치고 나오니 선배님이 기다렸다가 잘 쳤느냐 하며 반겨주셨다. 모두 한자 전표 때문에 걱정이라고 했다. 건물 밖에 나오니 다른 선배님 한 분이 우리를 기다리다가 시험의 난이도를 물으시더니 같이 식사를 하자면서 우리를 불고기 집으로 데려갔다. 생전 처음 먹어보는 불고기다. 선배님께서는 술도 한 잔씩 권했으나 아무도 마시지 않았다. 고기 맛이 좋았다. 밥을 먹는데 이상하게도 물컵만 한 작은 밥공기에 밥을 담아주었다. '서울 사람들은 이걸 먹고 어떻게 사나?' 하는 생각이 났으나 알고 보니 그게 아니었다. 먹고 모자라면 밥통에 있는 밥을 더 덜어 먹으면 된다고 선배님께서 알려주셨다. 불고기 집에서 푸짐한 대접을 받고 나올 때 마침 부산상고 학생들도 그들 선배의 대접을 받고 나오고 있었다. 그들과 인사를 나누고 다시 선배님과 석별의 정을 나누었다.

지도하신 선생님께서 저녁 9시에 서울역에 모이라고 미리 말씀하셨다. 이제 3시쯤 되었으므로 우리는 남산에 놀러 가기로 했다. 길도 잘 모르면서 물어서 찾아갔다. 산기슭으로 올라가는 길을 따라가니 나중에 산 입구에 도달하였으나 '입산 금지'라는 표지가 서 있었다. 가까이에 있는 한 아저씨에게 물어보니 옆에 있는 작은 오솔길을 따라 올라가라고 했다. 그 길로 따라 올라가니 정말 남산으로 올라가는 대로가 보였다.

케이블카가 있어서 케이블카를 타고 올라가자고 했으나, 친구들이 걸어가면서 구경을 하자고 하여 걸어서 올라갔다. 어린이공원이 있고, 대형 야외 음악당이 서 있다. 조금 더 오르니 서울시가 조금씩 시야에 들어왔다. 백범 김구 선생의 동상을 뒤로하고 '나의 소원'이라는 글귀를 되새기면서 남산 꼭대기로 향했다. 일찍 시험을 마치고 남산으로 구경을 온 친구들이 자주 눈에 띄었다. 도산 안창호 기념관, 분수대를 거쳐 올라가니 식물원이 보였다. 일사 광선을 잘 받아 싱싱하게 자란 열대 식물들이 무성하였다. 걸음을 많이 걸어서 그런지 남산으로 올라가는 층계가 무척 부담스러웠다. 자꾸 올라갈수록 서울의 풍경이 더 넓게 시야에 들어왔다. 일요일이라서 놀러 온 사람들이 많이 붐볐다.

꼭대기에 오르니 땀이 흐르고 숨이 찼다. 날아갈 듯이 생긴 팔각정이 우리를 기다리고 있었다. 팔각정에서 땀을 식히며 사방으로 탁 트인 서울 시가지를 구경했다. 이제 우리 학교 학생들이 눈에 띄게 많이 보인다. 만나는 애들마다 '시험 잘 쳤느냐?' 하며 인사를 했다. 남산 꼭대기에 중계 탑이 높이 솟아 있다. 소일 온 사람들도 많았다. 여기서 굽어보니 저 멀리 한강의 흰 물줄기가 보이고, 영등포의 공장들이 연기를 뿜고 있는 것이 보였다. 가까이에는 높고 낮은 건물들이 즐비하게 서 있다. 동으로 고개를 돌리니 그곳에는 주택들이 늘어서 있다. 북쪽으로 바라보니 폭넓은 세종로와 중앙청, 청계천이 눈에 들어왔다. 우리가 찾아갔던 파고다공원은 잘 보이지 않았다.

6시가 되어서 친구들과 함께 내려오다가 어린이공원 앞 벤치에서 쉬었다. 바로 앞에는 아폴로 11호가 달에 착륙하는 장면을 모형으로 만들어 놓았다. 바로 암스트롱이 달에 내리는 장면이다. 개구쟁이들이 모형선에서 내려진 사다리를 타고 암스트롱 철인을 헤치고 오르내리고 있었다.

'이제 서울역으로 가자.' 하면서 내려오고 있는데 고향 친구 상우가 우리 학교 동기인 서석채(서울은행 응시자)와 같이 거기 있는 게 아닌가! 우연히 만난 것이다. 그저께 여관으로 찾아왔을 때 시험을 마치면 전화를 하라고 했는데 깜빡 잊어먹고 있었던 것이다. 뜻밖의 만남에 무척 반가웠다. 상우는 다시 남산에 올라가자고 했다. 다시 남산에 올라가니 그리 힘들지 않았다. 저녁이 어스름해지고 나니 서울의 거리는 수많은 전등불이 반짝거린다. 밤의 경치도 좋았다. 남산 꼭대기는 공기가 차가웠다. 다과점에서 상우는 콜라를 사 주고, 맥주도 한 잔씩 권했다. 과연 고향 친구가 이렇게 좋구나 하는 생각이 들었다. 7시가 되어 산에서 내려와 명동으로 갔다. 마침 차 없는 날로, 명동 거리에는 사람들로 붐볐다. 상우는 우리를 한 식당으로 데리고 갔는데 불고기 집이었다. 점심때 먹었던 불고기 집보다 못한 곳이었다. 고기 양도 적었고, 밥

맛도 좋지 않았다. 그러나 상우 덕분에 돈도 안 쓰고 잘 얻어먹은 것이다. 오늘밤을 위하여 배불리 먹었다. 상우와 헤어진 후 석채와 함께 곧장 서울역으로 갔다. 가판대에 전시된 '일요 신문'을 보니 어제 중동전이 터졌다고 크게 보도하고 있었다. 이집트가 이스라엘을 선공했다고 한다. 터질 게 터지고야 말았나 보다.

9시 반이 되어 학생들이 거의 다 모였고, 인솔하시는 선생님들도 나타나셨다. 부산상고 애들도 같은 열차로 떠난다고 한다. 10시 반쯤 개찰을 시작하여 줄을 섰다. 어느 열차 칸에 우리가 타야 할지 몰라서 허둥대기도 했다. 열차는 11시 10분에 서울역을 출발했다. 참으로 서울에서의 첫인상은 좋은 것만이 아니었다. 서울도 개선해야 할 게 많은 것 같다. 교통질서에 있어서는 대구보다 못한 것 같다. 그러나 입행 시험을 잘 치렀기를 기대하며, 잠깐 눈을 붙였다.

10월 8일 (월) 맑음

새벽에 잠이 깼다. 흔들리며 달리는 열차 안의 모든 친구들은 잠을 자고 있었다. 아마 어제 치른 시험 때문에 피곤했겠지. 시간은 잘도 지나갔다. 동대구역에 도착하니 새벽 4시다. 통금 시간이 걱정되었으나 이젠 걱정 없다. 동대구역 대합실에서 모여 각 반별로 점호를 한 후 모두 각자의 집으로 향하였다. 아직도 가로등이 외로운 밤길을 비추는 길을 터벅터벅 걸어서 자취 집으로 오니 거의 5시가 다 되었다. 다행히 문석 형이 깨어 있었다. 가방을 대충 챙겨 두고는 잠에 곯아 떨어졌다.

일어나보니 정오가 다 되었다. 아주머니께 인사를 드리니 '언제 왔느냐?' 하고 물으셨다. 건넌방 할머니도 시험 잘 치렀느냐 하며 반기셨다. '맘 턱 놓고 되는대로 쳤어요. 아마 떨어지지 않을까 싶어요.'라고 했다. 아침 겸 점심을 먹고 고향 경산으로 향했다. 버스 안에서도 마음이 착잡했다. 그러나 속 시원히 잘 치렀다는 생각도 했다. 아마 이것이 내 인생의 첫 고배가 될지도 모르겠다.

이제부터 온실 생활은 끝나고 폭풍우가 몰아치는 대평원으로 나가 태양과 비바람과 싸워야 할 출발점일 것이다. 인생의 출발! 거대한 푸른 꿈을 안고 세계를 주름잡을 날을 기다리며 꾸준히 노력하는 것이다. 오늘의 하나하나를 착실히 하고, 내일의 뚜렷한 계획을 갖고서 언제까지나 계속 애써 나가는 것이다. 인생을 알차게, 보람되게 살고서 짧은 일생 동안이나마 나의 꿈, 의무, 아니 사명을 다해야 한다. 은행이 문제가 아니다. 눈을 높이 들고 하늘을 쳐다보자. 저 하늘은 높기만 하다. 그러나 저것도 언젠가 정복할 날이 오겠지.

10월 19일 (금)

내일이 산업은행 합격자 발표날이다. 공부하려고 책을 들었으나 머리에 들어오지 않는다. 오늘 학교에서 문화 교실을 간다고 해서 구경을 하러 갔다. 만경관 극장에서 상영하는 '007 소련 탈출'이었다. 어느 여자중학교 학생들도 있었으나 대부분이 우리 학교 학생들이다. 007 주인공의 명석한 머리와 인내로써 끝내 소련 정보부의 사슬로부터 빠져나오는 드라마였다. 한국 영화와는 달리 규모가 크고 웅장하며 화려하게 촬영되었으며, 연기도 훨씬 좋았다. 여기서 우리 한국인이 보는 시야가 좁다는 것을 느꼈다. 보다 크고, 웅장한 것을 멋지게 촬영, 제작해 내면 좋으리라 생각한다. 대부분의 한국 영화들은 규모가 작고, 대화 위주로 엮어나가는 것들이다. 앞으로 개선할 점이 많다고 본다.

집에 돌아오니 8시. 저녁을 먹고 나서 잡생각들이 떠 올랐다. '시험에 붙었다고 너무 우쭐거리지 말고, 떨어졌다고 실망 마라.' '은행이 인생의 전부는 아니다.' '은행에 들어가도 언젠가는 문을 박차고 나와야 할 게 아니냐?' 생각이 구구하다. 나는 은행 시험에 떨어져도 내 인생에 있어서 별로 상관없다. 이로 인해 더 나은 길로 나아갈 지도 모르니까. 나의 최선을 다해 시험을 치렀다. 신이 알아서 처리해 주시겠지. 내가 나아갈 올바른 길로 인도해 달라고 했으니 나는 다만 세상에서 나에게 주어진 사명만 다하면 된다. 인류가 더 행복하고 편안하게 살기 위해 나의 노력을 다하겠다. 시험에 구애될 필요는 조금도 없다. 그러나 낙방이 된다면 나에게 기대를 걸었던 선생님과 부모님, 그리고 형님께 죄송할 뿐이다. 나를 믿고서 원서를 선뜻 내주시던 선생님, 사시사철 구별 없이 보살펴주고 모든 것을 지원해 주신 부모님, 그리고 항상 충고와 조언을 해 주던 형님들. 나의 최선을 다했으니 이제 깜깜한 장막이 걷히면 모든 것이 밝혀지겠지. 내일이 나의 인생에서 뜻깊은 날이 되겠지.

산업은행 합격의 기쁨 —— 10월 20일 (토) 흐린 후 비

평상시처럼 일어나 아침을 먹고 학교에 갔다. 마음은 그저 담담하였지만 초조한 감은 어쩔 수 없었다. 신이 알아서 해 주시겠지. 그러나 교문을 들어서니 좀 흥분되는 기분이다. 오늘 12시 반에 발표한다고 했으니 기다려 봐야지.

교실로 올라가는 계단을 한 계단씩 꾸준히 오르고 있는데 누군가 '경문아. 너 산업은행에 합격했다고 하더라.' 하는 말을 들었으나 농담인 양 여겼다. 어제 국민은행 합격자 발표 시에 거짓 발표가 나돌아서 애들의 기분이 상했던 일이 있었다. '12시 반에 발표야' 하고 생각하며 교실에 들어서니 친구들이 앞뒤 좌우로 둘러싸고 악수 세례를 퍼붓는다. 장난이 아니냐고 하니 '너만은 틀림없다.'고 했다. 그저 손을 내미는 대로 고맙다며 쥐어 주었다. 한 차례 세찬 바람이 지나가고 어떻게 되었냐고 물어보니 산업은행에 지원한 7명 중 5명이 합격했다고 한다. 우리 반에서 세 명 모두 합격. 떨어진 2명도 아까웠다. 모두가 합격했으면 좋으련만.

한일은행과 기업은행도 합격자 발표가 났다. 우리 3반에는 한일은행 4명 지원자 중 3명이 합격하였고, 기업은행은 한 명밖에 안 되었다고 한다. 참으로 올해는 예상보다 은행 취직 성적이 나쁘다. 나는 적어도 한 반에 스무 명씩, 학교 전체 200명을 돌파하리라고 믿었는데 거의 50명이나 모자란다. 나는 합격이 되었어도 그리 기쁘지 않았다. 과연 은행으로 향한 이 길이 나의 장래에 영광을 가져올 것인지 패배를 가져올 것인지 미지수다. 오늘도 평소처럼 수업을 다 마쳤다.

학교에서 돌아오니 아주머니께서 동네 공동수도에서 배추를 씻고 계셨다. '너희 바케스니 좀 들어다오.' 하셨다. 책가방을 든 채 기다리고 있으니 '은행 합격자 발표가 났느냐?' 하고 물으셨다. 그저 묵묵히 '합격했다고 합디다.'라고 했다. 아주머니께서는 기분이 매우 좋으신 모양이다. 자취 집에 가서는 그저 야단스러웠다. 옆방 할머니께서도 반가워하셨다. 엄마가 왔다가 조금 전에 고향집으로 나갔다고 했다. 대구로 감을 팔러 나왔다가 내가 어떻게 되었나 싶어 잠깐 들렀다가 농사일이 바빠서 집으로 갔다고 하셨다. 아주머니께서는 아기를 업은 채 김치를 담가 주셨다. 엄마가 고기를 사 왔는지 비닐종이 속에 들어 있었다. 아주머니는 그것도 손봐 놓을 테니 어서 경산 집에 나가보라고 재촉했다. 가방을 대강 챙긴 후 아주머니께 인사를 드리고 경산으로 향했다.

금곡다리에서 버스를 내려 송백 방향으로 걸어가고 있는데 우리 마을의 한 아이가 부친이 버스에서 나중에 내리는 것을 봤다고 전해주었다. 그래서 잠깐 기다리고 있으니 아버지께서 라면 한 박스와 생선 몇 마리를 사 들고, 술 한 잔 하셨는지 벌건 얼굴로 나타나셨다. 인사를 하며 손에 든 짐을 받으니 대뜸 시험 결과는 어떻게 되었느냐 하고 물으셨다. 합격했다고 하니까 '그러면 그렇지!' 하시며 무척 좋아하신다. 금곡다리 부근의 집에 맡겨둔 지게를 가져와서 라면 박스와 생선을 지게에 실었다. 같이 집으로 가면서 아버지께서는 여러 가지를 물으시기도 하고, 그동안의 집안 이야기도 해 주셨다. 엄마는 절에 다니면서 불공도 드리고, 점도 쳐보니 꼭 합격할 거라는 말을 들었다고 하셨다. 참으로 기분이 좋은가 보다.

우리 마을 초입에 들어서니 가족들이 '새물앞' 논에서 벼를 베고 있었다. 먼저 묻는 게 나의 합격 여부다. 아버지께서는 '틀림없어!' 하시며 야단이시다. 엄마와 형님들, 그리고 동생 문찬이도 그저 좋아하며 축하해 주었다. 엄마는 '수고했다.'고 하면서 동생 금숙이가 집에 와 있으니 얼른 가보라 했다. 오빠가 어떻게 되었는지 궁금하여 기다리고 있으니 빨리 가 보라고 재촉했다. 하늘은 곧 비가 올 듯 잔뜩 찌푸린 표정이다. 농촌 사람들의 일손도 바쁘다. 한 닷새쯤 비가 안 오면 벼 타작을 끝낼 텐데……. 하늘이 무심하기만 하다.

새물앞 들_1986

집에는 금숙이가 고구마를 삶아 놓고 기다리고 있었다. 고향집에서 만나기는 참으로 오랜만이다. 금숙이의 직장생활과 나의 학교생활로 인하여 서로 만나기가 쉽지 않았다. 경산에 있는 제일합섬에 들어간 후 한번도 못 만나고, 한 차례 편지만 교환했을 뿐이다. 오늘은 정기 휴일로 하루를 쉰다고 했다. 산업은행에 합격했다고 하니까 엄청 좋아하였다. 금숙이는 오늘 저녁에 회사 기숙사로 들어가야 한다고 했다. 고구마 맛이 무척 달았다.

금숙이와 같이 점심을 먹고 나서 논에서 일하고 있는 식구들에게 가져갈 고구마를 보자기에 쌌다. 금숙이는 외출복으로 갈아입고 경산으로 갈 준비를 한 후, 사과밭에서 사과를 몇 개 따러 간다며 먼저 집을 나섰다. 대문을 열고 밖으로 나오니 상길이 모친이 나를 보더니 참 잘 했다며 칭찬해 주신다. 금숙이가 이미 말했나 보다. '감사합니다!' 하며 인사를 하고 과수원으로 가니 금숙이는 가방에 사과를 담고 있다. 둘이서 우리 논이 있는 들길로 나서는데 비가 내리기 시작한다. 벌써 우리 논에는 나락(벼)이 거의 다 걷히고 있다. 젖은 나락도 아버지와 동생이 발가리를 치고 있다. 금숙이에게 '비가 오니 빨리 가라.'고 하고는 볏단을 안고서 논둑에 쌓았다. 두 형님과 엄마는 벼를 묶고, 아버지와 나, 동생 셋은 벼가 비에 젖지 않도록 논둑에 빨리 쌓아 올렸다. 네 도가리(마지기)의 논의 벼가 곧 걷어지고 나니 조금씩 뿌리던 비가 그쳤다. 일도 잘되었다. 모두 기분이 좋아 잘 됐으리라.

가져갔던 고구마는 집으로 도로 가지고 왔다. 아버지께서 지고 오셨던 지게를 내가 받아서 지고 왔다. 집 가까운 논에서 일하고 있던 상길이 모친이 엄마께 참 잘 되었다며 연신 나를 칭찬하신다. 저 분은 예전에 우리 집 마당 한복판에서 '상고생은 은행에 취직이 안 되면 아무데도 쓸모없다.'고 말했던 사람이다. 동네에서 말 많기로 유명한 여자다. 그러나 악평을 하든 칭찬을 하든 나는 상관하지 않았다. 그래서 우리 엄마에게 동네에 자랑도 하지 말라고 했다. 서울에 시험 치러 간다는 소문도 내지 말라고 했는데 어느새 온 동네에 소문이 쫙 퍼져 있었던 것이다.

참으로 내가 험한 모험을 했구나 하는 생각이 들었다. 이렇게 동네가 떠들썩하고, 학교에서도 그 정도로 기대가 컸다면 아예 합격하기 쉬운 은행에 응시할 걸 하는 생각도 들었다. 만약 시험에 떨어졌다면 학교에서도 낯을 들고 못 다닐 테고, 자취 집에서도 부끄러웠을 것이다. 그 뿐만 아니라 시골 동네에서도 떳떳하게 다니지 못하고 고개를 숙이고 다녀야 할 것 아닌가! 실로 엄청난 일이다. 그러나 모르겠다. 내 주위 사람들이 좋아하니 기분이 나쁘진 않다. 그저 그래서 좋은가 보다. 이젠 나의 인생의 길도 이 길로 나가야 될 것 아닌가!

두 번째 상경 10월 30일 (화)

오늘은 다시 서울행 열차를 타는 날이다. 어제 담임 선생님께 인사를 드리니 말 때문에 걱정이라고 하신다. 그래서 면접시험을 보는 것 같이 연습을 했다. 실과 과장 선생님께서도 걱정하셨다. 교감 선생님께서도 천천히 잘 하라고 말씀해 주셨다. 실과 과장 선생님께서는 자료실에서 '취직시험에서 주의할 것'이라는 작은 책자를 주시며 잘 읽어보라고 하셨다. 담임 성은표 선생님께서는 몇 가지를 메모해 가지고 외우고, 저녁에 학교에 와 보라고 하셨다. 그래서 저녁에 학교에 가니 선생님께서는 테니스를 치고 계셨다. 인사를 드리니 선생님께서는 '면접을 차분히 잘 보고 오라'고 말씀하셨다.

산업은행에 합격한 동기들과 아침 9시까지 동대구역에서 모이자고 약속을 했다. 15분 전에 집을 나서서 역에 가니 벌써 우리 반의 광일이와 4반의 영태가 나와 있고, 5반의 순영이는 아직 도착하지 않았다. 광일이는 학교에서 학생 할인권을 얻어가지고 왔다. 순영이만 오면 차표를 살 텐데……. 9시가 넘어서 순영이가 나타났다. 그러나 그때는 좌석표는 이미 다 팔리고 없었다. 다음 열차로 가자고 하다가 입석표를 사서 탔다. 빈자리가 몇 곳 남아 있어서 그곳에 가서 앉았다. 바깥 경치를 구경하면서 신문을 읽고 있노라니 마침내 자리 주인이 나타났다. 그래서 다른 빈자리로 이동했다. 몇 번 자리를 옮겨 앉으니 그제는 아무도 오지 않았다. 열차 안에는 물품 판매원들이 자주 다녔다. 여자 판매원도 구루마를 끌고 다니며 물건을 팔았다. 가끔 차장의 안내 방송이 있었다.

열차는 빠르게 달려서 서울역에 도착하니 오후 1시가 되었다. 할인권을 사용하고 입석으로 차표를 사서 본 차비인 1,030원 보다 280원 싸게 타고 온 셈이다. 우리는 남긴 돈으로 중국집에 들어가 짬뽕을 사 먹었다. 그래도 배가 고파서 광일이는 빵을 꺼내고 나는 사과를 꺼내 먹고 있으니, 식당에서 일하는 아이가 사과를 먹고 싶은지 자꾸 쳐다보았다. 그래서 사과 한 개를 꺼내어 주니 고맙다며 받았다.

식당을 나와서 광일이는 자기 친척 집을 찾아간다면서 가고, 남은 셋은 우선 산업은행을 찾아보고 머물 여관을 찾아보기로 했다. 순영이는 자기가 길을 잘 안다면서 무조건 따라오라고 했다. 이리저리 다니다가 원점인 남대문으로 다시 돌아오고 말았다. 안되겠다면서 길을 가고 있는 어떤 여자에게 물어보았다. 그제야 한국은행에서 왼편으로 가서 산업은행을 찾을 수 있었다.

다시 한국은행 쪽으로 가려고 걸어가고 있는데 누군가 우리를 부르고 있었다. 그분은 경북고등학교 선배라고 하면서 대구 사람을 만나니 너무 반갑다고 했다. 그분은 우리를 다과점으로 데리고 가서 아이스크림을 사 주며 함께 이야기를 나누었다. 지금의 대학교 사정과 데모들,

그리고 자기가 다닌다는 고려대학교 이야기도 해 주었다. 방학 때 대구에 내려가는데 한번 찾아오라면서 주소까지 적어주었다.

경북고 선배와 헤어진 후 여관을 찾았으나 별로 보이지 않아서 코스모스 백화점 뒤쪽으로 둘러보았다. 우리들보다 먼저 면접시험을 본 한일은행 응시자들이 머물렀다는 장춘 여관을 찾아서 짐을 풀었다. 셋이 한 방에서 자는데 하룻밤 숙박료가 1,000원이었다. 여관 주인아줌마가 좋아 보였다. 이불 한 개를 더 갖다주셨다. 필기시험을 치러 왔을 때 머물렀던 상도 여관에 비하면 호텔 급이다. 여관 시설이 좋을 뿐만 아니라 목욕통 시설까지 있고, 온수도 잘 나오며, 방에 스팀 장치도 있었다. 마음 푹 놓고 쉴 수 있었다.

순영이와 영태가 친척 집을 찾아보겠다면서 나간 뒤 친구 상우에게 전화를 걸었다. 상우는 오늘은 월말이라 바빠서 못 만날 것이니, 내일 한 번 더 전화하라고 했다. 다음에는 이모 집에 머물고 있는 명원이에게 전화를 걸었다. 열차에서 내리는 즉시 전화를 해 달라고 했으나 그럴 시간도 없었고, 바삐 다니느라 생각도 나지 않았다. 명원이는 오후 5시에 산업은행 선배를 만나러 가자고 했다. 어제 선배님께 전화를 드렸더니 오늘 오후에 은행으로 나오라고 했다고 한다. 우리들의 성적이 나쁘다고 꾸지람을 들었다고 했다. '그러마.' 하고 전화를 끊었다. 그때가 4시 반쯤 되어서 집에서 싸온 떡을 좀 먹고 산업은행으로 향했다.

산업은행 앞에서 서성대고 있으니 명원이가 나타났다. 명원이는 수위실에서 급여반에서 일하시는 선배님께 연락을 드렸다. 선배님의 표정을 보니 좋은 얼굴이 아니었다. 우리를 2층 식당으로 데리고 가더니 식당 한쪽 구석에 앉으라고 했다. 조금 있으니 이승도 선배님이 다른 선배 두 분과 함께 오셨다. 대뜸 선배님들은 '금년에 시험을 본 후배들의 성적이 왜 그리 나쁘냐?' 하고 물었다. 우리는 대답할 말이 없었다. 모두 하는 데까지 열심히 최선을 다했는데…….

선배님은 상고 출신자를 20명 선으로 자를 경우 우리 학교에서는 1명만 합격되었을 거라고 했다. 속으로 '설마 그렇게까지 나쁜 성적일까?' 하고 생각했다. 그러나 성적이 과히 좋지 않았던 것은 틀림없는 것 같다. 한 선배님은 다른 학교 출신 선배와 내기를 했는데 형편없이 졌다고 했다. 선배님 말로는 덕수상고가 7명 와서 모두 합격되었고, 목포상고는 6명 와서 전원이 다 합격했다고 하셨다. 그런데 우리 학교는 7명이 와서 5명 밖에 합격이 안 되었으며, 순위도 낮다는 것이다. 우리는 할 말이 없어서 가만히 듣기만 했다. 선배님은 사과 주스 한 잔을 사주었다. 욕을 먹느라 주스의 맛도 몰랐다.

선배님들과 헤어진 후 명원이와 같이 여관으로 향했다. 미도파 백화점이 신장개업을 하고 있었다. 여관에 돌아와 보니 친구들은 아직도 돌아오지 않았다. '짜식들, 어디를 돌아다니며 우리가 욕 얻어 먹은 것 듣지도 않나?' 하는 생각이 들었다. 명원이와 이런저런 이야기를 하면서 내가 가져온 사과를 같이 먹었다. 조금 있으니 순영이와 영태가 나타났다. 둘이서 영태 친척을 찾으러 영등포까지 갔다가 허탕치고 왔다고 했다. 우리가 선배님들을 만나 실컷 욕 얻어먹었다고 하니까 정말이냐고 물었다. 내일 은행에 가 보면 알게 될 거라고 하니까 계속 물어서 오늘 오후의 이야기를 자세히 들려주었다. '큰일 났구나.' 하면서 순영이는

'될 대로 되라지.' 하며 자리에 누웠다.

저녁에 자장면을 시켜 먹었는데 170원이었다. 여관 주인에게 돈을 맡기고 탁구를 치러 나갔다. 이리저리 탁구장을 찾았으나 보이지 않았다. 겨우 2층에 있는 탁구장 하나를 발견하고 들어갔다. 나는 탁구를 쳐 본 적이 없어서 구경만 했다. 명원이와 영태는 서로 이기려고 애를 썼다. 순영이도 탁구를 처음 치는지 잘 치지 못했다. 순영이와 내가 연습 게임으로 쳐 보니까 내가 더 나았다. 처음 탁구를 쳐서 그런지 재미있었다. 영태는 한 서울 처녀와 시합을 했는데 멋지게 이겼다. 탁구장을 나와서 명원이는 친척 집으로 가고, 우리는 여관으로 돌아오니 고단하였다. 목욕통에서 샤워를 하고 일찍 잠자리에 들었다.

10월 31일 (수)

아침에 일어나니 6시쯤 되었다. 친구들과 이런저런 얘기를 하다가 7시가 좀 지나서 여관 뒤에 있는 남산에 바람을 쐬러 나갔다. 상의를 벗은 채 여관을 나와서 산까지 천천히 뛰어갔다. 벌써 많은 학생들이 등교하고 있었다. 꽤 일찍 수업이 시작되는가 보다. 좀 쑥스러웠지만 계속 뛰었다. 가만히 보니까 필기시험을 보러 왔을 때 남산으로 올라갔던 그 길이었다. 남산 중턱에 올라가서 생각나는 대로 맨손 체조를 했다. 아직 서울의 거리에는 전등불이 반짝이고 있고 안개가 부옇게 깔려 있다. 아침 해가 달처럼 벌겋게 동산 위에 떠 있다. 남산 고갯길에는 말을 타고 산보를 하는 사람도 있었다. 학생들의 발걸음도 바쁘다.

남산에서 내려와서 세수를 했다. 이제 8시밖에 되지 않았는데 친구들은 모두 나가고 없었다. 얼른 옷을 챙겨 입고 밖으로 나왔다. 산업은행으로 가는 도중에 보이는 식당으로 들어가니 아직도 식객이 없었다. 빨리 좀 해달라며 백반을 시켰다. 거리에서 산 '일간스포츠' 신문을 읽어보니 우리 학교가 부산 구덕체육관 기념 야구대회에서 경남고를 누르고 우승을 차지한 기사가 실려 있었다. 참으로 우리 학교 야구는 믿음직하다. 전기장판이 깔린 따뜻한 방에서 식사를 했는데 밥은 양이 적고 반찬이 많았다. 반찬까지 맛있게 다 먹으니 배가 부르다.

산업은행으로 가보니 순영이와 영태, 명원이는 이미 도착하여 있었으나 광일이가 아직 오지 않았다. '오는 길을 못 찾았나?' 하고 걱정을 했는데 9시가 채 못 되어 도착하였다. 3층 강당에서 인사과 직원으로부터 주의사항을 들었다. 인사과 직원은 이름을 부르며 참석 여부를 확인하였다. 광일이는 여섯 번째 내지 일곱 번째에 불렸고, 내 이름은 중간쯤 불렸다. 영태, 순영이, 명원이는 나보다 뒤에 불렀다.

주의 사항을 다 들은 후 우리는 은행 앞에 대기하고 있는 버스에 승차했다. 약 50명(대학 출신 수험생 포함)이 함께 버스를 타니 서른 살쯤 되어 보이는 인사부 직원이 우리를 안내하였다. 버스는 서울 시내를 이리저리 빙빙 돌아서 20분 가량 가더니 서울대 법대(현재의 혜화동) 앞에서 세웠다. 인사부 직원은 대학 출신 수험생의 반을 차에서 기다리게 하고, 고교 졸업생 전부와 대학 출신 수험생 일부를 데리고 X-레이를 찍으러 서울대병원으로 들어갔다. 한참 걸어서 'X-레이선 과'가 있는 건물에 들어갔다. 수험번호 차례대로 흉부 사진을 찍었다. 사진을 빨리빨리 찍었는데 담당자는 꼭 세 마디만 계속 했다. '숨을 크게 들이 마시고, 그리고 가만히 계셔요. 됐습니다.' 이렇게 계속 같은 말을 되풀이 하기에 좀 우스웠다. 다시 버스로 돌아가서 대기하고 있으니 X-레이 사진을 찍은 사람들이 띄엄띄엄 승차하였다.

인사부 직원의 안내로 다시 은행으로 돌아왔다. 돌아오는 차 안에서 식권을 한 장씩 나누어 주었다. 식권을 갖고 2층 식당에 올라가서 구석 쪽의 의자에 앉아 있으니 선배님들이 몇 명 찾아왔다. 버스에 동승하였던 그 인사부 직원은 우리 학교 35회 선배님이라고 했다. 한참 기다리니 식사가 나왔다. 오늘은 '분식의 날'이라서 여러 가지 많이 차려져 나왔다. 그런대로 맛있게 먹었다.

1시 반이 되어 강당에 올라가 보니 오후에는 신체검사를 받는다고 했다. 신체검사를 받는 사람들 외에는 2층 식당에서 적성검사를 했다. 그저 펜이 가는 대로 X표를 했다. 적성검사 후 신체검사를 받았다. 신체검사는 은행에서 근무하는 의료진으로부터 간단히 받았다. 종이컵을 주면서 오줌을 받아오라고 했다. 성병 검사를 하는지 모르겠다. 눈 검사를 했는데 의외로 시력이 0.1로 나쁘게 나왔다. 혈압도 정상적으로 나타나고, 색맹 검사도 이상이 없다. 의사 앞에서 앉고 서고 청진기로 가슴과 등을 대 보더니 침대에 누우라고 했다. 침대에 누우니 손으로 배를 주무르기에 간지럽다고 웃으니 '좋으냐?' 하며 의사도 웃었다. 이것으로 신체검사는 모두 끝났다.

벌써 다른 친구들은 밖에서 기다리고 있었다. 이제 내일 면접시험만 남겨놓고 있다. 광일이는 오늘 우리와 같이 자려고 따라왔다. 광일이가 함께 자게 됨에 따라 1,200원을 여관 주인에게 주었다. 배가 고프다고 하여 저녁을 사 먹으러 나갔다. 어떤 작은 식당에 가서 짬뽕을 시켜 먹었다. 밥을 나르는 사람이 처녀여서 애들이 설설 농담을 하더니 식사료로 700원만 주고 50원을 주지 않았다. 내가 가장 늦게까지 밥을 먹고 있었는데 친구들이 밖으로 나가자 처녀는 나를 붙들고 50원을 더 내고 가라고 했다. 그러나 나는 돈이 없다면서 나와버렸다.

이제 저녁을 먹었으니 경복궁에 구경을 가자고 했다. 명원이가 길 안내를 했다. 그러나 길을 잘못 안내하여 엉뚱한 길로만 가고 있었다. 한 여학생에게 길을 물어서 가노라니 멀리 중앙청 건물이 보였다. 전국 수재들이 모인다는 경기고를 지나서 경복궁으로 갔는데 경복궁 문지기는 야간에는 개방하지 않는다며 못 들어가게 했다. 할 수 없이 장안 구경이나 하자면서 중앙청을 지나 높이 솟아있는 정부종합청사를 거쳐 세종로로 걸어나왔다. 넓은 세종로 도로에는 엄청나게 많은 차량들이 쫙 깔려서 달리고 있었다. 길을 가다가 문득 친구 상우가 6시쯤 전화해 달라고 한 생각이 났다. 친구들을 좀 기다리게 하고는 공중전화박스에서 다이얼을 돌리니 바로 상우가 받았다. 어제는 월말이라 바쁘다고 했는데 오늘은 바쁘지 않은가 보다. 친구들과 시내 구경을 하고 있다고 하니 그럼 내일 한 번 더 전화를 걸어 달라고 했다. 전화를 걸고 나오니 명원이는 자기 친척 집에 가겠다고 했다. 명원이를 보낸 후 우리는 여관으로 돌아왔다.

여관에서 바둑판을 빌려서 광일이와 영태는 내기 바둑을 두었다. 영태가 연거푸 이겼다. 여관 주인아줌마에게 장기판을 빌리러 가니 아줌마는 화투도 빌려주었다. 장기에서도 영태가 우세했다. 나도 가만히 보고만 있을 수 없어서 영태에게 도전을 했다. 그러나 두 판 연거푸 져서 200원을 내고 말았다. 영태와 순영이는 그 돈으로 빵을 사러 갔다. 다 같이 빵을 먹고 나서 화투 치기를 했다. 여럿이 할 수 있는 '나이롱뻥'이란 걸 했다. 때리기를 했는데 오늘 웬일인지 나는 화투가 잘 되었다. 내가 독판으로 이겨서 친구들의 손등을 때려서 모두 손등이 벌겋게 되었다. 광일이는 한 번도 이기지 못하고 맞기만 했다. 내가 기대한 숫자가 바로 나와서 연속으로 때린 경우도 여러 번 있었다. 광일이가 한 번 이길 때까지 화투를 치자고 정하였는데 11시가 되어서 끝이 났다. 참으로 재미있었다. 목욕을 하고 잠자리에 들었다.

11월 1일 (목)

아침에 일어나 친구들과 함께 남산에 올라갔다. 어제 내가 했던 것처럼 친구들과 함께 맨손 체조를 했다. 아침 공기는 참으로 신선했다. 오늘은 9시 반까지 은행에 오라고 하여 조금 늦게 가도 되었다. 아침 식사는 '찌개백반'을 먹었다. 은행 강당에 모여서 오늘 할 일과 주의 사항을 듣고 대학 출신 응시자부터 면접이 시작되었다. 우리 고교 출신 응시자들은 성격 검사를 하였다. 필름을 통하여 화면에 비춰지는 그림을 보면서 자기가 생각나는 것을 써넣으라고 했다. 대부분 똑같은 그림 두 장을 마주 보게 해 놓은 것이다. 생각이 잘 나지 않았으나 대강 써 넣었다.

오전에는 대학 출신 응시자들만 면접을 보고, 우리 고교 출신 응시자들은 오후에 면접을 보게 되었다. 인사부에서 나누어주는 식권을 들고 식당에서 식사를 했다. 곰탕이라고 하는 것을 먹었는데 어제보다 식단이 간단했다. 오후에 강당에서 기다리고 있으니 여자 탁구 선수들이 탁구 연습을 하고 있었다. 국가 대표 선수인 박미라, 정현숙 등 모두 8명이었다. 정말 탁구를 잘 치는 것 같았다. 탁구 치는 것이 모두 때리는(공격하는) 것으로 보였다. 특히 박미라 선수가 코치와 치는 걸 보니 항상 이기는 것이었다. 때리는 것을 받아서 다시 때리고 뛰며 야단이다. 모두들 세계 제패의 꿈을 안고 열심히 탁구를 치고 있는 것 같았다.

인사과 직원은 다섯 명씩 불러서 면접실로 데리고 갔다. 면접을 보고 온 애들의 말을 들어보니 질문 내용이 별로 까다롭지 않다고 했다. 내 차례가 되어서 영태, 순영이 등 다섯 명이 함께 1층으로 내려갔다. 마음은 차분하고 떨리지 않았다. 1층에서 인사부 직원이 나를 보고 면접실로 들어가라고 했다. 모자를 옆에 끼고 들어가니 세 사람이 앉아 있었다. 인사를 하고 나서 서 있으니 의자에 앉으라고 했다. 처음에는 '네 부모님께서 살아 계시느냐?' 하고 물으셨다. '그렇습니다.' 라고 하니 부모님의 직업이 무엇이냐고 묻고, 큰형님은 무얼 하느냐고도 물었다. 천천히 대답을 하는데 한 사람이 나의 언어장애를 알았는지 '너 말을 더듬느냐?' 하고 물었다. 그렇지 않다고 말할 수 없어서 그런 습관이 있다고 하니까 '말 더듬는 사람은 받아들이기가 곤란한데……' 하면서 중얼거렸다. 나는 면접시험에서는 낙방시키지 않는다는 선배님의 말만 믿고 솔직히 대답해버린 것이다. 내가 안경을 끼고 들어갔으므로 '너 눈이 많이 나쁘냐?' 하고 물었다. 나는 '조금 나쁩니다.' 하고 대답하였다. 그리고 주산과 부기 급수를 물었다. 각각 1단과 2급을 땄다고 대답을 하니까 적어두는 모양이다. '다 끝났다.'고 하여 인사를 하고 밖으로 나왔다.

우리는 다시 3층으로 올라와서 탁구 치는 것을 구경하다가 선배님들과 인사를 나눈 후 은행을 떠났다. 아침에 여관을 나올 때 가방을 챙기고 나왔으므로 가방을 들고 덕수궁으로 놀러 갔다. 대구로 가는 열차 시간이 11시였으므로 시간이 많이 남아 있었다. 마침 덕수궁에는 국화전과 국전(國展)이 열리고 있었다. 국화전은 제쳐두고 석조전에서 열리고 있는 국전을 보러 갔다. 6시 반까지 관람할 수 있으니 빨리 구경하라고 재촉했다. 모두 훌륭한 작품들이었다. 특히, 대통령상을 수상한 '풍악'이란 작품은 내가 봐도 정말 훌륭하다고 느껴졌다. 국무총리상을 받은 조각 '운영'도 썩 잘 된 작품이었다. 그러나 비구상 작품들은 아무리 봐도 이해되지 않았다. 시간이 없어서 작품들을 대충 훑어보았다. 저 작품 하나하나가 온갖 정성이 깃든 것이라는 생각이 뇌리에 남았다.

국전을 구경하고 나서 덕수궁 뜰 안을 거닐며 여기저기를 구경했다. 덕수궁이 임금이 머물기에는 좀 좁다는 생각이 들었다. 해설 책자를 읽어보니 여기가 사가(私家)의 건물이었는데 고종 황제가 거처하게 된 동기가 잘 적혀 있었다. 6시가 넘은 것 같아서 친구 상우에게 전화를 걸었다. 서울에 온 김에 만나보고 가야 상우도 반가울 것이고, 나도 만나보지 못한 미안함을 털어버리려는 마음이었다. 그러나 내가 밥을 얻어먹으려고 자꾸 전화하는 것 같았으나 그럴 필요는 없다고 생각했다. 친구들을 벤치에 쉬게 하고서 공중전화기를 들었다. 상우는 오늘 저녁에는 나갈 테니 내가 있는 곳을 알려 달라고 하였다. 우리가 덕수궁에서 구경을 하고 있다고 하니 곧 이곳으로 오겠다고 하며 전화를 끊었다. 약 20분쯤 더 있다가 덕수궁 정문으로 나가니 상우가 기다리고 있었다.

상우는 친구들 모두 저녁을 대접하겠다면서 부근의 설렁탕 집으로 데리고 갔다. 아직 저녁을 먹지 않고 있던 차라 따라가서 같이 먹었다. 처음 먹어보는 설렁탕은 큰 사발에 죽처럼 쑤어서 고기 몇 점을 넣은 음식이었다. 거기서 잠시 동안 이야기를 하다가 밖으로 나와 다방으로 들어갔다. 다방에서 커피를 마시면서 이런저런 이야기를 하면서 시간을 보냈다. 9시가 넘어서 상우는 하숙집으로 돌아가고, 우리들은 서울역으로 향했다. 역전에서 오던 날 밥을 사 먹은 식당으로 들어가서 비빔밥을 시켜 먹었다. 옆에서 식사를 하고 있던 두 서울 처녀들이 우리들이 말하는 것이 우스웠는지 노상 웃고 있었다. 서울역에서 명원이와 헤어졌다. 명원이는 서울에서 며칠 더 놀다가 가겠으니 선생님께 잘 말해달라고 했다.

서울역에서 광일이는 잡지 하나를 사서 읽었는데, 나는 그 잡지의 부록을 읽었다. 영태와 순영이는 어디를 간다는 말도 없이 나간 후 11시가 다 되어도 돌아오지 않았다. 광일이와 함께 역 안과 밖을 샅샅이 찾아봤으나 어디서 계집애들과 같이 재미있게 노는지 보이지 않았다. 그때 우리 학교에서 야구 선수를 했던 C가 대구로 내려간다면서 친구와 같이 나왔다. C는 우리 학교 야구부에서 야구를 잘하는 편이 아니었으며, 고의적으로 게으름을 피우고, 또 학생들의 시계 열 몇 개를 빌리는 척하면서 팔아먹은 것이 탄로가 나서 퇴학을 당했다. 그러나 어떻게 했는지 서울에 있는 어느 학교의 야구부에 들어갔다. 얼마 있지 않아서 순영이와 영태가 뛰어와서 같이 열차를 탔다. 하행 열차에는 좌석표가 있어서 모두 앉아갈 수 있었다. C도 같은 열차 칸에 타게 되었는데 자기 자리를 놔두고 우리 틈에 끼어 앉았다. C와 이런저런 이야기를 하면서 서울을 벗어났다. 피곤하여 잠깐 눈을 붙였다. 열차는 남으로 남으로 힘차게 달려갔다. 먼 고향 산천을 바라보며 크게 기적을 울렸다.

11월 2일 (금)

새벽에 열차에서 내린 후 동대구역에서 걸어서 자취집으로 왔다. 아침에 잠깐 눈을 붙였다가 학교에 갔다. 벌써 둘째 시간 수업이 시작된 것 같았으나 종소리가 들리지 않았다. 오늘부터 수업 시간을 늦추었는가 보다. 교실에 들어갈까 망설이다가 들어가 보니 영어 선생님께서 수업을 진행하고 계셨다. 빈자리에 앉아 있으니 곧 수업이 끝났다. 쉬는 시간에 교무실에 가보니 영태가 벌써 학교에 와서 자기 반 담임 선생님께 인사를 드리고 있었다. 성 선생님께 '잘 다녀왔습니다.' 하고 인사를 하니, 어떻게 했느냐고 물으셨다. 또 말 더듬에 대하여 묻지 않았느냐며 물으시기에, 선배님이 면접에서 낙방시키는 일이 없으니 안심하라고 하기에 솔직히 언어 장애가 있는 것을 시인했다고 말씀드렸다. 선생님께서는 잘했다고 하셨다. 교실로 돌아오니 친구들이 면접시험을 잘 보았느냐 하며 계속 물어서 그런대로 잘 넘겼다고 얼버무렸다.

11월 14일 (수)

첫째 시간 수업을 하고 있는데 담임 선생님께서 산업은행 합격자들을 부르셨다. 아마 오늘 2차 발표가 있었나 보다. 면접시험을 본 지 벌써 2주일이나 지났는데도 소식이 없어서 어제 우리들이 선생님께 산업은행에 전화를 걸어 확인해 달라고 요청하였다. 선생님께서는 밝은 얼굴이 아니셨다. 무겁게 입을 열더니 '기어이 알 일이니까 말을 안 할 수 없다.' 하시면서, '경문이 네가 떨어지고 말았다.'라고 하셨다. 그 순간 정신이 아찔했으나 별로 상관없다고 마음을 굳게 먹었다. 선생님께서는 위로의 말을 하시면서 '앞으로 입사 원서가 들어오면 우선적으로 보내줄 테니 걱정하지 마라.' 하셨다. 광일이도 섭섭하다고 하면서 위로했다. 그러나 나는 이것이 잘된 일일지도 모르겠다고 생각했다. 교실에 들어오니 애들이 어찌 되었느냐고 물었다. 나는 속에 넣어둘 필요도 없다고 생각하여 '나 혼자만 떨어지고 다른 친구들은 합격했다.'고 하니까 거짓말하지 말라고 하면서 믿지 않았다. 정철이는 '광일이에게 물어보니 모두 합격했다고 하던데 왜 거짓말하느냐?' 하며 내 등을 때렸다. 그러나 사실이라고 하니까 모두들 안타까워했다. '오늘부터 새 출발이다.' 라고 생각하며 예비 고사 시험 공부를 했다. '은행이 다냐?' 라는 생각으로 마음의 각오를 굳게 다졌다.

대입 예비 고사

11월 16일 (금)

어제 오후에 우리 학교에서 모여서 예비 고사 수험표를 받고 지정 학교까지 가 보았다. 내 수험번호는 '차13365' 였다. 시험 장소는 대건고등학교로, 오늘 아침 9시부터 예비 고사가 시작되었다. 8시까지 아침 식사를 마치고 버스를 타고 대건고등학교에 가니 8시 반이었다. 시험은 A, B 두 가지 종류로 나누어 놓고 대각선으로 앉게 했다. 그러니 컨닝은 아예 못하게 만들어 놓았다. 두 사람의 시험관이 들어왔다. 시험지는 큰 신문지만 했고, 몇 차례 접어져 있었다.

첫 시간의 과목은 과학과 역사였다. 과학은 거의 모르는 문제뿐이어서 그럴듯한 것을 골라 답안지에 써넣었다. 역사는 그래도 아는 것이 많았다. 둘째 시간에는 수학과 사회였다. 사회 문제를 먼저 풀어놓고 수학 문제를 푸니까 그래도 몇 문제는 풀 수 있었다. 1시간의 점심시간이 주어졌다. 학교 밖에 있는 식당을 찾아가 우동 한 그릇을 사 먹었다. 학교로 들어오다가 빵집에서 빵을 사고 있는데 중학교 친구인 병국이가 친구와 함께 빵을 먹고 있었다. '오랜만이다.' 하면서 '너도 시험 치러 왔느냐?' 하고 물으니 친구를 따라왔다고 했다.

셋째 시간에는 외국어 과목이었는데, 나는 영어를 선택하였다. 영어에서 점수를 좀 올리려고 했으나 아리송한 문제가 몇 개 있었다. 시간이 부족하여 세 문제를 못 풀고 적당히 답안을 써 버렸다. 넷째 마지막 시간에는 국어와 상업 과목이었다. 상업은 기술 문제가 같이 포함되어 있어서 약간 걱정이 되었으나 기술 문제는 쉬운 것이었으며, 오히려 상업 문제가 약간 까다로웠다. 국어는 별로 어려운 게 없었다. 국어엔 취미가 좀 있었으므로 어지간히 잘 풀었다고 생각된다.

시험을 마치고 친구들과 같이 밖으로 나와 버스를 타려고 가다가 남천 친구 종화를 만났다. 종화도 대건고등학교에서 예비고사를 봤는데 엉망으로 치른 것 같다고 했다. 종화와 같이 대한극장으로 영화를 보러 갔다. 상영하고 있는 영화는 '14인의 여걸'이었다. 중국 영화로 두 나라 간의 전투에서 14인의 과부들이 주동이 되어 마침내 승리를 거두는 내용의 영화였다. 가장 인상 깊었던 부분은 사람으로 다리를 놓는 것이었다. 여걸들이 쫓겨가던 중 적의 공격으로 다리가 폭파되어 끊어지자 사람을 층으로 쌓은 후 양쪽에서 손을 마주 잡고 다리를 만들어 군사들이 지나가게 했다. 다 건넌 후에는 한쪽으로 기울여서 타고 올라왔다. 영화를 본 후 109번 버스를 타고 자취집으로 돌아왔다.

5장.

부활의 날갯짓

드디어 '73년은 가고 '74년이 찾아왔다.

파란중첩한 1973년이었지만 미련 없이 보내야만 한다.

이제 새 마음 새 뜻으로 새해를 맞아야지.

지난날의 오뇌를 깨끗이 지워버리고 오늘부터 새 일꾼이 되어 내일의 희망을 품고 줄기차게 나가자.

평시와 같이 일어나서 식사하고, 머리를 감고, 발을 씻고, 방을 깨끗하게 소제했다. 그리고 의자에 앉아서 두 손을 잡았다.

"신이여! 이제 새해를 맞았습니다. 새해는 저의 생에 큰 전환기가 될 해이니 저의 일에 조력해 주소서. '74년을 알차고 보람 있게 보낼 수 있도록 도와주소서. 그리고 저의 건강과 앞날에 빛을 주시며, 올바른 길로 인도하여 주소서."

부 활 의

날 갯 짓

1 9 7 3

11월 17일 (토)

아침에 담임 선생님께서 롯데그룹의 사원 모집을 말씀하시면서 응시할 사람은 해 보라고 했다. 그래서 서류를 준비하겠다면서 조퇴를 하고 촌으로 나갔다. 면 소재지 삼성에서 주민등록등본과 병적확인서를 받아서 고향인 송백으로 걸어서 갔다. 집에 가니까 엄마는 산업은행에서 편지가 왔다고 하셨다. 나는 불합격 통지서인가 싶어 열어보고 싶지 않았으나 봉투를 뜯어서 읽어보니 불합격에 대한 말은 없고, 내년 2월에 다시 면접을 보러 오라는 내용이었다. 아직도 희망은 있다. 말만 고치면 입사시켜주겠다는 것이 아닌가? 저녁때 부모님과 형님께 말씀드리고 의논을 했다. 그리고 아무래도 말을 고쳐야겠다고 하니까 언어 교정소에 한번 가 보라고 하셨다.

11월 19일(월)

학교에 가서 성적증명서를 만든 후 롯데그룹에 입사 서류를 보냈다. 혹시라도 산업은행이 안 되면 일반 회사에 가기 위해서. 자취집으로 오니 엄마가 와 있었다. 점심을 먹고서 대봉동에 사시는 외사촌 아저씨 댁에 같이 가 보자고 했다. 대봉동 아저씨와 의논을 좀 해 보자고 하면서 집에서 가져온 사과를 담은 가방 하나를 들고 갔다. 마침 아저씨 댁에는 대구 큰 이모님께서 와 계셨다. 엄마는 큰이모님께 나 때문에 왔다고 했다. 그 집에 할머니도 함께 사셨는데 할머니는 내 나이 또래인 성환이가 서울에서 예비고사를 치는데 따라가셨다고 한다. 조금 있으니 아저씨께서 오셔서 안부 인사를 한 후 내 이야기를 말씀드리니, 서울에 계신 동생 동락 아저씨에게 전화해 보겠다고 하셨다. 곧이어 서울에 가셨던 할머니와 성환이가 들어왔다. 재수한 성환이는 금년에는 시험을 잘 쳤다고 했다. 오랫동안 이야기를 나누다가 엄마와 큰이모님과 함께 그 집을 나왔다. 큰이모님과 헤어진 후 엄마는 아버지께서 아프시다며 약국에서 약을 짓고, 시장에서 생선을 사 가지고 시골로 돌아가셨다.

신광원(新光院)

11월 20일 (화)

요즘 내 주위에 말들이 많다. 젠장, '은행 시험에 합격하였는데 말 때문에 떨어져서 되겠느냐' 하면서……. 어제 만난 대봉동 아저씨께서 서울에 있는 동생 동락 아저씨에게 전화를 걸어 잘되도록 부탁해 보겠다고 하셨다. 그러나 말은 꼭 고쳐야 할 거라고 하셨다.

그래서 오늘 언어교정학원인 신광원(新光院)을 찾아갔다. 망설이다가 사태가 이 정도로 되었으니 용기를 내었다. 부모님, 선생님, 친구, 친지 등 모두가 애석해하며 꼭 말을 고치라고 권했기 때문이다. 말이란 일상생활에서 필수 도구인 것이다. 곧 원장 선생님께서 들어오셨다. 의자를 권하며 마주 앉게 했다. 여러 가지를 물어보신 후, 이 학원에서 말을 고쳐 나간 사람들의 감사 편지와 아울러 여러 가지 이야기를 해 주셨다. 또 녹음기를 틀어서 말을 더듬던 사람이 고친 후의 실제 목소리를 들려주었다. 이 학원에 등록하겠다고 언약을 하니 교수 방법과 강의 시간에 대하여 설명해 주더니 서류를 작성하였다. 수강료가 의외로 비쌌다. 거금 15,000원. 약 1개월 내지 2개월이면 완전히 고칠 수 있다고 하셨다. 선금 1,000원을 준 후 다음에 다시 들리겠다고 말하고 학원을 나왔다. 약 한 달 동안 부지런히 연습을 하면 남들과 같이 언어 활동이 능숙하여지리라.

11월 24일 (토)

오후에 다시 '신광원'을 찾아갔다. 그저께부터 매일 선생님들이나 친구들이 언어 교정 학원에 나가고 있느냐 하고 자꾸 물으면 '그렇다'고 대답했다. 지난 20일에 처음으로 신광원에 문을 두드렸으나 중간고사가 있어서 정식 등록을 하지 못했다. 중간고사가 끝났으므로 시골집에 나가서 돈을 마련해 왔다. 생각했던 것보다 학원비가 비쌌으나 말을 고쳐보겠다는 각오로 15,000원을 기꺼이 내겠다고 했던 것이다. 그래서 오늘 다시 문을 두드렸다. 원장 선생님께서도 부드럽게 대해 주시며,

신광원 교정생들과 함께 |
(가운데 앉은 이는 원장님)

교정실에 들어가 벽에 붙어있는 '암시'도 읽어보고 '호흡법'도 읽어보라고 하셨다. 교정실은 사무실의 한쪽을 판으로 막아서 만든 것으로 바닥은 짚으로 깐 다음 그 위를 천으로 덮어서 유도 도장이나 태권도 도장을 연상케 했다. 앞뒤와 좌우 벽에는 여러 가지 글을 적은 종이들이 많이 붙어져 있었다. 그곳에는 두 명의 교정생이 교탁에 붙여놓은 호흡법을 읽고, 의자에 앉아서 호흡 연습을 하고 있었다. 또 큰소리로 외치기도 하고, 거울을 바라보며 외치기도 했다. 나도 조교수로 있는 황 씨와 같이 복식 호흡법을 읽었다. '발성의 3대 원칙'에 따라 첫 자는 길게 빼서 약하게, 말은 천천히 했다. 이 모든 것이 나에겐 재미있게 보였고, 열심히 하면 되리라는 믿음도 생겼다.

저녁을 먹고 다시 신광원으로 나가보니 벌써 서너 사람이 앉아서 녹음기를 듣고 있었다. 또 한 처녀도 있었는데 그녀는 제일모직에 다닌다고 했다. 원장님의 강의를 듣고 나니, 나와 그 처녀에게는 같이 호흡법을 읽으라고 하셨다. 다른 사람들은 신문기사를 읽고 서로 발표를 하고 있었다. 처녀와 같이 읽으니 우습기도 하고 서로 잘 맞지도 않아서 나는 몇 차례 쉬곤 하였다. 첫날에는 자기소개를 한다면서 나를 강단 앞에 세워놓고 여러 가지 질문을 했다. 나는 천천히 오늘 내가 배운 3대 원칙에 맞춰서 잘 대답하였다. 첫날 교정 수업은 실로 재미있었다.

11월 25일 (일)

오늘은 원장 선생님께서 왜관에 볼일을 보러 가시고 없었다. 어제 집에 가는 길에 대구공고 학생이 내일 학원에 나올 테니 할 일이 없으면 나와서 같이 연습을 하자고 했다. 그래서 아침을 먹고 조금 늦게 노트를 가지고 신광원에 갔다. 사무실로 들어가니 한 처녀와 어제 만났던 대구공고 학생이 이야기를 하고 있었다. 그들은 난로에 고구마를 굽고 있었는데 고구마를 얻어먹었다. 이야기를 하다가 그 처녀는 11시 반경 먼저 나갔다. 이제 둘만 남아서 벽에 붙어있는 글들을 보며 큰 소리로 읽었다. 복식 호흡도 해 보았으나 아직 잘 되지 않았다. 복식 호흡이 힘들었다. 점심 때가 되어서 그 학생은 '오후에도 나올 거냐?' 하고 물어서 '그럴 계획이다.'라고 하니 자기가 주는 열쇠를 갖고 오후 3시쯤 신광원에 오면 어제 왔던 뚱뚱한 청년이 나올 것이라고 했다. 자기는 교회에 간다고 했다.

점심을 먹고 신광원에 가서 신문을 읽고 있으니 그 학생이 다시 왔다. 오면서 가져온 고구마를 난로에 구워 먹으며 서로 대화를 했다. 강의실에 들어가서 복식호흡과 발성연습을 했다. 한 시간쯤 계속하고 있으니 원장님이 두 청년과 함께 들어왔다. 원장님은 오래 있지 않아 나가시고, 나는 하던 필기를 조금 더 했다. 오늘은 필기를 꽤 많이 한 것이다. 두 청년과 대화를 나누다가 6시 반쯤 학원을 나왔다. 열심히 하면 반드시 나으리라. 반드시 고치리라…….

11월 26일 (월)

머리가 꽤 아팠으나 그래도 신광원에 나갔다. 오늘은 계성고등학교 2학년 학생을 새로 만났다. 처음에 연습하다가 복식호흡을 한 후 처음으로 '정신 통일'이란 것을 배웠다. 원장님은 나팔꽃의 일생에 대하여 생각해 보라고 했다. 처음이라서 그런지 잡념이 많았다. 오늘은 학생 3명, 청년 3명 총 6명이 나왔는데 학생과 청년이 짝을 지어서 서로 이야기를 하게 했다. 나는 학교생활 등 일과를 이야기했다. 이야기할 때 첫 음절을 길게 빼서 이야기를 하다가도 무의식중에 잘못 말하면 옆에서 충고해 주었다. 강의를 마친 후 필기도 하고 연습을 좀 더 하였다.

청년 세 분은 원장님께서 퇴근하신 후 사무실에서 화투치기를 하고 있었다. 구경을 하다가 8시 40분경 자취집으로 돌아왔다. 집으로 올 때는 머리에 열이 없었다.

11월 27일 (화)

오늘은 신광원에 식구가 좀 많았다. 소개받지 못한 한 학생과 처녀 등 모두 8명이다. 처음에는 녹음기를 놓고서 서로 대화를 했다. 그리고 녹음한 내용을 되돌려서 들으며 얼마나 진전이 되었는가를 들어보았다. 모두 3대 원칙에 맞춰서 잘하였으나 나는 아직 많이 모자라는 것 같았다. 여럿이 둘러앉아서 중동 석유 파동과 이스라엘/아랍 전쟁에 대하여 토론을 벌였다. 대구시에 대한 이야기도 했다. 이렇게 토론을 하고는 녹음기를 돌려서 들어보고 하는 과정을 몇 번 되풀이 했다. 원장님의 마지막 강의를 듣고 헤어졌다. 신광원을 나설 때 날씨가 좀 쌀쌀해졌다.

11월 28일 (수)

어제처럼 4시가 되어서 신광원에 나갔다. H형과 이야기를 하다가 교정실에서 연습하고 있었다. H형은 내일 박 형의 집에 놀러 가면서 열차 안에서 실습을 해 보려고 하니 글을 좀 작게 베껴 달라고 부탁을 했다. 덩치가 큰 H형은 재미있어 보였다. 부탁한 글을 반쯤 베끼고 있을 때 원장님께서 오시고, 새로운 학생 한 명이 교정을 받으러 왔다. 원장님께서 강의실에서 연습을 하라고 하셔서 베끼던 것을 두고 연습을 했다. '말이란 나오기 마련이다. 남들도 하는데 난들 못하랴!'를 큰 소리로 읽었다. 복식 호흡법도 읽어보고 거울을 바라보면서 혼자서 말해 보기도 하였다. 잠시 후에 베끼던 것을 다 써서 H형에게 주었다. 원장님은 '이야기 요법'에 대하여 강의를 하셨다. 이야기를 다른 이에게 잘함으로써 발표 능력을 높이는 방법이다. 원장님께서 '겸손 잘하는 사나이'에 대한 이야기를 해 주시고, 큰 소리로 자기 자신에게 해 보라고 하셨다. 그 후 한 사람씩 나와서 처음 배운 대로 해 보라고 하셨다. 나는 들었던 이야기를 3대 원칙에 맞추어 천천히 이야기했다. 다른 사람들은 모두 잘했는데 H형은 기억력이 나빠서 그런지 아니면 이야기 솜씨가 없어서 그런지 이야기를 잘 하지 못하여 웃음바다가 되었다. 그다음에 원장님은 '중국 사신의 서울 이야기'를 해 주시고 한 사람씩 해 보라고 시켰다. 이번에도 H형은 이야기를 우습게 하여 모두 배를 잡고 웃었다. 이야기 요법은 대체로 유익하고 재미있었다.

11월 29일 (목)

오후 4시쯤 자취 집을 나서서 신광원으로 가다가 배가 고플 것 같아서 50원어치의 빵을 사 먹었다. 신광원에는 황 씨라는 분만 있었다. 사무실에서 신문을 읽고 있으니 종복 군이 왔다. 같이 대화를 하다가 교정실에 들어가서 복식 호흡 연습을 했다. 장장 35분이나 의자에 앉아서 연습을 하니 엉덩이가 아팠다. 최근 가장 오랫동안 실시한 복식 호흡이었다. 서로 약속한 대로 5시까지 잘 참아 내었다. 복식호흡을 하던 중 원장님께서 오셨지만 그대로 계속하였다. 오늘은 새로운 두 교정생이 왔다. 3년 전 군대에 가기 전에 3개월가량 다녔다는 청년은 말을 심하게 더듬었다. 입대할 때는 많이 고쳐졌으나 그 후에 '말하기 3대 원칙'을 잘 지키지 않았다는 것이다. 그저께 제대를 했는데 바로 신광원을 찾아왔다고 했다. 대성공고 학생은 심한 독감 후유증으로 말더듬이가 되었다고 했다. 병으로 인한 언어장애인은 처음 만나봤다.

원장님께서는 녹음기를 주시면서 '녹음 요법'을 해 보라고 하셨다. 종복 군과 둘이 석유 파동과 김대중 납치 사건에 대한 이야기를 하고는 녹음 내용을 들어보았다. 잡음이 많았으나 그런대로 재미있었다. 7시가 되어서 열차 실습을 하러 갔던 분들이 돌아왔다. H형은 생쥐 한 마리를 잡아왔다. 생쥐를 병에 넣어서 장난을 치기도 했다. 오늘은 원장님의 강의가 없었다. 실습을 갔던 사람들의 토론이 있었는데 오늘 실습은 실패했다고 하였다. 열차를 못 타고 버스를 타고 갔는데 실습할 기회가 없었다고 했다. 원장님이 나간 후 H형은 빵과 라면을 사 와서 먹을 준비를 하는 것을 보고 종복 군과 함께 발길을 돌렸다.

11월 30일 (금)

오전에 학교에 나갔다가 오후 4시 반경 신광원에 갔다. 벌써 종복 군과 H형, 박 씨 등 몇 사람이 나와 있었다. 이제 신광원의 교육 방법에 좀 물든 것 같다. 다른 원생들과 같이 대화를 하면서 신광원의 교정 과정에 대한 여러 가지를 들었다. 그간 녹음 요법, 이야기 요법, 정신통일법도 배웠으며, 이젠 복식 호흡도 제법 잘 된다. '말하기 3대 원칙'에 따라서 하니 말도 제법 잘 되는 것 같다. 노트 필기를 하면서 신광원에 다닌 나의 일기를 계속 쓰기로 결심했다. 날마다 한 장씩 써서 동생 문찬이에게도 말을 고칠 수 있도록 꾸며보고 싶다. 그리고 이 노트가 내 생애의 유일한 벗이 되며, 생활의 지침이 되도록 기록해 두어야겠다.

오늘은 녹음기를 갖고서 약 40분 동안 연습을 하다가 원장님의 강의를 들었다. 오늘의 강의는 '대아적(大我的) 생활 태도와 소아적 생활 태도'에 대한 것이었다. 자신을 크게 보면 지구 전체가 되고, 작게 보면 '코' 만큼 작아진다고 하셨다. 내 것이라는 개념이 자기의 코로부터 시작하여 몸, 가정, 부락, 시도, 국가, 아시아, 전세계로 확장된다는 것이다. 그러므로 전 세계가 나와 동일한 것이므로 두려워할 것이 없다는 것이다. 따라서 말도 두려워하지 않고 술술 잘 나오기 마련이라고…….

12월 1일 (토)

교정 시간에 여유를 갖고 신광원에 나갔다. 복식 호흡도 좀 하고 원생들과 대화도 나누었다. 요즘은 신광원을 찾는 사람들이 많아진 것 같다. 문의하러 오는 사람들이 많아졌다. J씨는 내일부터 훈련을 받으러 간다면서 P씨에게 입대할 때 못 만나겠다며 인사를 했다. P씨는 모레 첫차로 고향으로 가서 입대할 준비를 해야 되겠다고 했다. 종복 군은 내일 사진 찍으러 나오라고 했다. H형에게도 같이 나오라고 하였으나 H형은 내일 수금하러 가야 하기 때문에 못 나오겠다고 했다. 원장님께서 퇴근하신 후 H형이 호빵을 사 오라고 시켜서 200원어치를 사 와서 식탁에 놓고 같이 먹었다. '이제 이렇게 같이 먹으면서 이야기를 할 시간도 거의 없을 것이다.'라고 하면서. 8시쯤 집으로 돌아왔다.

12월 2일 (일)

아침에 문석 형이 시골집에 나가려고 채비를 하고 있는데 엄마가 왔다. 첫 버스로 오신 모양이다. 엊저녁에 아무도 시골에 나오지 않아 김치를 담가주려고 왔다고 했다. 아침 9시가 넘어서 약속한 대로 신광원에 나갔다. 벌써 종복 군과 원장님이 나와 있었다. 곧 P씨도 왔다. 종복이가 가져온 사진기로 먼저 원장 선생님이 교단에 서 있는 모습을 찍었다. 그리고 P씨, 종복이, 내 차례로 셔터를 눌렀다. 사진관에 가서 단체 사진도 찍었다. 사진을 찍은 후 강의실에서 연습을 좀 하고 자취집으로 돌아오니 엄마는 없고 아줌마와 할머니께서 김치를 담그고 계셨다. 엄마는 배추를 사 왔는데 한 포기를 덜 가져왔다며 받으러 갔다고 했다.

내일부터 방학을 한다고 야단이다. 오일 쇼크로 유류 사정이 좋지 않기 때문에 서둘러 방학을 실시한다는 정부의 방침을 신문에서 크게 보도하고 있었다. 아마 대학교에서 데모를 자꾸 하니까 대학생부터 조기 방학을 시키고, 국민학교, 중학교, 고등학교 순으로 방학에 들어가는가 보다. 그러나 우리 3학년들은 졸업 고사를 치고 나서 방학을 한다고 했다. 담임 선생님께서는 다음 주에 5일간 시험을 친다고 하셨다.

12월 3일 (월)

어제 엄마가 와서 김치를 담가 주신 후 저녁에 하는 말이, 경산에 점 잘 치는 도사가 있으니 내일 꼭 같이 가보자고 했다. 나는 그런 미신은 받들지 말라고 여러 번 말렸으나 엄마는 꼭 한번 가보자고 우겼다. 송백 뒷집의 성문이 엄마도 거기를 다니고, 또 이사 온 집 총각도 다니는데 나의 소원이니 한 번만 가보자고 하는 것이다. 거기에 가는 돈으로 고기나 사다가 푹 고아 먹는 게 낫다고 했다. 오늘 아침 학교에 가기 전에도 소원이니 한 번만 가보자고 애원하였으나 아무 말도 하지 않고 학교에 갔다. 학교에 가서 아무리 생각을 해 봐도 석연치 않았다. 꼭 한번만 가보자고 애원을 하니, 또 은행 면접시험이 뜻대로 안 되면 말이 많을 것 같아서 가 주어야겠다고 생각했다.

오늘 1, 2학년들은 방학을 했다. 벌써 대학교에서는 조기 방학에 들어갔다. 학원 사태가 심상치 않고, 또한 석유 파동으로 산업이 마비 상태가 되겠으니 정부에서 취한 조치겠지. 3교시 수업을 마친 후 선생님의 허락도 받지 않고 집으로 달려갔다. 어차피 가려면 일찍 가는 게 낫다고 생각했다. 점심을 먹고서 말없이 엄마 뒤를 따라갔다. 사정이 이러니까 나의 고집을 꺾지 않을 수 없었다. 아무리 미신이라고 하더라도 사회가 이러니 따라가지 아니할 수 없다. 버스를 타고 가다가 중학교 친구를 만났으나 몇 마디의 이야기도 나누지 못했다.

경산 버스 정류장에서 내려 경산문화원 뒤에 있는 점쟁이 집을 찾아갔다. 좀 허름한 연탄 집으로서 방 안에는 두 사람이 기다리고 있고, 보살이라는 한 중년 여인이 한 사람을 눕히고 일으키면서 안마 비슷하게 두드리고 쓰다듬고 있었다. 벽에는 커다란 부처의 그림을 붙여놓고 그 앞에 촛불을 켜 두고 있었다. 조금 기다리니 내 차례가 되어서 자리에 누우니 그 여자는 나의 가슴을 쓰다듬더니 둘째 아들이냐고 엄마에게 물었다. 아니라고 하니까 둘째 아이도 말을 더듬느냐고 물었다. 작은형이 말을 더듬으니까 그렇다고 하셨다. 그 여자는 이 말더듬이 한 세대 더 내려갈지도 모른다고 하며, 열심히 나오면 잘해주겠다고 했다. 등과 팔, 다리를 쓰다듬고 두드리더니 바늘로 손가락을 따기도 했다. 다 하고 나서는 부처에게 돈을 놓고 절을 하라고 해서 시키는 대로 했다.

나는 내일 시험이 있어서 일찍 대구로 들어가겠다고 하니 엄마는 먼저 나가라고 하면서 시골집에서 나올 때 꼭 여기를 들렀다가 나오라고 했다. '그러마.' 하고서는 걸음을 재촉하여 거리로 나오니 정신이 한결 맑아진 것 같다. 그 여인은 엄마에게 이 학생은 잘만 하면 성공할 가능성이 크다고 했다. 그러나 나는 나대로 하겠다. 내 계획대로 살아가며, 내 명성은 내가 만들 것이다. 뒤에서 부처님이 돕든지 예수님이 돕든지 간에. 그러나 어쩌라고! 내 마음이 시원스럽고, 확 트이고, 용기가 솟아

오르는 것을! 아마 부처님의 영전에서 나오니 더욱 상쾌하나 보다. 나도 엄마의 기도로 믿음이 생기는가?

12월 4일 (화)

어제부터 1, 2학년들은 겨울방학에 들어갔고 우리 3학년은 오늘부터 졸업 고사가 시작되었다. 어제 경산에 갔다 와서 복습을 대강 했고, 오늘 아침에도 교과서를 좀 읽어보기도 했으나 머리에 들어오는 것이 별로 없다. 9시가 넘어서 학교에 가니 벌써 친구들이 많이 와서 온갖 이야기로 떠들썩했다.

취직했던 애들도, 연수 교육을 마친 애들도 와서 자기 직장의 이야기와 친구들의 얘기로 교실이 시끄러웠다. 장일이, 병석이, 상백이, 연섭이 등 부산, 서울, 대구 등 각처에서 지내다가 학교에서 보낸 편지를 받고서 사나흘 간의 휴가를 받아 대구로 왔다고 한다. 조금 있으니 담임선생님께서 들어오셨다. 선생님께서도 환히 웃으시며 모두 함께 모인 것을 기뻐하셨다.

곧 시험에 들어갔으나 애들은 시험을 대충 보는 것 같았다. 하지만 나는 문제를 정성껏 풀어나갔다. 바로 오른쪽에 앉은 녀석은 시험 시간마다 내 시험지를 넘겨다보곤 했는데 오늘도 또 넘겨다본다. 1학기 기말고사 때에도 내 답안지를 훔쳐보곤 했었다. 이번에는 안 보여주고 싶었지만 훔쳐보는 것은 어쩔 수 없다. 그런대로 실패한 과목 없이 잘 치른 것 같다.

담임 선생님 댁의 초대 12월 7일 (금)

3교시 시험을 마쳤을 때 장일이가 종례 후에 좀 남으라고 했다. 종례하고 나서 남아있는 애들을 불러 모으니 모두 은행에 합격한 친구들이다. 실장은 친구들에게 담임 선생님께서 오늘 저녁에 댁에서 식사를 대접하시겠다고 했다는 것이다. 어떤 친구는 그것은 선생님이 우리에게 전에 말했던 돈을 내놓으라는 독촉이라고 하였으나 어쨌든 오라고 하는데 안 갈 수도 없는 것이다. 우리들은 선생님 댁으로 갈 때 무엇을 사서 가느냐를 논의하다가 그냥 빈손으로 가기로 결정했다. 오후 5시에 남대구 우체국 앞에서 만나기로 하고 헤어졌다.

4시 반경 신광원에 가보니 원장 선생님과 H형이 있었다. 원장 선생님께 오늘 저녁에 선생님 댁에서 식사 초대를 받아서 강의에 참석을 못하겠다고 말씀드렸다. 109번 버스를 타고 명덕 로터리에 내려서 길 가는 여학생에게 물어보니 큰길로 곧장 내려가면 남대구 우체국이 있다고 알려주었다. 5시가 다 되어서 겨우 약속한 장소를 찾아가니 광일이가 큰 소리로 불렀다. 왜 이리 늦게 오냐고 했으나 5분밖에 늦지 않았고, 아직 명원이는 오지도 않았다. 조금 있으니 명원이가 도착하였는데 모두 12명이 모였다. 장일이를 따라 교대 뒷길을 돌아서 선생님 댁을 찾아갔다. 사모님과 할머니께서 반겨주셨다. 방 안에 들어가니 벌써 상은 차려져 있었으나 선생님께서는 계시지 않았다. 앉아서 우리들끼리 이야기를 하고 있으니 5시 반쯤 성 선생님께서 오셨다. 선생님은 '별로 차리지도 않았는데 오라고 하여 미안하다.'며 겸손의 말씀을 하셨다. 가운데 자리에 선생님을 앉히고 모두 자리에 앉으니 방이 좁았다. 조금 있으니 저녁 식사가 들어왔다. 그야말로 상다리가 부러질 정도로 많이 차려서 그릇을 놓을 자리조차 없었다. 밥통의 밥은 각자가 양껏 먹도록 했고, 반찬도 맛있게 만들어서 어느 것을 먼저 먹어야 할 지 모를 정도였다. 난생 처음 받아보는 밥상이라고 할까? 모두 맛있게 식사를 하더니 하나둘씩 숟가락을 놓는다. 나도 오랜만에 포식을 했다.

상을 물리고 나니 이번엔 과자와 과일이 들어왔다. 과자를 먹으면서 선생님께서는 온갖 이야기를 해 주셨다. 선생님은 금년에도 작년처럼 은행 취직률이 나쁘면 어쩌나 하고 걱정을 많이 하였는데 모두 잘 해 주어서 학교에서 우리 반이 최고의 합격률을 보였다며 좋아하셨다. 특히 농협에 합격된 경식이는 뜻밖의 수확이었고, 산업은행과 한일은행의 합격자가 발표되던 날이 가장 기뻤다고 하셨다. 합격률은 가장 높았지만 2차 면접시험에서 무려 네 명이나 탈락하여 안타깝다고 하시며, 내가 합격이 보류된 것이 아깝다고 하셨다. 선생님은 3학년 초부터 걱정이 많았다고 솔직히 말씀하셨다. 공부를 좀 한다는 애들은 결점이 있었다고 하시면서, 나에게는 말더듬 때문에 일반은행보다 특수은행에 추천하셨다고 말씀하셨다. 그리고 문제아들을 하나씩 언급하면서 가정환경과 학교에서의 움직임 등을 물으셨다. 모두 웃고 또 웃으면서 재미있게 이야기를 나누었다.

선생님께서는 이제 이런 기회도 마지막이 될 터이니 술이나 한잔 하자면서 사모님께 포도주를 가져오라고 하셨다. 먼저 선생님께 한 잔을 부어 드리고 돌아가면서 두세 잔씩 마셨다. 이런저런 이야기를 하느라 시간이 가는 줄도 몰랐다. 9시가 넘어서 선생님과 사모님께 하직 인사를 드리고 문을 나섰다. 큰길로 나와서 '우리 이렇게 모인 김에 술이나 한잔 더 하고 가자.'고 하다가 대도극장까지 걸어와서는 탁구장에 들어갔다. 나는 탁구를 두 번 정도 치다가 먼저 집으로 왔다. 송백문 선생님께서 부탁하신 작문을 마무리 짓고 잠자리에 들었다. 참으로 재미있고 의미 있는 사제지간의 시간이었다.

12월 8일 (토)

오늘까지 졸업 고사를 치렀다. 시험 기간 동안 취직했던 친구들도 와서 시험을 봤고, 은행에 연수를 받으러 갔던 애들도 함께하여 교실은 웃음과 즐거움의 도가니였다. 5일간 시험을 치르면서 친구들과 많은 시간을 같이 보내었다. 신광원에서 교정 연습을 별로 하지 못하여 오늘은 일찍 신광원에 나가서 복식호흡 연습도 하고, 목청껏 소리를 지르며 연습을 했다.

경주 아화 행 열차를 타고

12월 11일 (화)

어제 신광원 원생들이 약속한 대로 오늘 아화에 있는 P형의 집에 가기로 했다. 8시 반쯤 동대구역에 가 보니 H형 혼자 나와서 서성이고 있었다. 8시 50분쯤 되어 송 군이 오고 곧 종복이도 도착하였다. 오늘 참가 여부를 확실히 하지 않았던 P형을 기다렸으나 오지 않아 9시 10분이 되어 개찰구로 막 나가려고 하는데 P형이 헐레벌떡 뛰어왔다. P형은 돈을 갖고 오지 않았다면서 우리에게 차표를 사 달라고 했다. 얼른 돈을 건네주고 우리들은 플랫폼으로 나갔고, P형은 차표를 사 가지고 뒤따라왔다. 조금 후에 열차가 도착하였는데 기차 칸이 몇 개 되지 않았다. 마지막 칸으로 가서 탔는데 열차 안에 몇 사람만 앉아 있었다. 종복 군이 열차 차장에게 실습을 해도 괜찮으냐고 물으니 괜찮다고 했다. 그 칸에서 송 군이 실습을 했으나 목소리가 작은 것 같았다. 앞칸에서는 P형이 실습을 했다. 그 앞칸에서는 종복 군과 P형이 유인물을 나누어주며 대인 선전을 하고 있었다. 나도 몇 사람을 붙들고 유인물을 나누어주며 설명을 하니까 말이 막히지 않고 잘 나왔다.

셋째 칸에서는 송 군이 다시 실습을 했는데 도중에 장사꾼이 방해를 해서 끝까지 하지 못하였다. 그래서 나는 첫째 칸으로 가서 승객들에게 신광원 유인물을 나누어주며 몇 마디를 하고서 P형이 있는 칸으로 갔다. P형은 나를 보고 이 칸에서 실습을 해 보라고 했다. 나는 송 군이 했는데 또 해도 되겠냐고 하니 괜찮을 거라고 해서 용기를 내어 열차 중간에 섰다.

'차 안에 계신 승객 여러분……' 하면서 첫 마디를 꺼내니 얼굴이 화끈거렸으나 마음을 가라앉히고 차분하게 계속해 나갔다. 그때 하양역에 도착하여 차 안이 더욱 조용해지고 승객들도 내 말에 귀를 기울이는 것 같아서 기분이 좋아 더욱 큰 소리로 소리쳤다. '과부의 서러움은 과부가 되어봐야 안다고, 말 더듬어 보지 못한 사람은 말 더듬는 사람의 심정을 모릅니다.' 하며 술술 잘해 나갔다. 마지막으로 '안녕히 잘 가세요.' 하고 인사도 했다. 그리고 나서 질문이 있느냐고 하니 유인물을 달라는 사람이 많이 있었다. 언어장애는 꼭 고칠 수 있으니 불행한 분들이 있으면 꼭 인도해 달라고 부탁했다. 열차 칸이 적어서 실습을 충분히 하지 못한 게 아쉬웠다.

경주 아화역에 도착하여 H형의 뒤를 따라가니 마침 아화 장날이었다. 모두 몇 푼씩 돈을 거두어 쇠고기와 과자를 샀다. 아화교 위에서 기다리던 종복 군과 송 군이 다리 밑에 있는 거지들이 사람 비슷한 물건을 보자기에 담아서 들고 가는 것을 보았다고 했다. 손을 보니까 문둥이 손 같은데 혹시 사람을 잡아가는 게 아닌가 하며 이상하다고 말했다. P씨가 사는 마을은 '도리' 라는 동네였다. 아화역에서 약 1시간 20분쯤 걸리는 거리였다. P씨 집으로 걸어가는 도중에 큰 저수지가 하나 있었다. 장날이라 장에 가는 사람들이 자전거를 타고 많이 오가고 있었다.

겨우 '도리' 라는 곳에 도착하니 그 작은 골짜기에도 조그만 학교가 있었다. H형이 앞장서서 가고 있는데 어느 집 앞에서 '아, H형 아닙니까?' 하며 반가워하는 소리가 들렸다. 청마루에 앉아있다가 담 너머로 H형을 본 P씨가 뛰어나오면서 손을 잡았다. 무척 반가웠었나 보다. P씨 모친께서도 반가워하시며 우리를 방으로 안내했다. 시골에 있는 방으로서는 제법 큰 방이었다. P씨와 여러 가지 이야기를 나누고 있으니 모친께서 술상과 묵 요리를 내어 오셨다. 우리 학생들은 묵 요리만 먹고, H형과 P씨 등 나이 든 분들은 술잔을 들었다. 우리가 '도리'에 도착한 시간은 12시 즈음이었다. 묵 요리가 맛이 있어서 한 사발을 다 먹었더니 다시 한 그릇을 더 내오셨다. P씨와 대구에서 있었던 일 등을 재미있게 이야기하고 있을 때 점심상이 들어왔다. 맛있는 반찬과 함께 토끼 고기로 끓인 국을 주셔서 맛있게 먹었다. 또 밥을 얼마나 많이 주시는지…… 큰 양푼그릇에다 네 그릇이나 떠 주어서 하나를 가지고 두 명이 먹어도 다 먹을 수 없었다. 정성껏 잘 대접해 주시기에 맛있게 배불리 먹었다.

점심상을 물리기도 전에 P씨의 친구들이 모여들기 시작하더니 상을 물린 후 더 많은 사람들이 몰려들었다. 아마 오늘 마을 청년들끼리 놀기로 약속을 한 모양이다. 우리들은 P씨가 친구들과 잘 놀 수 있도록 자리를 피해주자고 의견을 모았다. 그래서 2시경 집 밖으로 나오자 P씨는 더 놀다 가라며 우리를 붙잡았다. 우리는 열차 시간에 맞춰가야 하기 때문에 가야 된다고 하니, P씨는 동구 밖까지 나와서 배웅해주며 섭섭해했다. 입대를 하면 꼭 편지하라고 당부했다.

P씨와 작별 인사를 하고 마을을 나서니 마음이 좀 무거웠으나 한 번은 헤어질 것인데 일찍 헤어지는 게 더 낫다고 생각하며 걸음을 재촉했다. 아화역을 향해 걸어오면서 우리는 같이 노래도 불렀다. H형은 여자에 대한 여러 가지 이야기를 해 주었다. 우리가 지나갔던 커다란 저수지에는 청둥오리들이 물고기를 잡아먹고 있었다. 아화읍에 도착하니 아직 열차를 탈 시간이 많이 남아있었다. 아화국민학교에 가니 아이들이 축구를 하고 있어서 같이 축구를 하며 시간을 보냈다. 학교는 깨끗하고 여러 가지 설비도 잘 갖춰져 있었다. 다시 아화역으로 와서 5시 10분 열차표를 샀다. 아화역에서 동대구역까지 1시간 20분이 걸렸다. 돌아갈 때도 한 사람씩 열차 안에서 실습을 했다. 갈 때 실습을 하지 않았던 H형부터 시작하여 종복 군, 송 군, 그리고 내가 차례로 실습을 했는데 모두 잘 한 것 같다. 그런데 갈 때보다 목소리가 작았던 것 같다.

나는 영천에서 열차가 정차해 있을 때 실습을 했는데 조용하니까 승객들이 모두 잘 들어주는 것 같았다. 역시 올 때처럼 신광원 안내지도 나누어 주었다. 다 끝나고 잠시 의자에 앉아 있으니 곧 동대구 역에 도착하였다. 동대구 역에서 109번 버스를 타고 자취 집으로 오니 성문이가 경산으로 나갔는지 보이지 않았다.

12월 21일 (금)

우리는 내일 모두 버스를 타고 실습을 하기로 했다. 오늘은 원장님께서 녹음을 해 둔 '적극적인 생활'이라는 강의를 들었다. 상당히 깊은 안목으로 선진국과 후진국, 서양과 동양의 생활 태도와 사상, 교리 등을 설명하면서 적극적 사고에 대해 열변을 토하는 내용이었다. 우리나라 국민들이 적극적인 생활로써 개척해 나갔다면 지금은 선진국 대열에 들어가 있을 것이지만, 동양 공자의 유교 사상과 불교 사상의 영향으로 소극적인 생활을 함으로써 퇴조하는 행동에 물들었다. 그러나 일본은 일찍 선진국의 적극적인 생활을 받아들임으로써 오늘날 잘 사는 나라의 대열에 올랐다고 했다. 그리고 서양은 예수의 그리스도교의 영향을 받아 적극적으로 생활함으로써 오늘날 세계의 낙원을 이룩했으며, 미국은 '프론티어 정신'이라는 적극적 생활로써 잘 사는, 세계 최강의 나라를 형성했다고 말했다. 또한 영웅들의 업적에서 적극적인 행동들을 예시하고 명언들을 통한 적극적 사고에 대한 설명을 곁들였다.

시간 관계상 그분의 말을 다 듣지는 못했지만 참으로 수긍이 가는 내용이었다. 원장 선생님께서는 중요한 부분마다 설명해 주셨다. 정말 우리나라가 아직도 후진국의 모습으로부터 탈피하지 못하고 있는 이유가 적극적 사고의 부족이라는 생각이 뇌리에 남았다. 적극적인 사고가 적극적인 행동을, 적극적인 행동이 적극적인 인격을, 적극적인 인격이 그 사람의 생활 태도를 적극적으로 만든다고 설명하셨다. 그리고 안 된다는 소극적인 태도를 버리고, '하면 된다'라는 적극적인 태도로 실행함으로써 자신의 인생을 개척해 나갈 수 있다. 따라서 자신과 끈기를 믿고 무슨 일이든지 '하면 된다'라는 믿음을 가져서 더 잘 사는 자기를 이룩하면 나라도 발전할 것이다. 나폴레옹이 말한 '불가능은 없다'라는 말의 뜻을 더 잘 이해할 수 있었다.

언어 교정도 안 된다고 생각하지 말고, '열심히 하면 된다'라는 믿음과 결심으로 임하면 말더듬증을 더 쉽게 고칠 수 있다고 결론을 맺었다. 정말 오늘은 좋은 강의를 듣고 많이 배웠다고 생각한다. 적극적인 생활, 이것은 나의 장래를 개척하는 데에 더욱 힘이 될 윤활유가 될 것이라 하겠다.

12월 31일 (월)

며칠 전 서점 앞을 지나가다가 친구 찬홍이의 책을 돌려주지 못한 관계로, 그리고 졸업 선물로 줄 겸 책 한 권을 사려고 들렀다. 서가를 훑어보다가 마침 『별』이라는 책이 마음에 들어 기꺼이 샀다. 선물할 바엔 다 읽고 나서 줄 생각으로 미리 사 두었다. 단편집 『별』은 짧고 읽기가 쉬워서 틈틈이 읽었는데 재미가 있었다. 나도 기회가 되면 단편 소설을 한 번 써 봐야겠다. '현대인에게는 단편이 장편보다 더 잘 읽힌다'라는 뜻을 알겠다.

이 책에서 가장 먼저 나온 단편은 '스강 씨의 양(羊)'이다. 필자가 한 사람을 설득하기 위하여 편지 속에서 양에 대한 이야기를 자세히 하였다. 또 '세미안트 호의 최후'라는 실제 이야기를 실감나게 기술하였다. 무시무시한 순간(배가 암초에 부딪히는 순간)이 떠오르자 나도 소름이 끼쳤다. '황금의 두뇌를 가진 사나이'도 재미있게 엮어 두었다. 그리고 여러 곳을 다니면서 프로방스 지방에 대하여 많이 쓰여져 있었는데 '시인 미니트럴' '그리운 병사(兵舍)' '포켈의 승합마차' '알루의 여인' 등도 재미있게 기술해 놓았다. 또 '코시에 부의 생명수'라는 이야기도 있었다. 찌들어져 가는 교회를 '코시에'란 사람이 비법의 술을 만들어 팔아 부흥시킨 모습을 생생하게 잘 그려 놓았다.

'맛슈의 지갑' '세 관리' '쥬구니앙의 사제' '센키넬의 등대' '초라한 여인숙' 등도 그런대로 재미있었다. 친구의 부탁으로 친구 집을 방문하여 친구의 부모를 즐겁게 해 준 '노인', 풍년의 농토에 하늘을 덮으며 날아온 메뚜기의 소동을 적은 '메뚜기' 그리고 '귤'도 재미있게 읽었다.

1974

1월 1일 (화)

드디어 '73년은 가고 '74년이 찾아왔다. 파란중첩한 1973년이었지만 미련없이 보내야만 한다. 이제 새 마음 새 뜻으로 새해를 맞아야지. 지난날의 오뇌를 깨끗이 지워버리고 오늘부터 새 일꾼이 되어 내일의 희망을 갖고 줄기차게 나가자. 평시와 같이 일어나서 식사하고, 머리를 감고, 발을 씻고, 방을 깨끗하게 소제했다. 그리고 의자에 앉아서 두 손을 잡았다.

"신이여! 이제 새해를 맞았습니다. 새해는 저의 인생에 큰 전환기가 될 해이니 저의 일에 조력해 주소서. '74년을 알차고 보람 있게 보낼 수 있도록 도와주소서. 그리고 저의 건강과 앞날에 빛을 주시며, 올바른 길로 인도하여 주소서."

1월 3일 (목)

어제는 시골집에서 문석 형 친구들이 와서 놀았다. 나도 같이 끼여서 함께 놀까 하다가 형이 대구로 간 후에 그들과 이야기를 나누었다. 서울에서 상우도 내려왔다. 아침에 엄마는 혹시 서울의 동락 아저씨가 내려왔을지 모르니 대구에 있는 외사촌댁에 가 보자고 했다. 오후 2시쯤 되어서 대구 자취 집으로 돌아왔으나 그 집은 내일 가보기로 하고 신광원에 나가서 연습했다.

1월 4일 (금)

아침 10시쯤 미 8군 후문에 있는 아저씨 댁으로 가 보았다. 아저씨 댁에는 여자 꼬마 아이와 다른 학생 한 사람이 있고, 아주머니도 아저씨도 집에 없었다. 자전거 가게로 가보니 둘째 아들 문환이가 만화책을 읽고 있었다. 아저씨는 부근에 타이어 땜질을 하러 가시고 없었다. 그의 형 성환이는 예비고사에 합격하였다고 했다. 조금 있으니 아저씨께서 오셔서 서울 동락 아재 이야기를 해 주셨다. 서울 아재에게 나의 이야기를 하니까 '산업은행의 이사 한 분을 잘 아는데 필기시험에 합격이 되었으면 문제없을 것이다.'라고 하셨다고 한다. 본가로 가서 문환이와 사진첩을 구경하며 이야기를 하다가 자취 집으로 돌아왔다.

구미 행 열차와 구미공단

1월 6일 (일)

오늘은 열차에서 실습을 하는 날이다. 12시가 되어 신광원에 나갔다. 벌써 교정생들이 많이 나와 있었다. 원장 선생님의 주의 말씀을 들은 후 '청도 행'과 '구미 행' 두 팀으로 나누었다. 청도 행은 2시 10분 열차로 H형이 5명을 데리고 가고, 구미 행은 1시 열차로 내가 이끌고 가기로 했다. 구미 행을 타기로 한 사람은 7명이다. 우리는 원장님께 인사를 드리고 먼저 신광원에서 나왔다.

동인 로터리를 거쳐 대구역에 도착하니 거의 1시가 다 되었다. 돈을 거두어 급히 차표를 끊어 플랫폼으로 나가니 벌써 열차가 기다리고 있었다. 그 열차는 완행열차로, 급행열차를 보내려고 대피를 하고 있는 중이었다. 열차에 올라타서 잠깐 호흡을 고른 후 내가 먼저 시작했다. 전에 열차 실습을 한번 해 본 경험이 있어서 말이 잘 나왔다. 다음 칸에서는 H군이 했으나 중간에 멈추고 말았다. 밖에 서 있던 관우에게 해보라고 하니 들어와서 처음부터 시작하다가 그만 말이 막혀 중단하였다. 처음부터 실패의 연속이다. 셋째 칸에서는 아침 반의 B군이 했다. 처음에는 잘하다가 중도에서 마무리를 했다. 먼저 한 애들보다 잘한 편이다. 넷째 칸에서는 N형이 했으나 원고를 다 외우지 못하여 원고를 보며 읽다가 중도에 포기하고 말았다. 그래도 나는 열차 안을 다니면서 승객들에게 질문이 없느냐고 물으며 신광원 안내지를 나누어 주었다. 한 아주머니는 안내지를 좀 읽어달라고 했다. 모두 잘했다고 할 수는 없으나 승객들의 반응은 좋았다. 다섯째 칸에서는 규창이가 했는데 목소리가 또렷하고, 원고대로 잘하였다. 다음 칸으로 가니까 그 열차 칸은 스팀 실이었다. 열차는 곧 왜관에 도착하였다. 왜관에서 구미까지는 실습을 하지 않고 경치 구경만 하며 갔다. 열차 계단에서 혼자 연습을 하고 있는데 은경이가 어떤 사람이 나를 찾는다고 하여 따라가보니 대구상고 3년 선배 되는 한 청년이 격려를 해 주었다. 그분과 이야기를 나누고 있던 중 벌써 구미역에 도착하였다. 혹시 못 내린 일행이 있는가 하고 인원 수를 확인해 보니 7명 모두 있었다.

구미역에서 돌아갈 열차 시간을 확인하고 나서 광장으로 나갔다. 학교 선배님께 구미공업단지에 대하여 여쭈어보았다. 선배님은 좌석버스를 타면 1인당 25원씩 할 테니 버스를 타고 구경을 잘하라고 했다. 선배님께 감사 인사를 드린 후 일행을 데리고 중국 식당으로 갔다. 가격표에서 가장 싼 우동과 짜장면을 시켰다. 점심을 먹고 나서 버스를 탔다. 버스 안에서 실습을 할까 하다가 그만두었다. 손님으로 가득 찬 버스는 서서히 구미 읍내를 이리저리 달리기 시작하였다. 폴리에스텔, 구미전자 등 여러 공장이 세워져 있었으며, 새롭게 짓고 있는 공장들이 더 많았다. 이것도 한 인물의 덕분이다. 박정희 대통령이 아니었다면 구미는 아직도 한적한 촌에 불과하리라. 이렇게 생각하고 있으니 버스는 공업단지를 지나서 다시 읍내 방향으로 달리는 것 같았다. 차장에게 어디로 가느냐고 물으니 약목까지 갔다가 다시 구미로 돌아온다고 했다. '가는 데까지 가보자.' 하면서 모두들 가만히 앉아 있으라고 했다. 버스는 약목에서 되돌아서 다시 구미로 향했다. 오후 3시경에 버스를 탔는데 본래 자리로 되돌아오니 약 1시간이 걸린 4시경이었다. 대구로 가는 열차를 타려면 아직 3시간 반이나 남았다.

시간을 보내기 위하여 학교를 찾았다. 학교에서 관우가 '붙잡기 놀이'를 하자고 해서 같이 했더니 재미있었다. 미끄럼틀과 지구차로 뛰어다니고 있으니 땀이 났다. 1시간 정도 놀다가 5시쯤 되어서 모두 의자에 앉아서 스무고개, 이야기, 수수께끼 등을 하다가 번호 맞히기 놀이도 했다. 6시쯤 되어서 학교를 나와 어느 풀빵 가게에 들어갔다. H군이 풀빵 200원어치를 샀는데 맛있게 배를 채웠다. 구미역으로 와서 기차를 기다리다가 규창이와 같이 부근에 있는 버스 정류장으로 가서 대기하고 있는 버스 안에서 실습을 했다. 6시 반이 되었을 때 대구행 열차표를 샀다. 6시 40분쯤 열차가 들어오더니 급행열차를 위하여 대피를 하였다. 모두들 돌아갈 때에는 실습을 하지 말자고 했다. 그래서 제일 뒤칸에 원생들을 모두 태우고 나서 H군과 함께 둘째, 셋째 칸에서 가서 내가 실습을 했다. 질문에 답을 하고, 안내지를 나누어주고 오니 열차는 떠나기 시작했다.

원생들이 있는 열차 칸으로 오니 어떤 한 승객이 술을 마시고 열차 안에서 춤을 추며 노래를 부르고 있었다. 그 사람의 행동을 지켜보다가 은경이와 규창에게 실습을 해보지 않겠느냐고 물으니 하지 않겠다고 했다. 다른 아이들도 모두 똑같은 대답을 했다. 지천역에 도착했을 때 나는 혼자 앞칸으로 건너가서 실습을 했다. 한결 속이 시원하고 기분이 좋았다.

드디어 열차가 대구역에 도착하여 모두 내리라고 하고는 먼저 내려서 인원 파악을 해보니 은경이와 규창이, 그리고 방 군이 보이지 않았다. H군과 관우, 인호는 같이 있었고, 은경이는 방 군이 손을 잡고 있는 것을 보았으니 내린 것이 분명하다. 여기저기를 찾다가 개찰구로 뛰어가 살펴보니 규창이가 기다리고 있다가 은경이는 방 군과 함께 먼저 집으로 갔다고 했다. 그때가 저녁 8시 10분쯤 되었다. 역 광장으로 함께 나온 후 공중전화 부스로 가서 신광원으로 전화를 걸었으나 전화를 받지 않았다. 함께 있던 원생들을 모두 보내고 규창이와 함께 109번 버스를 타고 돌아오니 다리가 아프고 졸음이 왔다. 버스가 신광원 앞을 지날 때 창문으로 보니 신광원은 문이 잠겨 있고 유리창이 깜깜했다. 버스에서 내려 자취집으로 걸어오니 발이 무거웠다. 정말 오늘은 평생 잊지 못할 날이리라. 실습도 실습이지만 이런 기회가 그리 많지 않을 것이다. 두 번째의 열차 실습! 정말 실습은 말할 수 있다는 용기를 길러주고, 자신감을 갖게 하는가 보다. 뚝방 길로 걸어오면서 '말이란 나오기 마련이다!'를 크게 외쳤다.

1월 9일 (수)

12일이 졸업식이라 오늘 이발을 하고 목욕탕을 다녀왔다. 1시 반이 넘어서 집으로 돌아오니 편지가 왔다고 했다. '군대에 가 있는 작은형의 편지인가?' 하며 발신자를 확인해 보니 산업은행의 선배님께서 보내 주신 답장이었다. 몹시 기뻤다. 작년 12월 22일에 편지를 보냈는데 답장이 안 와서 '편지를 못 받으셨나?' 하며 혼자 끙끙 앓고 있었다. '주소를 추측해서 보내서 못 받으셨나?' 싶었으나 '편지가 들어가지 않으면 되돌아올 텐데……' 하고 생각하였다. 얼른 편지를 뜯어보니 전에 '말 이외에 무슨 결함이 있는가?' 하고 물어본 데 대하여, '인사부에 계신 선배님이 말만 고치면 크게 걱정 안 해도 된다고 하더라.'고 전해 주셨다. 이 한 마디가 너무나도 고마웠다.

1월 11일 (금)

내일이 졸업식 날이다. 오늘 졸업 예행연습을 해야 하니 학교에 나오라고 하여 신문을 읽다가 10시쯤 학교에 갔다. 교문에 들어가다가 고향 친구 Y를 만났다. Y도 등교하는 날이라 학교에 왔다고 했다. 교정을 질러서 교실로 들어가다가 광일이와 동구가 이야기를 하고 있어서 인사를 했다. 동구는 조흥은행 영주 지점에서 연수를 받고 있다고 했다. 잠시 함께 이야기를 나누고 있으니 종훈이가 엊저녁에 서울에서 내려왔다며 반갑게 인사를 했다. 오늘 아침에야 내가 보낸 편지를 봤다고 했다. 학생회장인 종훈이는 서울에 있는 펄프 회사에 취직이 되었다.

교실에 들어가니 몇 친구들이 이야기를 나누고 있었다. 조금 있으니 스피커에서 모두 운동장에 모이라고 하여 나갔는데 1, 2학년은 많이 왔지만 3학년은 얼마 되지 않았다. 선생님과 새해 인사를 나눈 뒤 1, 2학년에게 전하는 청소 사항 등에 대하여 간단히 들은 후 교실로 향했다. 담임 성은표 선생님께서도 우리들과 같이 교실로 들어가며 이런저런 이야기를 하다가 나에게 '요새 교정 학원에 나가고 있느냐?' 하고 물으셨다. 그리고 여러 가지 이야기를 나누다가 교실에 들어가니 2학년 후배들이 청소를 하고 있어서 다시 밖으로 나왔다. 밖에는 외환은행 부산지점에서 연수를 받고 있는 상백이가 말끔한 신사복을 입고 서 있었다. 선생님께서 예비고사 합격증을 교부해 주셨다. 작년 12월 28일에 발표한 바와 같이 나는 서울과 경북 두 곳 모두 합격이 되었다. 다시 교실로 들어가서 은행 이야기를 하다가 하나둘씩 집으로 돌아가고 광일, 상백, 태규와 함께 밖으로 나와 시계탑 밑에서 이야기를 계속하였다.

담임 선생님께서 다시 나오셔서 몇 마디 이야기를 하고 있으니 동구가 서류를 가지고 왔다. 선생님께서는 나에게 이제 말이 많이 좋아졌다고 칭찬하셨다. 조금 있으니 외환은행 부산지점에서 상백이와 함께 연수를 받고 있는 병석이가 왔다. 선생님께서는 교무실로 들어가시고, 우리들은 온실에서 이야기를 하다가 중앙통으로 놀러 가자고 했다. 중앙

통까지 걸어 나와서 동아분식센터에 가서 떡국을 사 먹었다. 병석이는 식당에서 계집애들에게 말을 걸기도 하였다. 떡국을 먹고 나서 맥주를 한 잔씩 들이켰다. 서울에서 마셔본 야릇한 맛의 음료수다.

병석이와 동구가 식대를 내고 분식 센터를 나와 극장 구경을 가자고 했다. 만경관 극장에서 '아마조네스' 영화를 보려고 했으나 '미성년자 입장 불가'라고 쓰여 있어서 아카데미 극장으로 갔다. 마침 '무기여 잘 있거라'를 상영하고 있었다. 상백이가 입장권을 샀다. 영화는 제1차 세계대전 중 이태리가 오스트리아를 공격할 때 미국 출신의 군인이 전장에서 영국 출신의 간호원 캐서린을 만나 사랑을 나누는 애달픈 사연이었다. 한 마디의 잘못된 언동으로 친구가 총살당할 위기에 몰리고, 이 친구를 구출하려고 하다가 본인도 위기에 몰렸다. 그래서 온갖 난관을 헤치고 캐서린을 데리고 스위스로 탈출하였다. 스위스에 정착하여 평화롭게 살고 있었으나 사랑하는 캐서린이 아기를 낳다가 심한 진통으로 아기와 함께 죽고 만다. 예전에 봤던 '러브 스토리(Love story)'와 흡사한 내용의 영화였다.

극장에서 나와 신광원으로 가니 이미 교정 교육이 끝난 후였다. 잠깐 혼자 연습을 하다가 자취 집으로 오니 형은 저녁을 먹고 있었다. 오늘 친구 종화의 졸업식이 있는 날이었는데 가보지 못하여 종화의 자취 집으로 찾아갔다. 졸업 축하 기념으로 사진 앨범을 하나 사 갖고 갔으나 집을 찾지 못하였다. 구멍가게에 들어가서 호빵을 사 먹으면서 주인에게 종화 집의 주소를 보이며 위치를 물어봤다. 주인은 우리 학교 선배님이라고 하며 우체통이 있는 길로 가면 된다고 알려주었다. 종화 자취

집에 가보니 종화는 어디 갔는지 없었다. 가져간 앨범을 주인아줌마에게 맡기고 집으로 돌아왔다.

우울한 졸업식 날 1월 12일 (토) 맑음

드디어 졸업식 날이 밝았다. 오늘은 학교를 떠나야 하는 날. 태어나서 세 번째 맞이하는 졸업식이다. 졸업식 때마다 다가오는 '졸업'이라는 감회가 다르다. 이번 졸업식은 나에게 더욱더 깊은 뜻이 있다고 생각한다. 대구상고와 정든 지 어언 3년! 철모르고 나돌아다니던 1학년 때의 담임 김필동 선생님, 정신을 차리고 공부에 열중하고, 특히 글짓기로 친밀했던 2학년 때의 담임 송백문 선생님, 그리고 마지막 한 해 동안 우리를 보살펴 주시며 직장 상담과 추천을 해 주신 자상하신 성은표 선생님. 밤 10시까지 교실에 남아서 공부를 하던 손때 묻은 책상과 의자, 그리고 공부하기 알맞게 꾸며진 아담한 교실. 특히 여름철 무더운 날에 책을 들고 앉아서 시원한 바람을 쐬며 공부하던 유서 깊은 교정 한복판의 은행나무. 체력장 시험을 준비하느라 매달리던 철봉대와 넓은 운동장. 친구들과 정답게 앉아서 이야기를 나누던 운동장의 돌의 자마저 정겹게 느껴졌다. '졸업'이란 단어가 우리를 헤어지고 떠나가게 만든다.

아침 7시에 일어나 줄곧 이런 생각만 하다가 형이 일터로 나간 뒤에 신문을 읽고 있으니 엄마와 동생 문현이가 쌀과 고구마를 가지고 왔다. 엄마는 가방에서 내가 좋아하는 호박죽을 비닐봉지에 넣어가지고 왔다. 그저께 집에서 호박죽을 끓였는데 식구들이 잘 먹지 않는다고 했다. 한 그릇을 따로 담아놓은 후 나머지는 솥에 담아 연탄불 위에 올려 놓았다. 엄마와 동생이 아줌마 방에서 이야기를 하고 있는 동안 나는 호박죽을 먹고 먼저 학교로 갔다. 교문에 들어서니 중학교 친구인 명석이가 보였다. 반가이 악수하며 '어디서 어떻게 사느냐'하고 물으니, 한숨을 쉬며 제일은행 춘천지점에서 근무하고 있다고 했다. '춘천까지나 갔나?' 하며 되물었다. 고향 남천 친구이자 대구상고 동기인 원록이도 만났다. 그는 오는 14일부터 한국은행에서 연수를 받는다고 했다. 또 인국이도 보였다. 그는 대한통운에 합격했는데 아직 발령을 받지 못했다고 했다.

교실에 들어가니 찬성이, 찬홍이, 정철이, 장일이 등 모두 졸업식에 참여하려고 각 지방에서 학교로 돌아와 있었다. 서로 악수를 하고 이야기꽃을 피웠다. 담임 선생님께서 오셔서 빨리 운동장에 모이라고 하셨다. 운동장에서 줄도 짓지 않은 채 강당으로 흘러 들어갔다. 강당에 들어가니 후배들과 학부형들이 박수로 맞아주었다. 대강 자리를 잡고 앉았다.

졸업식은 10시 반에 시작되었다. 국민의례를 거쳐 각종 상장 수여 행사가 약 30분간 계속되었다. 나는 솔직히 공부를 잘 한 편이 아니었는데 우등상과 3년 개근상을 받았다. 대부분의 상은 전교 1등을 차지한 최명주가 받았다. 다음에 교장 선생님의 축사가 시작되었다. 교장 선생님께서는 한 마디 한 마디를 힘주어 말씀하셨고, 우리들도 마지막 말씀을 열심히 들었다. 시계탑 아래에 새겨진 '오늘은 다시 없는 오늘이니 오늘을 오늘답게 보내야지.'를 이행할 것을 강조하고, 망원경적인 인물이 되어줄 것을 당부하셨다. 교육감 치사, 동창회장님의 축사 등을 거쳐 재학생의 송사, 전교회장 김종훈의 답사 후 졸업가, 교가 제창으로 졸업식을 모두 마쳤다.

식장을 나오니 많은 사람들이 교정에 퍼져 있어서 그 사이를 간신히 빠져 나와 교실로 돌아왔다. 방학 동안 못 만났던 학우들과 악수를 하고 자리에 앉았다. 찬홍이에게 빌린 책 대신 새로 산 책 『별』을 주었다. 곧 성 선생님께서 들어오셔서 상장, 졸업장, 졸업앨범을 나눠 주시고 빵도 한 봉지씩 돌렸다. 마지막으로 담임 선생님께서 지난 한 해 동안 모두 수고했으며, 우리들과 잘 지낸 것을 감사하다고 말씀하시고, 자기도 최선을 다했다고 덧붙이셨다. 또한 우리 반에서 취직한 학생 수는 22명이라고 하시면서, 모두 사회에 나가서 올바르게 살고 성공하기를 바란다고 말씀하셨다. 선생님의 말씀을 끝으로 모두 석별의 정을 나누었다.

교실에서 친구들과 작별 인사를 나누고 있는데 고향 친구 윤희가 불러서 밖으로 나와보니 엄마와 문현이, 그리고 문도 형이 와 있었다. 윤희는 액자 하나를 선물해 주었다. 엄마를 교무실로 모셔 가서 담임 선생님께 인사를 드렸다. 참으로 고마웠다고 작별 인사를 고하니 2월 중 산업은행에 재면접을 갈 때 꼭 학교에 들리라고 하셨다. 운동장으로 나와서 같이 기념 사진을 찍었다. 윤희를 보내고 엄마와 동생을 시계탑 밑에서 기다리게 하고는 친구들을 찾아다녔다. 광일이와 인국이를 만나 같이 사진을 찍은 후 진호와 해수를 만나 사진을 찍었다. 시계탑 밑으로 가서 엄마와 형, 동생에게 집으로 먼저 가라고 하니 엄마가 1,500

원을 주셨다. 친구들과 놀다가 갈 테니 시골집으로 가시라고 했다. 다시 교실과 운동장으로 돌아다녀봐도 친구들이 더 이상 보이지 않아 교문으로 나오니 선생님들이 교문에 서서 환송해 주셨다. 안면 있는 선생님과 인사를 나누고 교문 밖으로 나오니 찬홍이가 거기서 누구를 기다리고 있었다. 나는 혼자 중앙통으로 걸어갔다. 병석이가 오늘 한 번 실컷 놀아보자고 했는데 혹시 만날 지도 모른다고 생각하면서. 오거리를 거쳐 대구백화점, 한일극장을 건너 한도아케이드로 들어가서 점심을 사 먹었다. 혼자 점심을 먹으니 좀 처량한 생각이 들었다.

점심을 먹고 밖으로 나오니 벌써 3시가 넘었다. 천천히 걸어서 신광원으로 갔다. 교정생 몇 명이 연습실에서 연습을 하고 있었다. 그들은 오늘 졸업식을 어떻게 했느냐고 물었다. 그저 그렇게 행사를 하고 잘 놀다 왔다고 했다. 오늘은 원장님으로부터 색다른 강의를 들었다. 바로 '노래자랑'이다. 나는 네 번째로 노래를 불렀다. 졸업식 때 불렀던 교가를 힘차게 불렀다. 프로그램 후 원생들이 파티를 열자고 하는 것이 나는 고맙긴 하지만 애들의 돈만 쓰게 되니 그만두자고 했다. 자취 집으로 돌아오니 엄마와 동생은 시골집으로 가서 없었다. 친척할머니께서 밥을 연탄불 위에 얹어 놓으셔서 잘 되어 있었으나 나는 아침에 엄마가 가져온 호박죽을 먹었다. 호박죽은 먹을수록 맛이 있고, 또한 엄마의 애정을 느낄 수 있었다. 내가 집에 오기 전에 친구 종화가 졸업 선물을 갖고 왔다며 아줌마께서 전해 주셨다.

합천 야로를 찾아서 1월 15일 (화)

지난 8일 신광원에서 같이 연습을 하던 H형이 종복에게서 온 편지를 갖고 와서 나에게 답장을 써달라고 했다. 그때 그는 합천에 있는 종복이네 집에 놀러 가려고 한다면서 편지에 이달 15일에 가겠다고 써달라고 했다. 어제 저녁 원생들과 여행에 대한 구체적인 협의를 했는데 같이 가겠다는 사람이 H형과 나 둘뿐이었다. 엊저녁에 문석 형에게 차비 500원을 빌렸다. 오늘 오전 9시에 신광원에 나가니 아직 문을 열지 않았다. 그래서 밖에서 기다리고 있는데 신종원 군이 나타나서 같이 이야기를 하고 있었다. 그때 원장님께서 자전거를 타고 오셨다. 공중전화 부스에서 H형에게 전화를 걸어보니 10시쯤 나오겠다고 했다. 신광원에서 연습을 하고 있으니 오전반 애들이 하나씩 나와서 같이 연습도 하고 지도를 해 주기도 했다.

10시가 조금 넘어서 H형의 전화를 받았다. 오늘이 민방위 훈련의 날이라 오다가 발이 묶여있다고 했다. 강의실에서 오전반 애들이 교정 훈련을 받고 있는 동안 사무실에서 복식호흡 연습을 하고 있으니 H형이 나타났다. 과자 한 봉지를 들고서 원장 선생님께 인사를 드리고, 달성공원 앞에 있는 직행버스 정류장으로 갔다. 정류장에서 합천 '야로' 행 버스를 물으니 거창으로 가는 버스를 타고 '분기'라는 곳에서 내리라고 하였다. 버스 차비는 260원이었다. 버스표를 사서 나가니 벌써 버스 출발 벨이 요란하게 울리고 있었다. 얼른 버스를 타니까 버스가 움직이기 시작하였다. 버스 앞쪽에는 좌석이 없어서 맨 뒷자리에 가서 앉았다. 직행버스는 험한 길을 얼마나 빨리 달리는지 상하 운동을 많이 하게 되었다. H형은 나에게 수수께끼 같은 문제를 묻기도 하였다. 고령읍을 조금 못 가서 험한 산길이 있었다. 가파른 산을 깎아서 길을 만들었는데 그 길을 내면서 참으로 많은 애를 먹었을 것으로 여겨졌다. 나무가 많고 험한 산을 다니면서 측량을 하여, 낮고 편편한 곳을 찾아 길을 닦은 후, 그 길에서 개통식을 할 때 그 기분이 어떠했을까 하는 생각에 골몰하고 있는데 어느덧 고령읍에 도착하였다. 고령읍에서 약 5분 정도 쉬고 나서 버스는 다시 달리기 시작하더니 곧 낙동강이 나타났다. 여기서부터 경상남도 지역인데 앞뒤 모두 산만 보인다. 소백산맥의 등줄기가 뻗은 때문일까? 산을 깎아 길을 닦는 그 수고를 이해할 수 있었다.

이런 생각에 잠겨 있는데 '분기'에 도착하였다. '분기'라는 곳은 말 그대로 거창과 해인사로 갈라지는 분기점(分岐點)이 되는 곳이었다. 거기서 내려 차표를 파는 아주머니에게 '야로'로 가는 길을 물으니 해인사 행 버스를 타고 가라고 했다. 두어 코스를 타고 가니 바로 야로 면소재지가 나왔다. 버스에서 내려 술을 한 병 사려고 가게에 들어가서 덕암리 지관동을 물어보니, 한 처녀가 다시 버스를 타고 '분기'까지 가라고 했다. 그러자 한 아주머니는 산 하나를 넘어가면 된다고 알려주었다. 약주 한 병을 사 들고 걸어가면서 만나는 사람마다 길을 물어보았다. 모두 친절하게 잘 알려 주었다. 논길을 따라서 덕암리 뒷길로 가니 마을 아이들이 산에 나무를 하러 가고 있었다. 그 아이들에게 길을 물어보니 저 산길로 올라가라고 했다. 그 길로 가다가 한 나무꾼을 만나 또 물어보며 산길을 오르니 1시 반이 되었다. H형은 가파른 산길을 많이 걸어보지 못하였는지 숨이 차서 씩씩거리며 따라왔다. 산마루 잔디

위에서 땀을 식혔다. 이 산에도 나무가 별로 없다. 움푹 팬 동굴 하나를 발견하였는데 H형은 그곳에 별장을 만들고 싶다고 했다.

다시 일어나서 조그만 고개 세 개를 넘었다. 마침내 푹 꺼진 곳에 대밭이 보이고, 지붕도 보였다. 이제야 다 온 것이다. 대밭 옆에서 놀고 있는 작은 아이에게 종복이네 집을 물으니 알려주었다. '종복아!' 하고 그 애가 크게 부르니 종복 군이 뛰어 올라오다가 우리를 보더니 뜻밖인 듯 어쩔 줄 몰라 했다. 연방 이 산골을 찾아오면서 고생이 많았다며 겸손해한다. 집으로 안내하면서도 너무 산골이라고 하며 미안해했다. 종복이네 집은 기와로 잘 지어져 있었으나 대문이 없었다. 종복이 모친도 반가워하며 따뜻하게 맞아주셨다. 방으로 들어가서 이야기를 나누었다. 물어물어 찾아왔는데 H형이 안 죽고 왔으니 다행이라고 하니까, 너무 고마워 무슨 말을 해야 할 지 모르겠다고 했다.

종복이는 이곳에 와서 말에 대한 관념이 흐려져서 복식 호흡도 잘 하지 않고 '말하기 3대 원칙'도 잘 지키지 않아서 말을 흐리게 한다고 했다. 우리가 와 있는 동안이라도 잘 지키라고 했다. 조금 있으니 종복이 할아버지께서 오셨다. 큰절을 하며 인사를 드렸더니 여러 가지 말씀을 해 주셨다. 한 이틀 폐를 끼치게 되었다고 하니 여기까지 와줘서 고마운데 잘 놀다 가라고 하셨다. 종복이는 대구에 있는 한 친구가 며칠 전부터 놀러 와 있다고 하여 데리고 오라고 했다. 종복이가 나간 후 곧 점심이 들어왔다. 방금 지은 밥과 반찬을 맛있게 잘 먹었다. 덩치가 큰 H형의 밥이 적은 것 같아서 내 밥을 덜어주었다.

종복이가 친구를 데리고 들어와서 인사시켰다. 신광원에 대한 이야기를 나누다가 화투치기도 하고, 바둑을 두기도 했다. 이렇게 시간이 가는 줄 모르고 놀고 있다가 저녁상을 받았다. 종복이의 형과 다른 분도 들어와서 같이 식사를 했는데 그분들은 먼저 밖으로 나갔다. 식사 후 우리는 편을 갈라서 화투치기를 했다. 나와 종복이, 그리고 동네 아이 한 명으로 셋이 한 편이 되고, H형과 종복이 친구, 동네의 다른 아이 한 명으로 편을 만들어 시합을 시작했다. 중학교에 다닌다는 H형 편의 아이는 두 번이나 연거푸 우리를 이겨버리고, 세 번째는 종복이 친구가 우리를 해치워 버렸다. H형은 그저 놀면서 얻어먹게 되었다. 완전한 3패로 우리 편이 져서 100원씩 내게 되었다. 부근에 있는 두 마을에 과자를 사러 갔으나 주인이 없어서 그냥 빈손으로 돌아왔다. 다시 화투를 쳐서 손가락으로 이마 때리기 놀이를 하다가 다시 가게에 가서 과자를 사 왔다.

이 마을에는 11가구가 살고 있는데 8가구의 성이 배 씨라고 했다. 마을의 지형이 아주 나빠서 전기가 안 들어오며, 진입로도 큰 것이 없고 토끼 길처럼 조그만 길이 사방으로 흩어져 있다고 한다. 상점에는 과자 몇 종류만 있을 뿐이고, 담배는 아랫마을에 가서 사 온다고 한다. 그러나 농지가 많기 때문에 살기는 괜찮다고 했다. 설탕 과자를 먹으며 이야기를 하다가 과자가 많이 남아서, 절반씩 나누어서 '짓기 놀이'를 하여 과자 빼앗기를 했다. 과자를 주고받고 하다가 '통꾸이'라는 것도 하며 재미있게 놀았다. 나중에는 하얗던 설탕 과자에 까만 손때가 묻었다. 11시 반쯤 자리를 펴고 누웠다. 누워서 복식호흡을 하다가 신광원에서 배운 '암시'도 외웠다. 12시가 넘어서 잠이 들었다. 참으로 재미있는 하루였다.

1월 16일 (수)

아침 7시쯤 일어났다. 일어난 자리에서 복식호흡을 좀 하다가 세수하러 가려고 밖으로 나갔다. 밖에서 조금 기다렸지만 아무도 나오지 않았다. 그래서 혼자 마을 길을 따라 아래로 내려가니 개울이 보였다. 개울 옆으로 산길이 나 있어서 계속 따라가다가 개울에 내려갔다. 개울에서 세수할 만큼 물이 고여 있는 곳을 찾았다. 산골 물은 역시 맑고 깨끗하다. 계곡을 바라보면서 신광원에서 배운 '암시'를 큰 소리로 외웠다. 이것저것을 큰소리로 외우고 있노라니 종복이가 부르는 소리가 들렸다. 곧 세수를 하고 종복이 집으로 올라갔다. 벌써 아침 식사를 들고 있었다. 오늘의 식탁도 도시에서 내놓는 상 못지않게 잘 차려 주셨다.

식사 후 화투를 치다가 바람을 쐬러 밖으로 나왔다. 마을 뒤에 있는 토끼집을 구경하다가 뒷산으로 올라갔다. 종복이의 친구는 따라오지 않았다. 산길을 따라 작은 고개를 넘으니 논이 많이 보였다. 종복이네는 그 논에서 많은 곡식을 생산하며, 주변에 자기네 토지도 많이 있다고 하였다. 그리고 바라보이는 주위의 산들이 모두 종복이 큰집의 산이라고 했다. 산길을 자꾸 따라가니 두 아이가 땔감을 장만하고 있었다. 골짜기에는 두세 개의 작은 관개용 못도 있었다. 나무를 헤치고 산등성이에 오르니 건너편 분지에 여기저기 모여있는 집들과 계단식 논밭들이 보였다. 천천히 산꼭대기에 올라가니 주위의 산들이 한눈에 들어왔다. 멀리 가야산이 솟아있고, 이름을 모르는 산들이 겹겹이 쌓여 있었다. 어느 시인의 시에서 읽었던 '산이 날 에워싸고 씨나 뿌리며 살아라 한다.'라는 구절이 문득 떠올랐다.

산에서 내려오니 노루 발자국과 토끼 발자국들이 눈에 많이 띄었다. 길을 내려오면서도 '신광원 암시'인 '일상생활에 여유를 갖자.', '나는 침착하고 여유 있게 말을 잘 할 수 있다.' 등을 외치니, 종복이도 오늘부터 새벽 일찍 산에서 '신광원 암시'를 크게 외치겠다고 했다. 종복이네 집으로 와서 화투를 치다가 해인사 구경을 가자고 하니, 종복이는 요즘은 추워서 구경을 제대로 하지 못할 거라면서 가지 말라고 말렸다. 또 며칠 전에 자기 친구와 같이 해인사를 갔다 왔는데 또 가면 부모님께 꾸지람을 들을 것이라고 했다.

화투치기를 하다가 내기를 하자고 했다. 바둑알을 스무 개씩 나누고 따먹기를 했다. 역시 '닷장문이 짓기'였다. 재미있게 오락가락하다가 종복이와 친구가 많이 따갔다. 한참 놀이를 하고 있는데 점심이 들어왔다. 점심식사 후 종복이 친구는 마을 아이들과 함께 놀러 나가고 H형과 종복이, 나 셋이 계속 따먹기 놀이를 하다가 내가 먼저 떨어지고, H형도 떨어지면서 끝이 났다. 그러나 과자는 사 먹지 않았다. 셋이 앉아 이야기 하다가 이제 대구로 돌아가자고 했다. 오래 있으면 종복이 집에 폐만 끼칠 것 같아서.

종복이는 온 김에 좀 더 놀다가 가라고 하고, 모친도 더 놀아도 된다고 했지만 오늘 대구로 돌아가겠다는 약속을 했다면서 할아버지께 인사를 드리고 집을 나섰다. 종복이 모친도 동구 밖까지 따라 나오셨다. 종복이는 버스를 타는 '분기'까지 따라왔다. 산길을 내려가면서 여러 가지 이야기를 하다가 내가 산업은행에 합격하였으나 면접에서 언어의 문제로 입사가 보류되었다고 말했다. 두 사람 다 놀라며 '정말이냐?' 며 되물었다. 아직 다른 사람들에게는 비밀로 해 두었지만 두 사람에게만 공개하니 다른 사람들에게는 내가 말 할 때까지 비밀을 지켜달라고 부탁했다. '분기'까지 가는 길은 제법 멀었으나 계속 이야기를 하면서 가다 보니 멀게 느껴지지 않았다.

대구로 가는 직행버스 시간을 물어보니 3시 10분에 있다고 했다. 종복이는 오뎅을 사주고, 또 버스표도 사 주었다. 나는 사과 100원어치를 사서 같이 먹었다. 곧 버스가 도착하여 종복이와 석별의 악수를 나누고 차에 올랐다. 이번 버스에서도 또 꽁무니 자리밖에 없었다. 심한 상하운동이 시작되었다. 한 번은 어떻게나 높이 뛰었던지 머리가 버스 천정에 닿을 듯 말 듯 하였고, 좌석 위 선반에 올려놓은 트렁크가 손님의 머리 위로 떨어지기도 했다. 버스가 1시간 정도 달리니 멀리 대구시가 보이기 시작했다. 그때 비로소 우리가 대구로 돌아왔나 보다 여겨졌다. 합천 해인사 구경을 못한 것이 좀 서운하였으나 종복이네 집에서 융숭한 대접을 받고 온 것이 정말 감사하였다.

대명 정류장을 지나면서 버스는 운행 코스를 벗어나 명덕 로터리로 달렸다. 그제야 손님들이 왜 차를 이리로 모느냐 하고 항의를 했다. 운전기사가 대구 지리를 잘 모르는 것 같았다. 한 손님이 남문시장 쪽으로 차를 몰려고 하자 그 길로 가다가 또 길을 잘못 들어 자갈마당까지 버스를 몰고 갔다가 동아극장을 거쳐 겨우 달성공원 앞에 도착하였다. 어떤 손님은 거리에서 차를 세워달라고 하기도 하고, 어떤 분은 운전기사가 어젯밤에 일을 했다는 등 심한 말도 했다.

109번 버스를 타고 자취집으로 오던 중 이 버스 안에서도 또 말썽이 났다. 한 노인이 졸다가 내려야 할 정류장을 놓치고 못 내려서 기사에게 야단을 쳤다. 신광원으로 가서 원장 선생님께 인사를 드렸다. 그때가 오후 4시 반경으로 교정 수업 시간 중이었다. 우리가 합천으로 가서 종복이를 만나고 온 이야기가 히트를 쳤다. 원장님께서도 '종복이는 어떻게 지내고 있더냐?' 하고 물으셨다. 자초지종 모든 이야기를 들려주었다. 자취집으로 돌아오니 아주머니도 '잘 다녀왔느냐?' 하며 반겨주셨다

6장.

서울에서 살아내기

인사부를 시작으로 각 부서에 발령된 사람들의 이름을 차례로 발표하였다. 발표할 때마다 마음을 졸이면서 모두 마음속으로 기도를 올리고 있는 것 같았다. 우리 대구상고 동기 중에는 순영이가 가장 먼저 호명되었는데 업무부로 발령이 났다. 그다음은 광일이가 기업분석부로 배치되었고, 나는 외국부로 발령이 났다. 지난주에 인사과에서 본인이 희망하는 부서나 지점을 써내라고 할 때 나는 제1지망과 제2지망을 모두 서울 본점으로 하고, 본점의 외국부를 희망한다고 써내었다. 제3지망도 본점으로 했으니 본점으로 발령이 날 것은 틀림없다고 믿고 있었다. 과연 내가 원하는 곳으로 발령이 났으니 이젠 잘하든 못하든 간에 열심히 부딪혀보는 수밖에 없다.

서울에서 살아내기

1974

다시 서울행 열차에 오르다 2월 2일 (토)

어저께 신광원에서 마지막 인사를 하고 나서 촌으로 나가니 산업은행에서 편지가 와 있었다. 어제 하루를 쉬고 나서 오늘 다시 대구로 돌아왔다. 오후에 학교에 나가니 마침 성은표 선생님께서 계셨다. 산업은행에서 연락이 와서 재면접을 보고 오겠다고 전했다. 선생님께서는 조심해서 잘하라고 격려해 주셨다. 선생님께 드리려고 가져간 담배를 깜박 잊고 돌아와 버렸다. 학교를 나와서 대봉동 아저씨 댁으로 갔다. 아저씨께서 점심을 드시고 있길래 내일 서울에 간다고 하니, 이번에는 잘해서 꼭 합격하라고 하셨다. TV를 보고 있으니 아주머니께서 떡국을 끓여 주셨다. 전에 있던 꼬마 여자는 나갔다고 하셨다. 서울 갈 준비를 해야 한다며 인사를 드리고 서둘러 나왔다. 자취집에 와서 수건을 챙겨 목욕하러 갔다. 목욕을 하고 오던 길에 이발소에 들러 스포츠형으로 깔끔하게 잘랐다. 집으로 와서 짐을 대강 정리해 놓고 일찍 잠자리에 들었다. 이날 밤 꿈에 서울의 선배님이 우리 마을까지 찾아와서 도장을 받아가는 꿈을 꾸었다.

2월 3일 (일)

어제 집에서 가져온 찹쌀로 아침밥을 지어 먹고 있는데 어머니께서 짐을 갖고 오셨다. 식모로 같이 가자던 명희 엄마는 오지 않았다. 약혼 중인 명희가 못 가게 반대를 했다고 하셨다. 많이 먹으라고 하는 말을 뿌리치고 일찌감치 동대구역으로 나갔다. 형이 자기 가방을 가지고 가라고 해서 들고 갔다. 어머니께서 동대구역까지 동행하며 짐을 날라 주셨다. 플랫폼으로 나가 기차를 탔다. 어머니께서 자취 집으로 버스를 잘 타고 갔는지 모르겠다. 아들 때문에 고생이 많으시다. 열차의 좌석에 앉으니 옆에 앉은 분이 김해 김가라고 하여 서로 이야기를 하고, 달걀과 사과를 같이 나누어 먹으며 서울까지 왔다. 약간 지루하고 따분한 여행이었다.

내일부터 버스 차비와 택시 요금이 오르고 열차 차비도 수일 내로 오른다고 한다. 서울역에 내려서 동락 아저씨께 전화를 드렸다. 신촌 '모래내'까지 택시를 타고 와서 경찰서 앞에 있는 조흥은행 예금 취급소 앞에서 기다리라고 하셨다. 택시를 타려고 하는데 웬 사람이 짐을 들어

주며 택시도 잡아주었다. 왜 이리 친절할까 했더니 돈 100원을 달라고 했다. 어이가 없었으나 다투기 싫어서 주었다. 운전사도 나이가 좀 들어 보이는 좋은 분이셨다. 사과 두 개를 드리니 좋아하셨다.

'모래내'에서 내려 '조흥은행 예금 취급소'라고 쓰여진 곳에서 한참을 기다려도 아저씨께서 오시지 않았다. 조금 있으니 한 아저씨가 어린이의 손을 잡고 오더니 '경문이냐?' 하고 물으셨다. 그렇다고 하며 인사를 드렸다. 조흥은행 예금 취급소는 안쪽이었고, 내가 서 있던 곳은 안내판이었다. 아저씨 댁으로 가면서 대강 이야기를 했다. 식모로 오겠다고 한 명희 엄마가 명희의 반대로 오지 못했다고.

아저씨 댁에 가니 아주머니께서 아파서 누워 계셨다. 눈이 부어서 더욱 안 되어 보였다. 그 집 자녀는 아들 하나에 딸 셋이었다. 아주머니께 식모 건에 대하여 다시 말씀을 드리고, 다음에 서울에 올 때 꼭 구해보겠다고 했다. 저녁에 TV를 보다가 올해 6학년인 상환이와 한방에서 잠을 잤다.

2월 4일 (월)

아주머니께서 해 주신 아침밥을 먹고 나서 산업은행으로 갈 준비를 했다. 아주머니께서는 엄마에게 주시라며 조미료 '미풍'을 몇 봉지 싸주셨다. 곧 운전사의 벨 소리가 들려서 인사를 드리고 아저씨와 함께 택시를 탔다. 먼저 상환이와 명희를 학교 정문까지 바래다주고 통일로에 있는 서울 농협까지 같이 갔다. 아저씨께서는 미리 말은 해 두었지만 그래도 침착한 마음으로 면접을 잘 보라고 당부하시면서 농협 앞에서 시내로 가는 버스를 태워 주셨다. 화신 백화점 앞에서 내려 지나가는 사람에게 산업은행을 물어보니 친절하게 잘 알려 주었다. 은행 수위실에서 선배인 신 형에게 연락을 했다. 곧 신 선배님이 나왔으나 시간이 10시가 다 되어 3층에 있는 인사과로 바로 올라갔다. 인사과 앞에는 다른 사람도 있어서 같이 대기실로 들어갔다. 대기실에는 또다른 학생 한 명과 여자 한 분이 의자에 앉아서 기다리고 있었다.

먼저 폐가 나쁘다는 세 사람이 X-ray 사진을 찍으러 나갔다. 혼자 의자에 앉아서 기다리고 있으니 인사과 대리 한 분이 오더니 'X-ray 사진을 찍으러 간 사람들의 결과가 나온 오후에 면접을 볼 예정이니 밖에 나가서 놀다가 1시쯤 오라.'고 했다. 그래서 정문 수위실에서 신 선배님께 연락을 취하니 선배님께서는 놀다가 12시 10분 전쯤 오라고 했다.

을지로 입구에 있는 산업은행을 나와서 반도 호텔을 지나고 시청을 거쳐 덕수궁으로 들어갔다. 오전이라 그런지 덕수궁에는 사람들이 별로 없었다. 얼마 전에 와 본 곳이라 그저 시간을 보낼 작정으로 이리저리 산책을 했다. 12시가 다 되어서 산업은행으로 갔다. 2층 식당에서 식사를 하고 나서 복도에서 기다리니 신 선배님이 와서 같이 밖으로 나가 다방에서 커피를 시켜 마셨다.

1시가 되어 인사과로 가보니 아직도 다른 사람들은 오지 않았다. 대기실에 앉아서 무료하게 기다리고 있으니 한 여직원이 '샘터' 잡지를 갖다주며 심심할 텐데 읽으라고 하였다. 조금 있으니 덕수상고 학생이라고 하는 두 사람이 들어오고, 또 여자분도 들어왔다. 서로 이야기를 나누고 있는데 인사과 직원이 오더니 세 사람을 데리고 갔다. 다시 대기실로 들어오기에 물어보니 한 사람은 폐의 상태가 좋은데 두 사람은 많이 나쁘다고 했다. 세 사람이 모두 나간 후 인사과장님이 불러서 같이 인사부장실로 들어갔다. 세 사람이 평범한 자세로 앉아 있었다. 마음을 단단히 먹고 들어갔으므로 별로 떨리지 않았다. '언어 교정 학원에는 나갔느냐?' '말을 천천히 하고, 계속 교정 학원에 다녀라.'고 했다. 내일 와서 최종 결과를 보고 고향으로 내려가라고 하셨다.

은행을 나와서 동락 아저씨께 전화를 걸어서 면접 본 것을 말씀드리고, 오늘은 여관에서 자겠다고 하니 하루 더 집으로 와서 자고 가라고 하셨다. 버스를 타고 통일로에 있는 농협을 찾아 들어가니, 아저씨께서는 직원들에게 훈시와 설명을 하고 계셨다. 모든 일을 마친 후 아저씨는 나를 데리고 한 식당으로 갔다. 그 식당에는 대구에서 왔다는 한 여자분이 기다리고 있었다. 불고기를 시켜서 저녁을 먹으며 같이 이야기를 나누었다. 식사 후 농협 택시를 탔는데 독립문에서 그 여자분을 내려주고 우리는 아저씨 댁으로 갔다.

아주머니께 하룻밤 더 신세를 지게 되어 미안하다고 하니 괜찮다고 하셨다. 몸이 안 좋으신데 괜히 미안스러웠다. TV를 보다가 9시가 되어 상환이 방에서 잠을 잤다. 내일 좋은 결과가 나오기를 하느님께 기도하며…….

2월 5일 (화)

아침을 먹은 후 아저씨께서 상환이를 데리고 먼저 출근하시고, 나는 방에서 책을 읽고 있다가 9시경 아주머니께 인사를 드리고 집을 나섰다. 산업은행이 있는 을지로 방향으로 가는 버스를 타고 갔다. 서울 지리에 익숙하지 못하여 버스가 시청을 지나 금성 극장 쪽으로 달리고 있기에, 버스에서 내려 다시 시청으로 가는 버스를 타고 산업은행을 찾아가니 벌써 10시가 넘었다.

인사과에 들어가니 선배님이 합격을 축하한다면서 입사 준비 서류를 챙겨 주셨다. 바깥으로 나와서 이승도 선배를 만나고, 또 신 선배께도 전화로 감사 인사를 드렸다. 서울역으로 가는 길에 공중전화로 동락 아저씨에게 합격 소식을 전하니 이미 들어서 알고 있다고 하셨다. 그리고 고향에 가면 식모를 꼭 구해달라고 부탁하셨다. 서울역 앞에 있는 한진고속 터미널에서 12시에 출발하는 차표를 사서 고속버스를 탔다. 옆자리에는 어떤 할머니께서 타셨는데 대구에서 살고 있다고 하시며 나에게 달걀을 하나 주셨다. 대구까지 4시간이나 걸리는 지루한 여행이었다. 대구까지 가면서 두 곳의 휴게소에서 쉬고 갔다. 추풍령 휴게소에서 통닭 4마리를 100원에 판다고 하여 가보니 삶은 계란 네 개를 팔고 있어서 웃었다. 구미 공단을 지날 때 화재가 나서 불을 끄고 있는 모습을 차창으로 구경하기도 하였다. 거의 4시가 되어 동대구 터미널에 도착하였다. 바로 옆에 있는 동대구역으로 가서 상행 열차 시간을 대강 메모해 놓았다.

공중전화로 성 선생님께 합격 소식을 전해드렸다. 그리고 내일 서울로 올라가야 되는데 졸업증명서 1통이 필요하다며 부탁드렸다. 자취집에 와서 형에게 서울에서 있었던 이야기를 대강 해주고 곧 시외버스 정류장으로 갔다. 5시 10분에 출발하는 버스를 타고 금곡다리에서 내려 송백으로 걸어가는데 길이 질어서 운동화가 엉망이 되었다.

집에 가니 바둑이가 가장 먼저 맞아주었다. 면접을 잘 보아서 완전히 합격이 되었다고 전하니 가족 모두 기뻐하였다. 점심을 제대로 못 먹어서 식은 밥이었지만 저녁 식사로 실컷 먹었다. 어머니는 꿀 병을 녹이려고 아랫목 이불 속에 묻어두고 사과도 가져오셨다. 그러나 배가 너무 불러서 조금 밖에 먹지 못했다. 내일 다시 서울로 올라가야 한다고 하니까 입을 옷을 준비해야 되겠다며 서두르셨다. 내의와 작은형님의 양복도 꺼내셨다.

식모 이야기를 꺼내니 명희 엄마 대신에 송백2동에 한 여자애가 가려고 한다고 하셨다. 서울 아주머니께서 아파 누워 계시는데 내일 나와 같이 가면 좋겠다고 하며, 한 번 더 물어보라고 하니 어머니는 웃옷을 걸치고 나가셨다. 동생 문현이와 이야기를 하다가 잠깐 잠이 들었다. 아버지께서 오셔서 건넌방에서 이야기하고 있으니 문찬이가 놀다가 들어왔다. 솥에 녹여 둔 감을 가져오라고 하여 같이 먹었다.

12시가 다 되어 어머니께서 집으로 돌아오셨다. 윗동네의 여자애도 언니가 못 가게 하여 안 가겠다고 했단다. '안 가겠다고 하는 것 어찌하겠나……' 하며 이제 그만 두라고 했다. 다시 잠을 자려고 누웠는데 이불 안에 넣어두었던 꿀 병이 깨어졌다. 하드처럼 얼어있는 꿀을 몇 숟갈 떠먹었다.

2월 6일 (수)

아침 식사를 한 후 필요한 물품을 가방에 챙겨 넣고, 또 다른 가방에는 사과를 가득 담았다. 문도 형님과 함께 삼성에 있는 면사무소에 갔다. 오늘이 수요일이라 주민등록증을 만들고 서울로 올라가려고 했으나 사진을 대구 자취 집에 두고 와서 갖고 와야만 했다. 문도 형님은 시간이 좀 걸리더라도 오늘 서류를 작성해 놓고 올라가라고 했다. 대구 자취 집에 가니 문석 형이 자고 있었다. 사진만 꺼내 들고 버스를 타고 남천면 사무소로 돌아왔다. 문도 형님이 기다리고 있어서 얼른 병적신고서를 작성하고, 주민등록 신고 서류에 사진을 첨부하여 지서로 가서 인지를 찍었다. 형님에게 등본을 발급받으면 서울 동락 아저씨 댁으로 부쳐달라고 부탁하고는 곧장 대구로 돌아왔다.

학교에 가서 성 선생님을 찾아갔다. 선생님께서는 준비해 두신 졸업증명서를 전해 주셨다. 성 선생님은 교감 선생님과 교무 주임 등 여러 선생님께 인사를 드리라고 하셨다. 인사를 드린 후 성 선생님께 가져간 담배를 드리고 학교를 나왔다. 자취 집에 오니 벌써 2시 반이 되었다. 연탄불 위에 얹어 두었던 따뜻한 밥을 몇 숟갈 떠먹고 형에게 작별 인사를 했다. 그리고 안집 할머니와 아주머니께도. 문석 형은 자기의 큰 가방을 주며 옷가지를 거기에 넣어주었다.

동대구역에 가서 3시 20분 열차표를 샀으나 입석표밖에 없었다. 대봉동 아저씨 댁에 전화를 거니 아주머니께서 받으셨다. 서울에서의 일을 대충 말씀드리고 열차에 올랐다. 입석표로 서서 오니 다리가 조금 아팠으나 대전에서 많은 승객들이 내리고 빈 자리가 생겨서 앉아올 수 있었다. 서울역에 내려서 동락 아저씨에게 전화를 걸었다. 식모를 못 구하여 죄송하다고 전하고, 오늘은 시내에 있는 여관에서 잠을 자겠다고 하니 그렇게 하라고 하셨다. 시내버스를 타고 신신 백화점까지 와서 은행 여관에 들어갔다. 하루 종일 바쁘게 다녔더니 꽤 피로하여 일찍 잠자리에 들었다.

신입 행원 연수 — 2월 7일 (목) 눈

아침에 일어나니 벌써 8시가 되었다. 어제 고단했던 탓인지 늦잠을 잔 것이다. 은행에서 9시까지 모이라고 했는데 시간이 별로 없다. 얼른 세수하고 옷을 입고 나서 주인에게 저녁에 다시 오겠다고 하며 방문 열쇠를 갖고 나왔다. 빵집에서 빵을 사 먹고 은행으로 가니 우리 학교 친구들이 모두 와 있었다. 반갑게 악수를 하며 그동안의 이야기로 꽃피우다가 9시 20분이 되어 집합을 하였다. 오늘 갑자기 눈이 와서 연수를 늦게 시작한다고 하였다.

첫 시간에는 오리엔테이션을 하였다. 산업은행에 대한 설명을 들은 후 행내 견학을 하였다. 업무부와 도서자료실을 둘러본 후 식권을 받아가지고 2층 식당으로 점심을 먹으러 가니 선배님들이 다시 만나게 되어 기쁘다며 따뜻하게 손을 잡아주었다. 점심시간을 두 시간이나 주었다. 오후에는 산업은행법과 일반 은행법에 대한 강의를 들었다. 그런대로 재미가 있었다.

오늘 하루 더, 아니 며칠 더 여관에서 자야 할 것 같다. 은행여관에 갔는데 9시까지 방에 불을 넣어주지 않았다. 그래서 주인을 찾아가서 말하니 2층 방으로 안내해 주었다. 잠자리에 누우니 온갖 회포가 엄습하였다. 요 며칠 동안 서울과 대구를 오가며 정신없이 바빴던 일들. 오늘 연수 첫날부터 우리 학교 애들은 촌티가 났다. 모두 잠바 차림이었다. 한 선배님은 '대구상고의 전통'이라고 하셨다. 작년과 재작년에도 우리들과 똑같은 복장이었다고 하셨다.

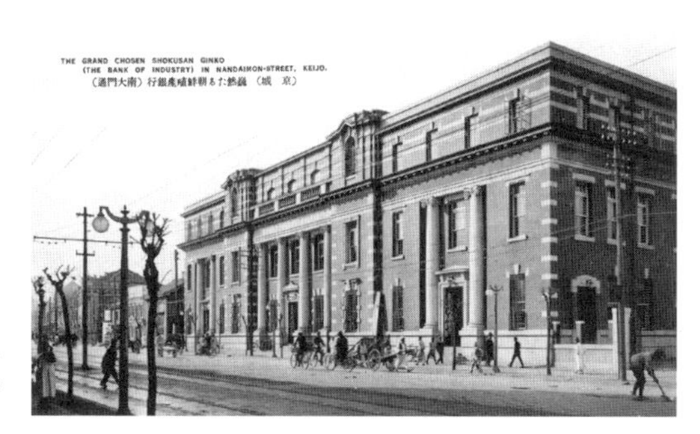

을지로 입구에 있었던 구 한국산업은행 본점*

2월 8일 (금) 눈

오늘도 눈이 내렸다. 서울 날씨는 듣던 대로 차갑다. 아침밥을 식당에서 사 먹고 은행에 나갔다. 출근부에 도장을 찍고 앞자리의 낯선 친구들과 이야기를 나누었다. 오전에 산업은행의 직제에 대한 해설과 취업 규칙에 대한 강의를 들었다. 오후에는 3시간에 걸쳐 '자기 계발 요령'이란 제목의 강의로 재미있는 시간을 보냈다.

어제부터 부산상고 출신인 이상대가 자기 하숙집을 소개하면서 한번 가보자고 하여 귀가 솔깃해졌다. 외환은행 합숙소에서 임시로 숙식을 하고 있는 순영이와, 친척 집이 불편하여 하숙집을 알아보고 있는 광일이에게 같이 가보자고 했다. 그래서 수업을 마치자마자 이상대를

* 출처 - 서울역사박물관 (https://museum.seoul.go.kr)

따라가려고 여관에 가서 돈을 낸 후 가방을 들고나왔다. 순영이는 서울역에 가서 고향에서 보내온 이불을 찾아가야 한다고 하여 같이 갔다. 서울역 안내계에서 화물취급소를 물어보니 서부역으로 가보라고 했다. 순영이가 물건을 내일 찾겠다고 했다. 568번 버스를 타고 상대가 소개한 화양리 하숙집을 찾아갔다. 어린이대공원 옆에 있는 하숙집의 주인 할머니가 좋아 보였다. 상대는 기타 학원에 간다면서 박종태와 함께 나갔다. 우리에게 주어진 방은 방바닥이 뜨거울 정도로 따뜻하였다.

〈추신〉 은행 담당자가 잠바를 못 입게 하여 어제 점심시간에 SY양복점에서 양복을 맞추었는데 오늘 가봉을 했다. (29,000원에 월부로)

2월 9일 (토)

하숙집의 아침밥을 먹고 나서 다섯 명이 화양동 파출소 앞에서 산업은행 통근 버스를 탔다. 이리저리 돌아서 약 40분 후에 은행에 도착했다. 9시가 되어 '환'에 대한 강의를 들었다. 약간 지루하였으나 서울에서 처음 맞는 주말을 기대하며 열심히 들었다.

오후에 광일이는 친척 집에 가서 짐을 갖고 오겠다고 하며 가고, 상대와 종태는 다른 볼일이 있다면서 먼저 갔다. 나와 순영이는 짐을 찾으러 서부역으로 갔으나 서부역의 위치를 잘 몰라서 길을 묻다가 결국 택시를 잡아타고 갔다. 서부역에서도 여러 곳에서 물어서 겨우 순영이의 짐(이불)을 찾았다. 무거운 짐을 버스에 실어 하숙집으로 가지고 왔다. 그리고는 피곤하여 따뜻한 방에서 잠을 잤다. 저녁때에 광일이도 짐을 싸 들고 하숙집으로 왔다.

저녁 식사 후 자리에 누워 이런저런 이야기를 하다가 여자 이야기를 시작하였다. 광일이가 먼저 자기가 사귄 여자에 관해 이야기를 들려주었다. 순영이도 자기의 연애 체험담을 진짜인지 가짜인지 재미있는 이야기를 털어놓았다. 즐거운 주말인데 내일은 무얼 하며 보내야 하나?

2월 10일 (일)

일요일이라 늦게 일어나서 느지막하게 아침을 먹었다. 오전에 방에서 쉬고 있으니 주인 할머니께서 점심으로 라면을 끓여 주셨다. 오후에 순영이와 같이 SY양복점에 양복을 찾으러 갔다. 그런대로 잘 맞는 것 같다. 처음 입어보는 양복이 몸에 어색하였다. 나도 오늘부터 젠틀맨(Gentleman)이 되는 건가? 그러나 와이셔츠는 아직도 마무리되지 않았다. 은행에서 잠바를 입지 말라는 독촉이 심하여 급히 양복을 맞춰 입어야 했다. 커버와 옷걸이 몇 개를 받아서 하숙집으로 돌아왔다.

2월 11일 (월)

은행에서 강의를 다 들은 후 동락 아저씨 댁으로 갔다. 어제 가볼까 했으나 가기가 싫어서 오늘 수업을 좀 일찍 마치고 신촌행 버스를 탔다. 모래내 정류장에서 내려 쉽게 아저씨 댁을 찾아갈 수 있었다. 댁에는 아주머니와 아이들이 있었다. 아주머니께서 편지봉투 하나를 주셨다. 대구에 가셨다가 보증인과 호적등본을 받아왔는데 대봉동 아저씨께서 식모를 구해 주셔서 오늘 저녁에 온다고 하셨다. 아주머니께서 시장 보러 나가실 때 같이 나왔다. 아주머니는 전보다 병세가 훨씬 나아진 것 같았다. 나는 시장에서 가죽 허리띠 하나를 사서 화양리로 오는 버스를 탔다.

2월 13일 (수)

오전에 증권에 대한 강의를 들은 후 점심을 먹으러 가려고 했다. 그때 명원이가 선배님들이 북문에 모이라고 했다고 하여 같이 나갔다. 북문에는 신 형과 박승평 씨 등 여러 선배님들이 기다리다가 우리를 일본요리 집으로 데리고 갔다. 일본요리 집은 처음 들어 와서 서먹서먹하였으나 선배님들을 소개받으니 '같은 동창이구나'하는 친근감이 들었다. 차장급인 28회 선배님으로부터 35회, 37회 등…….

특히 연수과에 계시며 항상 우리를 많이 나무라시던 분도 우리 선배님이었다. 모두 600원짜리 음식을 시켰다. 나는 매운탕을 시켰는데 얼마나 매운지 고기만 건져 먹었다. 선배 모두가 재미있어 보였다. 광일이는 대학 입학시험 관계로 빠졌고, 승도 형도 영남대 시험 때문에 참석하지 못하였다. 식사를 하고 밖으로 나오니 눈 녹은 물로 길이 질퍽하였다. 선후배가 함께 모인 자리는 정말 즐거웠다.

2월 16일 (토)

어제부터 오늘까지 7시간 동안 '대출'에 대한 몹시 지루하고 따분한 강의를 들었다. 점심을 먹고 나서 공중전화 박스에서 고향 친구 상우에게 전화를 걸었다. 그러나 상우는 바쁜지 전화가 연결되지 않아 집으로 가려고 나서는데 어떤 사람이 나의 소매를 붙잡는 것이었다. 고개를 돌려보니 많이 본 얼굴이라 무의식중에 악수를 했다. 고향 아랫동네에 사는 친구 같은데 이름이 금방 떠오르지 않았다. 그는 전화를 걸고 나올 테니 잠깐만 기다려 달라고 했다. 그가 전화를 걸고 나오더니 바쁘지 않으면 차 한잔 하고 가자고 했다. 그때 그의 이름이 떠올랐다. 금곡에 사는 원태희였다.

우리는 미도파 백화점 옆에 있는 다방에 들어갔다. 커피를 마시면서 내 얘기를 간단히 들려주었다. 태희는 어떻게 서울에 왔는가 하고 물으니 그는 국민학교를 졸업한 후 서울로 올라왔다고 했다. 일찍 서울에 올라와서 그런지 말투가 많이 다르다. 태희와 이런저런 이야기를 하다가 신방의 해관이가 서울에 와 있다면서 전화번호를 알려주었다. 태희도 오늘 오후에 다른 약속이 없다고 하여 같이 구경이나 하러 가자고 하니 그러자고 하였다. 둘이 명동을 거닐다가 남산 기슭에 있는 TBC 방송국으로 갔다. 그곳에서 이야기를 하다가 다시 명동으로 돌아와서 명동극장에 들어갔다.

명동극장에서는 중국 무협영화 '황사진'이 상영되고 있었다. 놀라우리만치 재빠른 동작으로 싸우는 남아의 기색이 일품이었다. 명동극장은 삼류 극장쯤 되어 보이는 곳으로 천정의 무늬가 벗겨지고 난방 장치도 되지 않아 추웠다. 그러나 대한의 남아가 태권도로 중국의 악당들을 물리치고 승리하는 것을 보니 기분이 좋았다. 극장에서 나와 분식집에서 국수를 한 그릇씩 먹었는데 식대는 태희가 지불했다. 태희와 헤어진 후 미도파 백화점 앞에서 버스를 타고 하숙집으로 돌아왔다.

2월 18일 (월)

오전에 지루한 담보에 대한 강의를 들었다. 점심 시간에 2층 식당에 식사를 하러 가니 자리가 없었다. 명원에게 조흥은행에나 가보자 하니 흔쾌히 응낙했다. 산업은행에서 10분 거리에 있는 조흥은행 본점에는 3반 친구인 신동구가 연수를 받고 있었다. 조흥은행 1층에서 수위에게 물어보니 13층에서 연수를 받고 있다고 하여 엘리베이터를 타고 12층까지 올라가서 13층으로 걸어서 올라갔다. 그런데 13층에서 광일이와 순영이를 만났다. 오전 수업을 마친 후 변소에 가는 줄 알았는데 둘이서 밖으로 나와 여기로 오다니. 오기가 나서 왜 너희들만 살짝 왔느냐 하고 물으니 모두 다 오면 번잡할 것 같아서 그랬다고 했다. 광일이는 동구가 지금 연수를 받는 중이고 배가 고프니 점심을 먹으러 가자고 하여 같이 엘리베이터로 타고 내려왔다.

점심식사를 한 후 동구를 만나러 다시 조흥은행으로 갔다. 1층에서 연수생들이 나오기를 기다리다가 광일이가 한 사람을 붙잡고 이야기를 하다가 우리 학교 출신 한 친구를 만났다. 처음 보는 그 친구는 동구가 있는 여관으로 우리를 데려갔다. 동구가 여관에 없어서 밖으로 나와 다시 조흥은행으로 가고 있는데 마침 동구가 오는 모습이 보였다. 그 친구가 동구와 천천히 이야기를 하면서 올 때 우리는 벽 틈에 숨었다가 동구를 깜짝 놀라게 했다.

우리는 동구가 묵고 있는 여관으로 같이 갔다. 여관에서 이런저런 얘기를 나누다가 2시 전에 산업은행으로 돌아왔다. 4교시에 순영이가 동구의 여관에서 가져온 『선데이 서울』을 보다가 연수과에 있는 선배에게 빼앗겨버렸다.

연수를 마치고 우리는 다시 동구가 머무르고 있는 여관으로 갔다. 거기에는 네 사람이 같이 지내고 있었다. 이야기를 하며 장난을 치다가 동구와 병학이와 같이 동구가 단골로 먹는 식당으로 가서 두부찌개 백반을 시켜 먹었다. 그리고 두 친구를 우리 하숙집으로 데리고 왔다. 동구는 가뜩이나 돈이 모자라 애먹고 있는 우리에게 '손님이 왔는데 가만히 있느냐?' 하면서 뭘 좀 사 오라고 다그쳤다. 그래서 없는 돈을 긁어 모아서 500원어치 과자를 사 왔다. 버석 과자, 빵, 엿, 사과, 뽀빠이 등 헐쩍한 것들을 잔뜩 싸 들고 순영이가 돌아왔을 때 고소를 금치 못했다. 아랫방에서 하숙하는 상대와 종태도 와서 같이 먹었는데, 상대가 조흥은행 친구들과 입씨름을 하다가 11시가 되어 술과 안주를 사 왔다. 약 두 잔씩 마시고 나서 동구는 자기들은 내일 오후에 연수를 받는다고 하면서 우리들을 못 자게 하겠다고 야단을 쳤다. 같이 누워서 이야기를 하다가 나는 상대 방으로 건너갔다. 상대가 보여주는 나체 사진을 보다가 잠을 잤다. 동구 녀석, 재미있고도 재미있는 놈이다.

2월 19일 (화)

어젯밤에 늦게 잔 탓으로 늦게 일어나 급히 세수를 한 후 얼른 밥을 먹고 옷을 입었다. 동구와 병학이도 우리 통근 버스를 타고 같이 갔다. 오후에 히말라야 마나슬루 봉에 직접 도전하였던 김정섭 씨가 직접 와서 히말라야 등반 이야기를 한 후에 '집념의 마나슬루'라는 영화를 시청하였다. 김정섭 씨는 '아무것도 없는 히말라야 산 꼭대기에 사람들이 죽어가면서 왜 올라가려고 하느냐?' 하는 질문에 우리 민족의 개척 정신과 탐험, 모험 정신을 기르기 위해 두 차례에 걸친 원정에 나섰으며, 세번째 도전도 계획하고 있다고 하였다. 1972년 4월에 조난 사고가 있었다고 하였다. 소형 막을 이용하여 강당에서 상영한 영화는 제2차 히말라야 원정 때 실제로 촬영했다고 하였다.

처음부터 조난을 당할 때까지 인부들을 모아서 짐을 나르고 험악한 산길로 올라가는 광경을 보여주었다. 특히 그곳 주민들과의 친선 경기와 축제 등 다양한 놀이도 재미있고, 원주민들의 식사 광경도 처음으로 보니 재미있었다. 산봉우리를 점령하겠다는 사나이들의 의지가 굳세어 보였고, 산모퉁이에서의 눈보라와 싸우는 광경도 눈에 선하다. 그처럼 건장하고 용맹스럽게 보이던 권오석 대장과 선발대 15명이 쏟아져 내려오는 눈사태에 먼지만 부옇게 남기고 끝내 숨어버리고 말았을 때 '참으로 자연의 힘이란 저렇게 거세고 크단 말인가?' 하는 생각이 들었다. 산봉우리가 빤히 보이는 지점에서 그런 조난을 당하다니 참으로 어처구니없는 일이다. 산악인의 의기와 기세를 배울 만하다.

2월 20일 (수)

오늘 연수 중 지루한 과목도 있었지만 오후에 영화와 슬라이드가 있어서 심심하지 않았다. 오후에 은행 내에서의 예의와 인사, 그리고 산업은행에 대한 내용이 담긴 슬라이드를 시청하였다. 약 1시간을 보고 나서 연수과 직원이 영화표를 나누어 주었다. '증언'이라는 영화를 본 사람은 손을 들라고 하여 나와 광일이가 손을 들자 순영이도 따라서 손을 들었다. 영화표를 나누어줄 때 안 본 사람에게만 표를 나누어주고 이미 본 사람은 개인행동을 해도 좋다고 하였다. 순영이는 우리를 따라 손을 들었다가 '증언' 영화도 못 보고 망하게 되었다. 영화를 안 보는 사람에게 영화표 값에 해당하는 돈을 주었으면 좋으련만…….

2월 23일 (토)

A반과 B반은 어제부터 광주군 미사리(현재의 강동구 미사리)에 있는 은행 연수원에서 1박 2일간 체육활동을 하러 갔다. C반과 D반은 은행 본점 강당에서 연수를 받았다. C반은 지폐, 즉 돈 헤아리는 것을 배웠고, 내가 속한 D반은 타자 학습을 받았다. 타자 학습은 예쁘장하게 생긴 아가씨가 가르쳐 주었다. 고교 1, 2 학년 때 나는 항상 타자 성적이 나빴다. 그녀가 시키는 대로 하니까 실력이 잘 느는 것 같다. 이렇게 몇 시간만 연습을 하면 나도 유능한 타이피스트가 될 텐데…….

구내식당에서 점심을 먹고 나서 광일이와 함께 어제 한일은행에 입사한 친구들과 약속한 대로 장춘여관으로 가 보자고 했다. 어제 점심시간에 우리들이 한일은행 친구들을 찾아갔다가 못 만나고 돌아오는 길에서 우연히 만나게 되었다. 모두 어린 티가 나는 얼굴에 핸섬하게 가다마이(양복)를 입어서 어린 신사들 같았다. 장춘여관을 찾아가서 108호실을 묻고 있는데 친구들이 벌써 문을 열고 맞아주었다. 이 여관에서 6명이 같이 지낸다고 하여 방에 들어가 이야기를 나누었다. 그들은 신입행원 연수를 1주일만 받는다고 했다. 하루 7시간씩. 찬홍이와 다른 한 친구가 체육복을 입고 있어서 월요일에 우리가 체육 활동을 해야 하니 두 개를 빌려달라고 하여 빌렸다. 나는 은행 연수 중에 배운 것을 다시 읽어보려고 받은 책들을 가지고 왔는데 들고 오려니 꽤 무거웠다.

미사리 연수원 2월 25일 (월)

먼젓번에 은행 연수원에 갔다 온 사람들과 교대로 오늘은 나머지 C반과 D반이 미사리 연수원으로 떠나게 되었다. 아침에 다녀온 사람들의 이야기를 심심찮게 들으면서 10시경 은행 버스를 타고 광주군 미사리로 출발하였다. 버스 한 대에 약 40명이 탔다. 버스에 생선과 휴지 등을 싣고 시외로 빠져나가면서 담당 대리가 수건을 한 장씩 나누어 주었다. 오랜만에 시외 바람을 쐬니 마음이 상쾌하다. 벌써 뒷좌석에서는 노랫소리가 흘러나오고 있다. 천호동을 지나 '광주'라는 팻말이 보이는 곳에서 가까운 거리에 산업은행 연수원(체육관)이 강변에 자리를 잡고 있었다. 약 50분간 버스를 타고 온 셈이다.

식당에 모여 담당자로부터 몇 가지의 훈시를 듣고 각자 지정된 방으로 들어갔다. 나는 301호실로 순영이와, 선린상고 출신인 상원이와 셋이 지내게 되었다. 체육복 차림으로 운동화를 신고 모두 체육관으로 모여들었다. 체육관은 아직 한기가 차서 손이 시리고 코가 차가웠다. 11시 반에 모여서 먼저 농구 시합을 했다. 내가 키가 크다고 하여 먼저 뛰게 했다. 차가운 실내에서 공을 갖고 다니고 있으니 몸에 열이 나고 덜 추웠다. 조금 뛰다가 다른 사람과 교체를 하고 당구 치는 것을 구경하였다. 조그만 키의 영태는 노상 당구만 치고 다른 놀이는 거들떠보지도 않았다. 12시가 넘어서는 자유롭게 자기가 하고 싶은 놀이를 했다. 나는 농구를 하다가 갑자기 날아온 축구공에 맞아 아프기도 했으나 농구가 재미있어서 아픈 것도 금방 잊어버렸다. 1시가 넘어서 점심을 먹었는데 늦게 간 바람에 인사부 대리 옆에 앉게 되었다. 그래서 조심스러워서 식사를 맘대로 먹지 못했다.

식사 후 3시까지 모이라고 하여 쉬려고 방으로 들어갔더니 다른 애들이 우리 방에서 장기를 두고 있었다. 광일이와 어금비금하게 장기를 두다가 체육관으로 가니 벌써 배구 네트가 세워져 있었다. 체육관 구조가 정말 멋진 것 같다. 다시 C반과 D반으로 나누어서 배구 시합을 했다. 나는 처음에 D반 전위를 서다가 우리 팀이 자꾸 점수를 먹게 되니 C반 애가 나와 자리를 바꾸자고 하여 C반으로 가서 게임을 했다. 세 세트까지 계속하다가 심판을 맡은 인사부 대리도 선수로 참여하여 같이 배구를 했다.

5시 이후부터는 각자가 좋아하는 운동을 하며 즐기는 시간이었다. 우연히 경북고 출신인 대리와 우리 학교 농구 선수였다는 키 큰 대리와 같이 농구공을 바케스에 던져 넣곤 하였다. 그러다가 배구를 하고 있던 광일이와 다른 키 작은 사람들이 농구를 하러 오기에 우리 패와 공 한 개를 가지고 시합을 했다. 공격 측과 수비 측으로 나누어 공격 측이 공격을 하다가 공을 뺏기면 수비 측이 공을 갖고 일정한 거리로 물러났다가 공격하기로 하였다. 처음에는 점수가 비슷하게 나가다가 나중에는 키가 큰 우리 편이 훨씬 우세해졌다. 경북고 출신 대리와 농구부 출신이라는 두 사람은 모두 골을 잘 넣었다. 20점까지 점수를 내고서 시합을 그만두었다. 세수를 하고 나서 저녁 식사를 했는데 음식 대우도 정말 좋다. 식사를 마치고 미란다와 콜라도 마셨다.

식사 후 우리 방으로 가보니 상대, 명원, 영태 그리고 타교 출신의 애들이 많이 와서 장기를 두고 있었다. 오늘 저녁에는 우리 방에서 놀려고 하는가 보다. 상대는 영태에게 연거푸 세 번이나 패하고 담배를 사 오기로 약속을 했으나 이행하지 않고 말씨름만 하다가 대졸 출신 동기들이 갖다준 화투와 술 한 병을 받아가지고 화투치기를 시작했다. 물론 노름이어서 나와 광일이는 빠져서 장기를 두었다.

9시가 되어 모두 식당에 모이라는 연락을 받고 식당에 가니 '밤찬'이라고 하면서 국수를 주었다. 국수를 먹고 나니 과자와 과일이 나와 실컷 먹고 방으로 돌아와 노름하는 것을 보다가 다시 장기판으로 갔다. 술을 두어 모금 마셔서 그런지 연거푸 세 번이나 광일이에게 지고 말았다. 화가 나서 그만두고 누워서 명원이가 화투를 치는 것을 응원하다가 12시가 지나서 혼자 이불을 뒤집어쓰고 잠을 청했다. 대학 출신 패들이 와서 같이 놀자고 하는 소리가 들렸으나 그대로 잠을 잤다. 방은 스팀을 많이 넣어주어서 매우 뜨겁고 후덥지근하였다.

2월 26일 (화)

예정 시간표에는 오전에 오락회를 한다고 적혀 있었으나 몇 시에 모이라는 구체적인 지시가 없었다. 그래서 아침 식사를 한 후 연수원 앞에 있는 강으로 가서 얼음 위에서 미끄럼을 타며 놀다가 상원이와 같이 강 건너 마을로 들어갔다. 상원이가 담배를 사려고 하여 이리저리 다니다가 겨우 가게를 찾아서 은하수 한 갑을 사 가지고 돌아왔다. 다른 사람들도 얼음 위에서 놀고 있었다. 아침 햇살을 받아 얼음이 꿍꿍거렸으나 구르는 돌로 차기 놀이를 하다가 넘어지곤 했다. 날씨는 제법 차다.

방으로 돌아와서 장기 두는 것을 구경하다가 12시가 되어 점심을 먹고 나서 1시경에 버스에 올라 서울로 향했다. 서울로 올 때는 연수원으로 갈 때와 다른 길로 오는 것 같았다. 특히 남산 터널을 지나올 때 터널이 정말 길다며 감탄을 했다.

은행으로 돌아와서는 지폐를 세는 교육을 받았다. 100원짜리 지폐 100장을 주면서 돈 세는 방법 두 가지를 가르쳐 주고는 계속 연습을 하라고 했다. 빳빳한 100원권을 세어보니 처음에는 잘 되지 않았으나 자꾸 연습을 하니 점점 숙달이 되었다. 우리나라 지폐의 질이 안 좋은지 손에 잉크 가루가 시퍼렇게 묻었다. 마지막에는 두 사람씩 누가 더 잘 세는지 시합을 시켰다.

2월 27일 (수)

오전에 '보안'에 대한 지루한 강의를 3시간 동안이나 들었다. 오후에는 음악 프로그램이 있었다. 은행 버스를 타고 약 40분쯤 걸려 변두리에 있는 어떤 집으로 들어갔다. 이곳이 산업은행의 음악관인지는 모르겠다. 금융1부에서 근무하시는 이상규 과장님이 지도를 했다. 처음 환영사부터 괴상하게 시작했는데 벌써 음대에 다닌다는 여학생들을 불러 놓고 있었다. 먼저 부르기에 좀 까다로운 산업은행 행가(行歌)를 배웠다. 행가 외에는 대부분 아는 노래라서 교재를 제쳐두고 오락을 했다. 이 과장님이 게임을 잘 리드했다. 노래를 부르면서 두 사람이 종이 칼로 상대방을 때리기도 하고, '딩동댕 게임'이라면서 잘 웃지 않는 두 사람이 코를 종(鐘)으로 삼아 서로 치기도 했다. 두 패로 나누어 서로 노래 많이 부르기를 하기도 했다. 이 편과 저 편이 계속해서 많은 노래를 가지고서 심판이 '그만!' 하면 다른 편이 노래를 해야 하는 식이었다. 이 게임에서 우리 편이 이겼다.

미란다와 콜라를 마시고 나서 이번에는 '괴수 찾기 놀이'를 했다. 술래가 밖에 나가 있을 동안에 괴수 한 사람을 정하여 방 안에 있는 사람들 모두가 그 사람이 하는 행동을 따라 하는 놀이였다. 재미있게 노느라 시간 가는 줄 몰랐다. 4시 30분쯤 되어 은행으로 돌아왔다.

2월 28일 (목)

오늘이 연수 마지막 날이다. 21일 동안 지겹기도 하고, 재미있기도 했다. 오늘로써 같이 지내던 친구들과 헤어져 자기 일터로 가야 하는가 보다. 오전에 1시간 동안 내규와 행보에 대한 강의를 듣고 나서 둘째, 셋째 시간에는 그동안 공부한 것에 대한 평가 시험을 쳤다. 3주간 배웠지만 잘 외우지 않고 복습도 하지 않았다. 그저께부터 연수 자료를 한 번 대충 훑어보고 치루는 시험이라 모르는 것이 더 많았다. 그저 생각나는 대로 적어냈다.

오후에는 앙케이트 비슷한 것을 적어 내었다. 그러고 나서 4시쯤 되어 오늘 저녁에 환영회가 있으니 5시 반까지 모두 모이라고 했다. 하숙집에 갔다 오면 늦을 것 같아서 강당에 있다가 종태와 같이 명동의 코스모스 백화점으로 놀러 갔다. 물건을 사지도 않으면서 구경만 하다가 은행으로 돌아왔다. 5시 반에 강당에서 모여 3층 식당으로 이동했다. 이미 음식이 마련되어 있었으나 부장, 이사, 총재가 오지 않아서 음식을 앞에 놓고 군침만 삼켰다. 6시가 넘어서 부장들이 하나씩 들어왔다. 조금 조용해지더니 또 떠든다. 인사부 직원의 말로는 인사 발령 관계로 늦어지겠다고 하였다.

6시 30분이 되어 총재를 앞세우고 이사들이 들어왔다. 먼저 인사부장님의 인사 말씀이 있고 난 뒤 김원기 총재님의 격려사가 있었다. 내일부터 행원이 되니까 첫째, 공부를 계속할 것과 둘째, 건강을 주의하라고 하셨다. 격려사에 이어 신입행원 대표로 홍승표 씨가 답사를 읽었다. 그리고 조병식 군이 직접 총재님에게 축배를 올리고 모두 같이 맥주를 마셨다. 그때부터 서로 술을 주고받으며 마시기 시작하였다. 안주와 요리들도 나오기 시작하고 맥주도 계속 가져왔다. 몇 잔을 들고나서 총재와 이사, 부장들이 퇴장을 했다. 그 후부터는 우리들 판이었다. 마이크를 가져와서 노래도 부르고 탁상을 두드리며 흥겹도록 놀았다. 나도 '놀 때는 실컷 놀자.'라는 생각으로 맥주를 실컷 마시고 나니 배가 불러 더 이상 음식을 먹을 수 없었다. 대졸자들은 술을 더 달라고 외치기도 했다. 8시 반쯤 되어 친구들과 같이 밖으로 나왔다. 그런데 오늘 저녁에 친구 상우와 만나기로 약속을 해 놓고 이런 사정으로 못 만났으니 내일 만나자고 화양리에 와서 상우 사무실로 전화를 거니, 상우가 식사를 하러 나갔다고 했다. 상우에게 내일 만나자는 전갈을 전해달라고 하고는 하숙집으로 돌아왔다.

3월 1일 (금)

공휴일이다. 삼일절이란 것을 실제로 알게 된 때는 아침에 하숙집 할머니께서 태극기를 들고 대문간에 달 때 였다. 이제 연수를 다 마쳐서 할 일이 없다. 조흥은행 연수를 마치고 서울 종로지점에 발령이 났다는 동구가 어제 저녁에 우리 하숙집에서 같이 잤다. 동구가 오늘 같이 놀러 가자고 했는데 상대는 오늘 영욱이와 동주가 오니 가지 말라고 했다. 우리는 학교 동창회를 하니까 꼭 가봐야 된다고 잡아떼었다.

늦은 아침을 먹고 나서 옷을 갈아입고 있는데 상대가 못 가게 하여 실갱이를 하던 중, 영욱이가 방문을 두드렸다. 영욱이는 공원 앞에서 동주를 만나 같이 오려고 했으나 오지 않아 혼자 왔다고 했다. 영욱이도 놀러가지 말라고 하다가 동주가 왔는지 나가 보자고 하여 모두 밖으로 나왔다. 마침 공원 앞에서 동주를 만났다. 동주는 하숙집을 못 찾아서 복덕방에서 물어서 찾아왔다고 했다. 그러자 영욱이가 순영이를 끌고 집으로 들어가 버렸다. 다시 동창회에 간다, 가지 마라 하며 실갱이를 벌이다가 하숙집에 들어가서 타협을 하자고 하여 다시 들어갔다.

우리는 영욱이와 오후 1시까지 돌아올 것을 약속하고 네 명이 집을 빠져나왔다. 그러나 막상 나와 보니 갈 데가 없어서 극장 구경을 가자고 하기에 나는 친척집에 가보겠다면서 빠져나왔다. 버스를 타고 종로까지 와서 우체국 앞에서 서울은행의 상우에게 전화를 걸었다. 상우는 서소문에서 7번 버스를 타고 홍익대학교 앞에 있는 서울은행으로 오라고 하여, 서소문을 찾았으나 어딘지 잘 찾을 수가 없었다. 법원 가는 골목으로 나가면 서소문일 거라는 추측으로 계속 걸어갔더니 문화방송국이 있기에 지나가는 사람에게 물어보니 방금 왔던 길로 되돌아가라고 했다. 할 수 없이 되돌아가서 서소문 버스 정류장에 가 보니 7번 버스가 드문드문 있는 것이었다.

7번 버스를 타고 겨우 홍대 앞에 있는 서울은행을 찾아갔다. 상우가 은행 뒷문을 열어 주었다. 2월부터 약 한 달 가량이나 서울에 있으면서 상우를 처음 만난 것이다. 2층 숙직실에 가서 같이 TV를 보니 무하마드 알리와 조 프레이저의 헤비급 권투 녹화 방송을 보고 있었다. 12회까지 재미있게 보고 나서 상우와 같이 식당에 가서 점심으로 곱창을 먹었다.

3시가 넘어 상우와 같이 택시를 타고 송백동 출신의 병희 형을 만나러 대방동 해군 본부로 갔다. 오늘 무슨 훈련이 있었는지 4시가 훨씬 넘도록 기다리고 있으니 병희 형이 나타났다. 병희 형은 상우를 보더니 반가워서 손을 한참이나 잡고 있으면서도 나를 알아보지 못하였다. 자리에 앉고 나서 상우가 '송백의 경문이다.' 라고 소개하니까 '야! 몰라보겠다.'라고 하면서 굉장히 기뻐하였다. 병희 형은 예전보다 많이 야위었고 덩치도 꽤 작았다. 오늘 3·1절 행사를 하고 나서 기합을 받았다고 했다. 그래서 늦게 나왔나 보다. 커피와 과자를 번갈아 먹으면서 시간 가는 줄 모르고 이야기를 했다. 병희 형은 내가 말수가 적으니까 말을 많이 해 보라고 권했다. 병희 형은 이번에 있을 인사이동 때 마산으로 내려갈지도 모른다고 걱정하며, 내가 발령이 나면 즉시 연락을 해 달라고 부탁을 했다. 5시 반경 병희 형에게 전화가 걸려오더니 6시경 형의 애인이 면회를 왔다. 예쁜 얼굴로 마음씨도 고와 보이는 여성이었다. 그녀는 시켜놓은 커피도 들지 않고 우리가 이야기 하는 것만 잠자코 듣고 있었다.

7시가 넘어서 병희 형과 작별 인사를 하고 나왔다. 그녀도 같이 나와서 같은 버스를 타고 명동으로 갔다. 그녀가 잘 안다고 하는 분식집을 찾기 위하여 명동을 한 바퀴 돌고서 분식집에 들어가 떡만두국을 시켜 먹었다. 분식집에서 오랫동안 이야기를 하다가 나는 청계천에서 헤어져 버스를 타고 하숙집으로 돌아왔다. 오다가 호빵을 사 갖고 집으로 왔더니 영욱이와 동주는 가고, 상대와 동구가 장기를 두고 있었다. 서너 차례 서로 엎치락뒤치락하며 장기를 두다가 12시가 넘어서 잠을 잤다. 오늘은 참으로 즐거웠던 하루다. 친구들에게는 좀 미안스러웠지만…… 상우가 돈을 많이 썼을 것 같다.

3월 2일 (토)

오늘은 결정적인 날인 것 같다. 총재로부터 직접 사령장을 받는 날이다. 평소처럼 일어나 아침을 먹고 은행으로 나갔다. 강당에 모여서 이야기를 하다가 10시쯤 되어 무슨 방인지 모르지만 특별한 방으로 안내되어 들어갔다. 우승기와 우승컵들이 많이 전시되어 있는 방에서 부르는 순서대로 차렷 자세로 서 있었다. 부장들이 먼저 들어와서 기다리고 있으니 곧 총재와 이사들이 들어왔다.

간단한 국민의례를 마치고 사령장을 나누어 주기 시작하였다. 총재가 읽는 것은 '사령장. 행원을 명함. 6급 1호봉을 급함.' 이것뿐이었다. '왜 발령은 내려주지 않나?' 하고 의아해 했다. 호봉에는 6급 1호봉, 6

급 7호봉, 5급 1호봉이 있었다. 사령장을 수여하고 난 후 총재님의 간단한 식사가 있었다. 그저께 말한 대로 공부를 계속할 것과 건강에 각별히 주의하라고 하셨다. 모두 다시 강당으로 돌아가서 발령이 나지 않은 것에 대해 투덜대고 있으니 인사부 직원이 1주일간 더 연수를 받을 것 같으니 월요일에 정상적으로 나오라고 했다. 뿔따굴이 났으나 친구들과 일찍 하숙집으로 돌아왔다. 모두 풀이 죽은 것 같다. 하숙방 계약이 지났는데도 오늘까지 있었으니 주인 할머니께 미안하기도 했다. 가까운 중국집으로 가서 같이 짜장면을 사 먹으면서 '어떻게 하면 좋겠느냐?' 하며 서로 의견을 나누었다. 나는 고향 친구 집에 가겠다고 하니 그게 좋겠다고 동의해 주었다. 다른 친구들은 방을 하나 얻자고 나섰다. 나는 짐을 대강 챙긴 후 아파 누워있는 종태에게 미안하다고 하고서 주인 할머니께 인사를 드리고 밖으로 나왔다.

공중전화로 상우에게 사정을 이야기하니 자기에게로 오라고 했다. 그래서 버스를 타고 서교동 서울은행으로 상우를 찾아갔다. 상우를 만나 은행에서 다른 직원들과 이야기를 하다가 5시가 되어서 신촌에 있는 상우의 하숙집으로 들어갔다. 그런데 방에는 상우 이불 하나밖에 없었다. 상우는 방을 나에게 맡기고 볼 일이 있다면서 혼자 밖으로 나갔다. 밖에 있는 분식집에서 저녁 식사를 했다. 혼자 집에서 상우 책상에 꽂혀있는 『별들의 고향』이라는 소설을 읽고 있으니 9시가 넘어서 상우가 맥주 몇 병을 사 들고 들어왔다. '우리 자축 파티나 하자.' 하면서 술을 들었다. 서로 술을 주고받으면서 이야기를 나누었다. 상우는 내가 있고 싶은 대로 있다가 발령이 나면 언제든지 나가도 좋다고 하였다.

밤늦게까지 술과 이야기를 주고받다가 12시가 다 되어 자리에 누웠다.

3월 3일 (일)

상우와 둘이서 모포 하나로 잠을 잤더니 아침에는 나 혼자 모포를 덮고 자고 있었다. 혼자 밖으로 나오니 강아지가 자꾸 깽깽거렸으나 나는 딱딱 소리를 내면서 세수를 했다. 이 집에서 신세를 지고 1주일을 보내야 하는가 보다. 주인에게는 인사도 하지 않고 집 구조가 어떻게 되어 있는지도 잘 모르겠다. 11시쯤 되어 상우와 같이 아침 겸 점심으로 곰탕을 먹었다. 1시 조금 지나서 모래내에 있는 동락 아저씨 댁으로 갔다. 모래내 시장에서 과자를 좀 사려고 이리저리 헤매다가 한 과자점을 발견하고 300원어치의 과자를 샀다. 과자점 앞에 빵집이 보여서 빵 100원어치를 달라고 했는데 엄청나게 많은 빵을 주어서 80원어치만 사 먹었다. 아저씨 댁에 들어가니 집에 아이들만 있었다. 아이들에게 물어보니 아저씨는 어딘가에 가셨고, 아주머니는 시장에 가셨다고 했다.

아이들과 같이 TV를 보면서 놀고 있으니 아주머니께서 들어오셨다. 사 가지고 온 과자를 드리니 돈도 없을 텐데 왜 사 왔느냐고 하시면서 땅콩을 내어 주셨다. 아주머니와 은행 연수받은 이야기와 인사 발령에 관한 이야기를 하다가 대현동 친구 집으로 방을 옮겼다고 전했다. 아주머니와 한참 이야기를 나누고 있으니 아저씨께서 돌아오셨다. 아저씨께도 그동안의 이야기와 인사 발령에 관한 말씀을 드렸다. 사령장을 받으면 거기에 근무지에 대한 내용도 포함되는 것이 보통인데 산업은행은 타 은행과 다른가 보다 하고 말씀하셨다. 아저씨께서 밖에 볼일을 보러 나가신다고 하여 같이 따라나서서 집으로 돌아왔다. 저녁에 신촌 시장으로 가서 얄팍한 이불 하나를 샀다.

희망하던 부서에 발령받다 3월 5일 (화)

지난 주말까지 모든 연수를 다 마쳤다. 어제처럼 오늘도 오전에는 그저 아무것도 하지않고 신입 행원들끼리 서로 이야기만 하면서 시간을 보내고 있었다. 점심을 먹고 나서 강당으로 가니 홍승표 씨가 오늘 오후 늦게 인사 발령이 날 것이다라고 했다. '그러면 그렇지. 차라리 울산으로 보내줘도 빨리 발령이 나면 좋겠다.'라고 생각했다. 오후 3시 반쯤 되어 인사부 직원들이 오더니 '지금부터 인사 발표를 하겠다.'라고 하면서 모두 자리에 앉으라고 했다. 인사부를 시작으로 각 부서에 발령된 사람들의 이름을 차례로 발표하였다. 발표할 때마다 마음을 졸이면서 모두 마음속으로 기도를 올리고 있는 것 같았다. 우리 대구상고 동기 중에는 순영이가 가장 먼저 호명되었는데 업무부로 발령이 났다. 그다음은 광일이가 기업분석부로 배치되었고, 나는 외국부로 발령이 났다. 지난주에 인사과에서 본인이 희망하는 부서나 지점을 써내라고 할 때 나는 제1지망과 제2지망을 모두 서울 본점으로 하고, 본점의 외국부를 희망한다고 써내었다. 제3지망도 본점으로 했으니 본점으로 발령이 날 것은 틀림없다고 믿고 있었다. 과연 내가 원하는 곳으로 발령이 났으니 이젠 잘하든 못하든 간에 열심히 부딪혀보는 수밖에 없다.

본점의 인사 배치가 끝난 후 각 지점 발령자에 대한 발표가 있었다.

부산상고 출신인 상대와 종태는 모두 부산지점으로 발령이 났고, 청주상고 출신자는 청주지점으로 발령이 났다. 우리의 관심사였던 대구지점에는 경북대 출신인 장서규 씨가 발령을 받았고, 영태는 울산지점으로, 명원이는 삼척지점으로 발령이 났다. 발표가 끝난 후 모두 자기 이름과 발령 부서를 확인하고 도장을 찍었다. 조금 있으니 인사부장님이 와서 그동안 교육을 받느라 수고 많았다고 치하하시면서 각 부서와 지점에서 충실히 일해줄 것을 당부하셨다.

지점에 발령받은 사람들을 제외하고 인사부 직원이 신입 행원들을 데리고 다니면서 본점 각 부서의 위치를 알려주었다. 외국부에는 네 사람이 가게 되었는데 고졸 출신은 나 혼자였고, 나머지는 모두 대졸 출신자들이었다. 고려대 출신의 신체 건장한 오건환 씨, 서강대 출신의 박명규 씨, 그리고 성균관대 출신의 신광철 씨. 서로 인사를 나누고 잘 지내자고 하며 악수를 했다. 외국부에 가니 한 분이 부장실에서부터 각 과를 돌아다니면서 우리를 소개해 주었다. 오건환 씨와 이명규 씨는 이미 촉탁으로 근무하여서 인사를 시키지 않고 나와 신광철 씨 둘만 직원들에게 소개시켜 주었다. 특히, 여자 행원들에게는 잘 보여야 한다며 농담도 했다. 대리님들에게 인사를 하니 도리어 자기를 잘 봐 달라고 해서 무안했다. 약 20분 동안 이리 저리를 다니면서 인사를 한 후 빈 자리에 앉았다. 오늘은 첫날이니 일찍 퇴근하라고 하여 인사를 드리고 밖으로 나왔다.

저녁에 잠시 함께 지내고 있는 상우 하숙집으로 갔다. 맥주 두 병과 과자 몇 봉지를 사서 자축 파티를 하려고 기다렸으나 밤이 깊도록 상우는 오지 않았다. 11시가 다 되어 상우가 나타났다. '오늘 서울 본점으로 발령이 났다.'고 하니까 '정말 잘 되었다.' 라고 축하하며 내 손을 굳게 잡았다. 둘이서 맥주를 주고받으며 신입 행원이 처음 일을 할 때 주의할 점과 은행 업무 중에 실수를 할 경우 대처 방법 등에 대하여 물어보았다. 12시가 넘어서 자리에 누웠다.

3월 6일 (수)

처음으로 산업은행에 일하러 나갔다. 아직 외국부 내에서 발령이 나지 않아 빈자리에 앉아 있었다. 심심하여 책을 읽고 있으니 잔심부름을 시켰다. 금융1부에서 근무하고 있는 승도 형이 주판을 놓아 달라고 하여 오후에는 지겹도록 주판을 들고 계산을 하였다. 그저 별일 없이 하루를 보냈다.

3월 7일 (목)

오늘도 빈자리에 앉아서 수출입 절차 등 무역에 대한 책을 읽었다. 오후에 외환과로 자리를 배정받았다. 같이 연수를 받았던 대졸 출신 이명규 씨도 바로 내 옆에 자리를 잡았다. 점심시간에 같은 부서에 근무하고 있는 선배님들(대구상고 38회 최희준 씨와 40회 이대우 씨)이 같이 식사를 하러 가자고 하여 따라 갔더니 중국집으로 데리고 갔다. 몇 가지 튀김 요리를 곁들인 점심을 먹고 나서 다방으로 가서 커피를 마셨다. 두 분이 다방에서 바둑을 두는 것을 보고 먼저 사무실로 돌아왔다.

3월 9일 (토)

외국부에 온 후 처음으로 맞는 주말이다. 왜 그런지 기쁘기만 하다. 어제 처음 근무를 하면서 주위의 사람들로부터 장부 정리를 하면서 잔액을 내 달라는 등 여러 가지 일로 심심찮은 시간을 보냈다. 또 과장님께서 부르셔서 여러 가지를 묻더니 공부를 계속하면서 직무에 충실히 하라고 타이르셨다.

어제와 오늘은 학교 선배이신 이대우 씨로부터 업무를 인수 받으며 처음으로 '특수 계정 명세서' 라는 것을 배웠다. 이것은 재무부와 한국은행에서 부탁해 온 것인데 생긴지 얼마 되지 않아서 1972년 12월부터 1973년, 1974년 현재까지 모두 다 정리해야 되어 꽤 바빴다. 그리 복잡한 것은 아니었지만 예전의 것을 정리해야 되어 시간이 많이 걸렸다. 이렇게 하나씩 배워야 하는가 보다.

오늘 농협의 동락 아저씨에게 전화를 했다. 본점 외국부 외환과에 자리를 잡았다고 말씀드리니, 친척이자 친구인 하도의 동용이가 서울에 올라와서 아저씨 동생 댁에 있으니 나에게 같이 지내는 게 어떠냐 하고 물으셨다. 그렇게 하겠다고 하니 오늘 자기 집으로 오라고 하셨다. 대현동 하숙집으로 가서 점심을 먹고 모래내 아저씨 댁으로 갔다. 아저씨께서는 아직 집에 오시지 않았다. 아주머니께 말씀을 드리니 명희가 오면 같이 가 보라고 하셨다. TV를 보면서 이야기를 나누고 있으니 아저씨께서 오시더니 동생 집의 약도를 그려 주셨다. 새집 짓는 곳에 가신다는 아저씨와 함께 길을 나섰다. 아저씨께서 약도에서 알려 주신 대로 따라가니 합정동이 그리 멀지 않았다. 동생인 동규 아저씨 댁은 제2한강교(현재의 성산대교)를 건너기 바로 앞에 있는 로터리 부근에 있었는데 약도 대로 가니 쉽게 찾을 수 있었다.

집으로 들어가니 동용이가 나를 알아보고 손을 덥석 잡았다. 방으로 들어가서 아저씨와 아주머니께 인사를 드리고 찾아온 용건을 말씀드렸다. 동규 아저씨께서는 형님으로부터 전화를 받았다고 하시며 불편하더라도 자기 집으로 들어오라고 하셨다. 이 집 분위기는 동락 아저씨 댁과 확실히 다르다. 가족으로는 네 살짜리 지환이와 두 살쯤 된 여자아이 진, 그리고 식모 아이가 있었다. 다른 방 몇 개는 세를 주고 있다고 하셨다. 오랫동안 함께 이야기를 하다가 저녁을 먹고 내가 머물 하숙방으로 가보니 아직도 물건들이 가득 차 있었다. 페인트 통이니 불 조심하라고 하셨다. 동용이와 오랫동안 이야기를 하다가 10시쯤 대현동으로 돌아왔다. 11시쯤 되어 상우는 중학교 동창인 종표라는 사람과 같이 들어왔다. 셋이 술을 같이 마시며 이야기를 하다가 12시가 넘어서 자리에 누웠다.

3월 10일 (일)

상우는 오늘 입행 동기생들이 모여 놀기로 했다고 하면서 아침 일찍 집을 나가고 나와 종표는 늦게까지 잠을 잤다. 종표는 9시쯤 약속이 있다면서 집을 나갔다. 아침 식사를 하고 싶지도 않고 돈도 별로 없어서 집에서 『별들의 고향』 책을 읽다가 11시가 되어 집 앞에 신장 개업한 식당에 들어갔다. 중국집으로 깔끔하게 잘 차려져 있었다. 식사를 주문한 후 기다리고 있는데 한 여자가 들어오더니 남자들과 말다툼을 벌였다. 그녀는 손님들이 있는데도 아랑곳하지 않고 흡사 주인이 직원을 꾸짖는 것처럼 언성을 높이며 알아듣지도 못하는 중국말을 씨불여대었다. 나가버릴까 하다가 비빔밥이 나와서 먹었다.

집에 돌아와서 물건들을 정리하여 트렁크 속에 집어넣고, 가방에도 꼭꼭 쑤셔 넣었다. 나의 짐을 한 번에 다 갖고 갈 수 없을 것 같고, 상우가 6시경에 들어온다고 했으니까 다시 와서 인사라도 해야겠다고 생각하면서 가방과 트렁크만 가지고 합정동으로 왔다. 아주머니께서는 점심은 먹었느냐 하면서 반겨주셨다. 옷과 짐을 대충 정리한 후 동용이와 이야기를 하다가 4시경 남은 짐을 갖고 오겠다며 대현동으로 갔다.

상우를 기다리면서 '별들의 고향' 책을 다 읽었는데도 상우는 오지 않았다. 밖으로 나가 빵을 몇 개 사 가지고 와서 먹었다. 사람을 기다리는 게 이렇게 지루할 줄은…….

10시가 넘어서 편지를 써 두고 집을 나섰다. 상우에게는 미안하지만 아저씨께서 걱정을 하실 것 같았다.

과(課) 회식 3월 11일 (월)

오늘 우리 외환과에서 다른 부서로 가는 분들을 위한 송별식과, 새로 온 사람들을 위한 환영식을 겸해서 회식을 한다는 통지를 받았다. 이대우 선배님께서 가르쳐주는 보고서를 대충 만들어서 보고를 한 후 저녁 6시가 되어 예약된 식당으로 갔다. 벌써 몇 분이 와서 '교과서'라는 화투를 치고 있었다. '고스톱'이라고 하든가, 처음들어보는 노름을 하는 것을 옆에서 구경을 했다. 내가 아는 '육백'이나 '민갑'은 전혀 아니다. 툭툭 화투를 치는 것 같더니 이내 끝났다면서 200원씩 주고 받는다. 조금 있으니 여행원 안미래 씨와 이경례 씨가 오고, 이강희 과장님과 대리님들도 오더니 화투를 한 모 더 받아서 치기 시작했다.

맥주를 시키고, 튀김도 시켰으나 나와 여행원들을 제외하고는 화투치기에 바빠 음식도 먹지 않는다. 6시 반쯤 되어 화투치기를 그만두고 모두 자리에 앉아 축배를 들었다. 닭튀김, 새우튀김 등 이름도 모르는 요리들이 들어왔다. 서로 주고받는 술이 한이 없이 이어졌다. 내 옆에 앉은 미스 안이 너무 많이 마시지 말라면서 상 밑에다 맥주잔을 두며 여기에 술을 부으라고 했다. 매실 고량주, 빼갈 등 생전 처음 마셔보는 술이지만 별로 취하지 않았다.

거의 모두가 거나하게 취했을 때 안미래 씨부터 노래를 부르기 시작하였다. 나는 '고향 아줌마' 노래를 불렀다. 계대교 대리님은 좀 웃겼으나 얼마 안 가서 술에 취해 정신이 없었고, 이00 대리님은 술이 몇 잔 들어가자 '지각하거나 자리를 비우는 놈은 용서하지 않는다.' 하며 언성을 높였다. 모두 노래를 한 곡씩 부르고 나서 계산서를 가져왔는데 그것을 본 임형구 씨는 주인 마담과 바가지를 씌운다며 한바탕 했다.

여행원들을 먼저 집으로 보낸 후, 오늘밤에 숙직을 해야 한다는 계 대리님을 은행까지 모셔다드렸다. 그리고 나서 2차로 술을 마시러 한 맥주 홀에 들어갔다. 그 홀에서 맥주를 마시면서 나의 직속 상사인 안영윤 대리님과 이야기를 나누었다. 고향이 북한이라고 하신 안 대리님은 나를 처음 봤을 때부터 퍽 마음에 들더라는 말도 하시면서 대학에서 공부를 꼭 해 보라고 권유하셨다. 맥주 홀에서 나와 3차를 가자고 하는 것을 피해 집으로 오니 벌써 11시가 넘었다. 처음 참석해 본 과 회식이 그런대로 재미있기도 하고 싱겁기도 했다. 하여튼 이것이 내가 입행 후 처음 겪어보는 과(課) 회식임에 틀림이 없다.

3월 12일 (화)

대현동 상우 하숙집으로 가서 옷을 가져왔다. 퇴근 후 버스를 타고 가니 상우는 아직 오지 않았다. 잠바의 오른쪽 어깨가 조금 해어져 있었고, 운동화도 지저분했으나 그대로 가방에 넣었다. 밖에 나와서 버스를 타려고 하다가 공중전화로 상우에게 전화를 걸어보니 벌써 퇴근했다고 한다. 다시 상우 하숙집으로 가려고 하는데 누군가 어깨를 툭 쳤다. 돌아보니 상우였다. 왜 좀 더 기다리지 않고 가느냐고 하면서 저녁을 같이 먹자고 하여 가까운 식당으로 들어갔다. 식당에서 일요일부터 있었던 이야기를 대강 해 주었다. 내가 나온 일요일에 상우는 거의 12시가 다 되어 집에 들어갔다고 했다. 상우에게 직접 말도 하지 않고 나와서 미안하다고 하니 상우는 처음부터 내가 나가고 싶을 때 언제든지 나가라고 했다고 하면서 너무 신경 쓰지 말라고 했다. 저녁 식사를 하고 나서 상우와 헤어져 합정동 하숙집으로 왔다.

작은형님과 병희 형

3월 13일 (수)

오후 5시가 지나 퇴근을 하려고 준비를 하고 있는데 전화가 걸려왔다. 앞자리에서 나를 찾는다는 말을 듣고 전화를 받으려고 하는데 다른 과에서도 급히 나를 불렀다. 그래서 그쪽으로 가서 전화를 받았다. '여

보세요?' 하는데 어디선가 많이 들어본 음성 같은데 말소리가 분명하지 않았다. '누구세요?' 하고 물으니 '나 용돌이 형이다.' 하기에 얼마나 반가운지…… 그런데 몇 마디를 못하고 전화가 뚝 끊어져 버렸다. 얼마나 아쉬운지 전화를 받은 그 자리에 한참 서 있었다. 다시 내 자리에 와서 정말 용돌 형님인가 하고 생각해 보았다. '다시 전화하겠지……' 하며 생각에 잠겨 있는데 상우에게 전화가 왔다. '전에 빌려준 돈을 오늘 돌려줄까?' 하고 묻길래, '오늘은 형님에게 전화가 와서 못 가겠고, 다음에 한 번 찾아가겠다.'고 하면서 전화를 끊었다.

5시 20분이 지나서 다시 다른 과에서 전화를 받으라며 나를 불렀다. 전화를 받아보니 용돌 형님의 목소리다. 먼저 어디 있느냐 하고 물으니 서울역에 있다고 했다. 남대문에서 만날까 하고 생각하다가 내가 서울역으로 가겠다고 했다. 급히 시청을 거쳐 서울역으로 달려갔으나 형님이 잘 보이지 않았다. 역 광장을 둘러보고 대합실을 다녀보았으나 여전히 안 보였다. 이상하다 싶어서 다시 대합실로 찾아가 보니 형님이 거기서 두리번거리고 있었다. 야! 얼마나 반가운지! 객지에서 고향 친구를 만나도 반갑지만 친형제와의 만남은 말로 표현할 수 없을 정도로 반가웠다. 형님과 같이 저녁식사를 하자고 하니 해군본부에 있는 병희에게 면회를 가자고 했다. 같이 가면서 형님의 이야기를 들어보니 오늘 외출증을 받아서 먼저 해병대에 있는 정달이 형을 만나고 병희 형과 나를 만나려고 했다는 것이다. 그런데 정달이 형이 아파서 혼자 왔다고 했다.

대방동에서 버스에서 내려 공군본부를 거쳐 해군본부를 물어서 찾아갔다. 담배 한 갑을 사 들고 정문을 돌아 해군병원 쪽으로 가서 면회를 신청하니 시간이 늦어 면회가 안된다고 하더니 병희 형을 불러주는 것이었다. 고맙다면서 담배를 주니 그러면 안 된다고 하면서 담배를 주머니에 집어넣었다. 면회소에 들어가니 면회 온 사람들로 왁자지껄하였다. 콜라를 시켜서 마시고 있으니 관리를 맡고 있는 담당자가 병희 형이 목욕하러 갔다고 전해주었다. 언제 만날 수 있을까 하고 걱정하다가 형님이 배고플 것 같아 우동을 곱빼기로 시켰다. 밖에서 먹는 우동과 달리 면이 굵고 맛이 없었으나 양은 엄청 많았다. 너무 양이 많아서 형님에게 덜어 주었다.

식사를 하고 있으니 병희 형이 목욕을 갔다가 오면서 면회실을 거쳐 가다가 우리를 보고 너무나 반가워하였다. 용돌 형님을 보고는 눈물을 흘릴 듯이 기뻐하며 커피를 주문하였다. 식사는 했느냐 하고 물으니 했다고 하면서 잠깐만 기다리면 상사에게 보고를 하고 오겠다면서 뛰어갔다. 나는 과자를 더 사 왔다. 곧 병희 형이 와서 작은형님과 만나지 못했던 1년 6개월 동안의 여러 가지 이야기를 계속하였고, 작은형님도 부대 이야기 등 가슴에 품었던 이야기보따리를 풀었다. 병희 형은 이번에 마산으로 갈 뻔했다고 하면서 서울에 머물게 된 것이 너무 좋다고 했다. 그러면서 최근에 포경수술을 해서 몸이 야위었다고 하니, 형님도 정달이가 못 나온 것은 포경수술을 했기 때문이다고 했다. 나는 포경수술이라는 말 뜻도 잘 모르겠다.

시간 가는 줄 모르고 이야기꽃을 피우고 있는데 보초가 전화로 빨리 나오라고 한다. 나가겠다고 하면서도 계속 이야기를 하다가 두 번째 나오라는 말을 듣고서 자리에서 일어났다. 병희 형과 헤어진 후 택시를 타고 하숙집으로 오는 길에 시장에서 맥주와 과자를 샀다. 집에 와서 아저씨에게 군대에 있는 형님이 외출을 나와서 같이 왔다고 하면서 소개를 했다. 아저씨께 맥주를 권하니 감기가 들어 못 마신다고 하여 동용이와 셋이 맥주를 마셨다. 거실에서 TV를 보면서 이야기를 하다가 9시가 지나는 것을 보고 우리 방으로 들어와서 자리에 누웠다. 누워서도 계속 이런저런 이야기를 했다. 오늘은 돈을 많이 썼다. 무려 3,500원쯤 쓴 것 같다.

3월 14일 (목)

어젯밤에 밤이 늦도록 형님과 많은 이야기를 나누었으나 못다 한 이야기가 있어서 오늘 아침에도 계속 여러 가지 이야기를 했다. 아침 식사를 한 후 형님과 같이 집을 나섰다. 형님은 청량리에 있는 병희 형 집에 인사를 가겠다고 했다. 오후 2시가 되어 형님이 은행 정문에 있다면서 전화를 했다. 곧 밖으로 나가보니 형님이 북문에서 기다리고 있었다. 4시까지 귀대해야 한다면서 버스를 타러 가려고 했다. 부근에 있는 빵집에 가서 토스트와 콜라를 시켰다. 형님은 큰형님 결혼식 때 내려가려고 하니 여비를 좀 달라고 하여 3,000원을 드렸다. 결혼식에 갈 때 사진기도 빌려 가겠다고 하였다. 형님은 시골에 갈 때 전화를 꼭 하겠다고 하면서 서둘러 버스를 타러 갔다.

3월 16일 (토)

어떤 신문에 난 녹음기 판매 광고를 보고 오후에 종로 신신백화점에 있는 레코드 사를 찾아갔다. 주인은 3개월 월부로 하되 선금 5,000원을 주면 물건을 인도하겠다고 하였다. 판매 마감일이 내일이라고 하여 선금 500원만 주고 일단 예약을 해 두었다. 녹음기 대금은 상우에게 빌려준 돈으로 찾을 생각이다. 그곳에서 나오다가 안경점에 들어가서 색안경을 맞추었다. 4,500원으로 꽤 비싼 편이다. 가게를 나오면서 생각하니 너무 많이 준 것 같다. 오늘은 돈을 너무 많이 썼다. 거의 10,000원 정도를 썼으니까…….

3월 19일 (화)

엊저녁에 술이 취해서 들어온 동용이가 이제 정신이 좀 들었나 보다. 아침에 출근을 하면서 오늘 학교에 못 가겠으면 그저께 주문한 녹음기가 올 테니 꼭 받아 두라고 부탁을 했다.

은행에 나가니 공교롭게도 옆자리의 김민식 씨가 부친상으로 열흘간 결근을 하게 되었다. 그래서 그분이 처리하던 일을 내가 맡아서 해야만 되었다. 부서의 전표를 모두 받아서 총괄을 하는 일이었다. 몇 번이나 총괄표 양식을 찢은 후에 겨우 완성하였다.

퇴근 후 안경점에서 안경을 찾아 집에 와 보니 동용이가 녹음기를 받아 두었다. 몇 마디를 녹음하여 들어보고는 어린아이처럼 기뻐하였다. 녹음기는 영어 회화를 배우려고 산 것이다.

3월 21일 (목)

은행에 취직하고 나서 처음으로 맞이하는 봉급 날이다. 총무과 미스 박이 내 월급이라고 하면서 던져주는 월급봉투를 받고는 크게 실망을 했다. 월급이 5만 원쯤은 되리라고 생각을 했는데 38,000원이 들어 있었다. 월급명세서를 보니 직책 수당과 시간 외 수당을 합하여 44,000원인데 공제액이 6,000원이었다(SY양복점에서 1,000원을 받아 감). 이 돈으로는 시골에 한 번 내려가기만 해도 다음 월급날까지 빠듯하게 살아가야 할 것 같다. 예금해야겠다는 생각을 하다가 나중에는 책상 속의 월급봉투에 더욱 신경이 쓰였다. 정기적금이고 뭐고 다 헛된 생각이었나 보다. 기뻐해야 할 월급날이 사뭇 수수하다. 퇴근 버스를 기다리는 나에게 이 대리님은 일찍 퇴근하는 게 낫다고 충고하셨다.

3월 22일 (금)

안미래 씨가 점심을 사 주겠다고 하여 이경례 씨와 셋이 미도파 백화점 6층에 있는 음식점에 갔다. 식사 후 다방에서 커피를 마시며 이런 저런 이야기를 나누었다. 미도파 백화점을 내려오다가 전시 중에 있는 인형전을 구경하였다. 드골, 케네디를 비롯한 유명 인물과 토인, 무당, 귀신의 모형들이 전시되고 있었고, 목 잘린 사람의 피투성이 모습을 실감 나게 만들어 놓기도 하였다. 안미래 씨는 인형을 만져보고 두드려 보기도 했으나 이경례 씨는 무섭다면서 전시장을 금방 빠져나갔다. 어쩌면 저렇게 생생하게 잘 만들었을까 하며 감탄했다.

도봉산 등산

3월 24일 (일) 맑음

어제 오후에 미스 리(이경례 씨)가 임형구 씨, 이명규 씨 등 외국부 직원 여러 명에게 '내일 산에 놀러 가지 않겠느냐?' 하고 물으며 다녔다. 나에게도 물어서 내일 다른 약속이 없으니 가겠다고 하니 회비로 500원을 내라고 하였다. 그리고 아침 9시 반까지 종로 5가에 있는 효제국민학교 앞으로 나오라고 하며 약도를 그려주었다.

일요일이라 늦게 일어나 9시쯤 아침 식사를 하고 나니 시간이 촉박하였다. 얼른 잠바를 걸치고, 벽에 걸려있는 모자를 집어 들고 뛰어나가 종로로 가는 버스에 올라탔다. 시간이 얼마나 빨리 가는지 9시 45분에 겨우 효제국민학교 앞에 도착하였다. 임형구 씨와 미스 리가 등산복 차림으로 맞아주었다. 조금 있으니 '미스 허'라는 조그만 아가씨가 빨간 모자를 쓰고 나타났다. 혹시 이명규 씨가 올까 하고 10시까지 기다리다가 우리는 의정부 행 버스를 탔다. 연세가 드신 어른 두 분도 동행하였다. 의정부시에 못 미쳐서 모두 버스에서 내리니 좌우에 도봉산과 수락산이 우뚝 솟아있다. 도봉산으로 향하는 길에는 많은 등산객들이 북적이고 있다. 산 입구에서 두 아가씨가 가슴에 '산불조심'이란 걸 달아주었다. 질퍽거리는 길을 따라 올라가며 이야기꽃을 피우다가 빈대떡 한 조각에 소주 한 잔을 마시고 다시 산으로 올랐다. 절간을 지나 산 중턱으로 오르니 등산객들이 물을 받느라 비닐봉지를 가지고 줄을 서 있는 곳에서 맥주 깡통 하나를 사 들고 쉬다가 본격적으로 등산을 시작하였다.

산등성이로 계속 올라가니 바위 사이에 집이 하나 보이기에 무슨 집이냐고 물어보니 예전의 군부대 통신대 건물이라고 했다. 고개 위에는 조그만 밭이 두 개 보였다. 숲을 지나서 산 아래 방향으로 내려가니 탁 트이는 경치 좋은 고개가 있었다. 거기서 경치를 구경하면서 사과를 먹었다. 산의 모습이 꼭 어떤 동양화에서 보았던 그런 모습이다. 동양화 그림처럼 우리나라 산이 저렇게 아름답구나 하는 생각을 했다. 두 어른들이 산세를 살피는 동안 나는 미스 리에게 저분들이 산업은행에 근무하는 분들이냐고 물어보니 한 분은 우리 은행에서 퇴직하신 분이고, 한 분은 수위 아저씨라고 했다. 산세를 대강 훑어보신 두 분은 계곡으로 내려가자고 하면서 길을 안내했다. 길옆에는 진달래 나무와 다른 나무들이 우거져 있었고, 사람들이 많이 다니지 않는 사잇길이 있었다. 나는 시골에서 산에 자주 다녀서 익숙하게 나무를 헤치고 나갔으나 여자분들은 항상 뒤따라오다가 아직 눈이 남아있는 언덕에서 넘어지기도 했다. 올해의 마지막 잔설인 것 같아 밟으니 뽀드득뽀드득 소리가 나서 재미가 있었다. 계속 계곡을 내려가니 큰 바위가 있는 곳에 물이 조금 고여 있었다. 거기서 점심을 해 먹자고 하여 짐을 풀었다. 물이 더 많은 곳이 있나 하고 찾아보다가 한 바위 아래로 물이 똑똑 떨어지고 있는 것을 발견하였다.

각자 갖고 온 쌀과 양념, 고기 등을 내놓을 동안 나는 물구덩이에서 낙엽을 깨끗하게 치워 두었다. 먼저 쇠고기를 꺼내어 불고기를 만들었다. 산에서 먹는 불고기 맛이 너무나 좋았다. 한 번은 가장자리를 누르다가 고기를 엎지르기도 했다. 장난을 치며 주고받아 먹으니 재미도 있었다. 연세 많은 어르신은 직접 된장찌개를 끓이셨다. 여러 개의 버너에서 두 개는 밥을 짓고, 하나는 된장찌개를 끓였다. 밥이 다 된 후에는 두 개의 버너에 찌개를 끓였다. 김에 밥을 싸서 찌개와 같이 먹으니 맛이 참 좋다. 수저와 그릇은 미스 리가 챙겨주었다. 이럴 줄 알았으면 등산 장비라도 미리 구해 두는 건데…….

밥 두 공기를 맛있게 비우고 나니 더 먹을 수가 없었다. 남은 밥을 숭늉으로 만들어 끓여 먹고, 디저트로 사과와 귤을 먹었다. 임형구 씨는 별명이 '허 생원'이라고 하는 미스 허가 나에게 너무 잘 해 준다고 농담조로 불평을 했다. 식사 시간은 참으로 즐거웠다.

배낭을 챙겨서 다시 길을 떠났다. 숲속 사잇길을 헤쳐나가 보니 탁 트인 길이 나타났고, 마치 곰보처럼 생긴 바위 하나가 앞에 우뚝 서 있었다. 조금 더 내려가니 폭포가 나타났다. 연세 드신 어르신은 여기에 여러 번 와 봤다고 하셨다. 폭포 위 물이 조금 흐르는 곳에서 미스 리는 비누를 꺼내어 손을 씻었다. 수위 아저씨는 먼저 폭포 아래로 내려갔다. 폭포 위에서 한참 이야기를 하다가 폭포 아래로 내려가 보니 길이 없었다. 가파른 바위 틈으로 나는 쉽게 내려왔으나 여자 분들과 어르신은 내려오면서 고생을 했다. 폭포 아래로 내려와 보니 폭포수가 두 번이나 떨어지고 있었다. 아직 얼음이 녹지 않고 있었으나 날씨는 무척 따사롭다.

계속 아래로 내려오니 '회룡사'라는 절이 보였다. 목을 축이려고 절 안으로 들어가 시원한 산골짜기 물을 바가지로 떠먹으니 속이 쑥 내려간다. 조금 부서진 탑 앞에서 여러 사람들이 구경을 하고 있으니 절의 주인인 듯한 한 여승이 오더니 절의 내력과 탑에 대한 여러 가지 설명을 해 주었다. 한 남자 등산객이 이 절에서 요양을 할 수 있느냐 하고 물으니 이 절은 비구니들만 거처하고 있다는 말을 듣고 웃으면서 돌아섰다. 절 바로 아래에서 중학생으로 보이는 아이들 20여 명이 '토요일 밤' 노래를 부르며 놀고 있다. 바로 옆 바위에는 절 구내와 이 지역에서 노래를 부르지 말라는 글이 쓰여져 있었다.

터벅터벅 마을로 접어들어 차도로 향하여 가고 있는데 경비 아저씨께서 뒤처져 오고 계셔서 잠시 쉬었다. 그런데 길가에 폐품 같은 종이들이 널려있고, 고약한 냄새가 났다. 공장 같은 게 보여 정문까지 가서 살펴보니 '대한펄프'란 간판이 붙어있다. 어디서 들어본 이름 같아서 수첩을 뒤져보니 친구 종훈이가 취직한 회사 이름이었다. 한번 들어가서 물어볼까 하고 망설이고 있으니 미스 리가 일요일이라 아무도 없을 거라고 하여 돌아섰다.

버스를 타고 집으로 오면서 등산은 바로 이런 재미로 가는구나 하고 생각했다. 건전한 오락인 등산을 앞으로 자주 가야겠다는 생각이 들었다. 하숙집으로 오니 6시 반이 되었다.

3월 26일 (화)

27일에 예정되었던 우리 부(部)의 회식을 오늘 저녁에 한다는 통지를 받고 매우 기뻤다. 만약 내일 저녁에 한다면 고향에 하루 늦게 내려가야 할 것 같았기 때문이다. 일을 모두 마치고 6시까지 기다렸다가 같은 부의 직원들과 함께 은행 퇴근 버스를 타고 국도극장 앞에서 내려 회식을 할 식당을 찾아갔다. 식당에는 벌써 몇 분들이 와서 고스톱을 치고 있었다. 여행원이 몇 분이 와 있었고, 식탁은 이미 준비되어 있었다. 고스톱 치는 것을 구경하고 있으니 부장님께서 오셨다. 부장님께서도 차장, 과장들과 함께 고스톱 몇 판을 치더니 음식이 들어오자 그만두고 축배를 들었다. 우리 과 과장님은 내 앞에 앉고, 미스 리는 내 옆에 앉았다. 튀김과 이름을 모르는 맛있는 음식을 먹으며 이리저리 술잔을 주고받았다. 먼저 부장님께 한 잔을 올리고, 다른 부서 차장, 과장들께도 인사치레로 한 잔씩 드렸다. 미스 리는 너무 많이 마시지 말라고 하며 상 아래에 컵을 하나 놓으며 거기에 술을 부으라고 했다. 여러 사람들과 술을 주고받고 하다 보니 취기가 올랐다. 머리가 조금 무거웠으나 정신을 차렸다. 여행원들에게도 맥주와 콜라를 부어 주며 잘 부탁한다며 인사를 했다.

모두 어느 정도 취기가 오르자 이정해 대리와 다른 한 분, 이렇게 두 사람이 가운데에 서서 사회를 보며 노래를 시켰다. 이 대리님은 농담인지 모르겠지만 나와 술잔을 나누면서 자기는 대구상고를 중퇴하였다고 했다. 여러 사람들이 차례로 노래를 부르고 박호숙 씨가 노래를 부른 후 바통이 나에게 날라왔다. 이정해 대리가 주는 맥주를 한 잔 마시고, 나는 '울산 큰 애기' 노래를 목청껏 불렀다. 그리고는 다른 미스 박에게 바통을 넘겼다. 홍 차장님은 산토끼 춤을 추면서 노래를 불러서 웃겼고, 평소에 꼼꼼하던 이재석 대리도 몸을 흔들며 노래를 불렀다.

9시 조금 넘어서 모두 자리에서 일어났다. 몇 분이 먼저 나가기도 하였으나 대부분 자리를 지켰다. 부서의 회식 자리는 처음이었으나 종강 회식, 과 회식에 참석하면서 회식에 조금 익숙해진 것 같다. 나보다 늦게 우리 부서로 발령을 받고 온 여행원 김칠순 씨와 이야기를 나누어 보니 그녀는 대구지점에서 3년간 근무를 하다가 이번에 서울로 발령을 받았다고 했다. 이강희 과장님과 엘리베이터를 같이 타고 내려와서 버스를 타려고 기다리고 있으니 과장님께서 택시를 같이 타고 가자고 하시다가 담배를 사러 가셨다. 나는 버스가 오는 것을 보고 버스를 타고 하숙집으로 돌아왔다. 공연히 과장님께 폐를 끼치고 싶지 않았다. 집에 도착하니 10시가 되었다.

3월 27일 (수)

즐겁다. 즐겁기만 하다. 오늘 고향에 내려간다고 생각하니 즐겁기 짝이 없다. 하루 동안 할 일을 오전 중에 모두 해치웠다. 그리고는 안영윤 대리님께서 주신 휴가계에 '인휴'로 적어 넣어 사흘간 휴가를 신청했다. 얼른 점심 식사를 하고 나서 거울을 사려고 찾아다녔으나 마땅한 것이 없어서 사지 못 하였다. 상사인 안 대리님이 시키는 대로 과장, 차장, 부장님께 인사를 드리고, 외환과 동료들에게 작별 인사를 하고 뛰어나갔다.

버스를 타고 얼른 하숙집에 가서 짐을 가지고 나오려고 버스에서 내렸는데 낯선 곳이다. 지리를 물어보니 서울대교(현재의 마포대교) 근방이었다. 택시를 타고 갈까 하다가 마포까지 가는 버스를 다시 타고 갔다. 예정 시간보다 많이 늦었다. 걸음을 빨리하여 시장에서 셔츠를 하나 사 갖고 집으로 들어가 갈아입고, 와이셔츠도 오늘 다림질해 놓은 것으로 갈아입었다. 미리 준비해 둔 트렁크와 가방을 들고 아주머니께 인사를 드린 후 버스를 타고 서울역으로 갔다.

버스에서 내리니 3시 35분. 역으로 가서 열차를 탈까 하다가 열차를 타면 고향으로 들어가는 막차를 못 탈 것 같아서 서울역 옆에 있는 한진고속 터미널로 갔다. 4시에 출발하는 버스표를 끊어 차에 오르니 얼마나 뛰었던지 땀이 솟아났다. 내 옆자리에는 한 처녀가 앉았다. 처음에는 서로 말도 하지 않고 가다가 말을 걸어보았다. 대구에서 사는데 서울에 있는 고모 집에 왔다가 대구로 간다고 했다. 하향길에 심심찮게 이야기를 하며 갔다. 주소를 물어서 편지를 할까 하다가 그만두었다. 휴게소에서 계란과 과자를 사서 같이 먹기도 하였다.

동대구터미널에 도착하니 오후 8시 10분 전이었다. 얼른 내려서 시내버스를 타고 남부정류장으로 가는데 시간이 걸렸다. 고향으로 가는 마지막 버스가 8시 20분에 있다는 말을 듣고 맘이 조마조마 했다. 이윽고 막차가 왔다. 버스 안에서 우연히 같은 마을의 친구 상군이를 만났다. 대구상고 1년 후배인 상군이는 경산읍에서 대구로 통학을 하고 있다고 했다. 학교 이야기며 선생님 이야기를 하다가 성은표 선생님이 상군이의 담임이란 것을 알게 되었다. 다음에 내려올 때는 꼭 선생님을 찾아뵙고 인사를 드려야겠다.

상군이와 헤어진 후 고향으로 가는 버스 안에서 나의 심정은 착잡하기만 했다. 급히 내려오느라 부모님과 동생들에게 줄 선물을 사 오지 못하여 미안스럽기만 하다. 서울에서 느껴보지 못하던 비포장도로를 버스타고 가노라니 옛날의, 아니 몇 달 전의 회포가 주마등처럼 지나갔다. 3개월도 채 되지 않은 사이에 내가 이렇게 달라졌는가? 이런 생각,

저런 생각을 하고 있는데 마침내 버스는 우리 마을 입구인 송일교 앞에 도착하였다. 그리던 고향 하늘 아래에 온 것이다.

착잡한 마음을 누르고 가방을 들고 천천히 마을로 들어갔다. 마을 첫 집인 우리 집에 불빛이 환한 것을 보니 정말 잔치를 하는가 보다. 마당에 들어서니 오랫동안 보지 못하였던 강아지가 반갑다고 크게 짖는다. 엄마가 마당에 있다가 반가이, 너무나 반가이 맞아주셨다. 방 안에 있던 친척들도 모두 나와서 반겨주셨다. 먼 서울에서 내려왔다고 사랑채에 가서 아버지와 고모부, 작은아버지께 인사를 드렸다. 모두들 수고했다고, 고생한 보람이 이제야 나타난다고 치하하셨다. 안방으로 건너오니 허리가 꼬부라진 외할머니도 와 계셨다. 작은 방에는 장롱 한 벌을 넣어서 신혼 방으로 꾸며 놓았다.

엄마가 손수 차려준 저녁밥을 실컷 먹었는데도 다른 음식들이 자꾸 들어온다. 정말 우리 집에 오기만 하면 배가 부르다. 안방에서 외할머니와 조영동 아지매, 그 밖의 친척들과 이야기를 하고 있으니 큰형님이 친구들과 같이 들어왔다. 문찬이와 같이 녹음기를 가지고 안집(할머니댁)으로 가서 잠을 잤다.

3일간의 '신부리' 결혼식 3월 28일 (목)

큰형님이 장가가는 날이다. 아침 일찍 일어나서 시원한 산골의 수돗물에 세수를 하니 기분이 상쾌하다. 우리 집으로 가서 아침밥을 먹었다. 어머니께서 하루 동안 부지런히 뛰어다니기 위해 아침을 든든히 먹으라고 하셨다. 9시가 되어 큰형님은 택시를 타고 경산읍에 있는 신부

집으로 갔다. 오늘 내가 맡은 임무는 부조 돈과 부조 음식을 기록하는 일이었다. 대문간에 서서 손님을 영접하는 일도 함께 맡으면서.

일찍부터 감주, 술 등의 부조가 들어오는 것을 일일이 장부에 적었다. 손님마다 나를 보면서 산업은행에 입사하여 참 잘 되었다며 칭찬을 하셨다. 사랑채에는 남자 노인 분들을 모시고, 큰방(안방)에는 중년 부인들, 작은 방에는 할머니들, 그리고 마당에는 멍석을 깔고 청년과 중년 남자들을 모셨다. 나는 부조금도 부지런히 받고, 음식 그릇도 나르며 정신이 없었다. 11시쯤 되어 대구에 있던 문석 형이 외고모 할머니를 모시고 왔다. 엊저녁에 신방으로 가는 막차를 기다리다가 못 탔다고 했다.

점심때가 되니 더욱 바쁘다. 식사를 접대하기가 가장 어려운가 보다. 오시는 손님마다 밥, 국, 반찬을 고루 차려서 갖다주려니 귀찮았지만 잔치는 바빠야 제맛이 나는 법이다. 얼마나 뛰어다녔던지 나중에는 배가 고팠다. 손님 접대를 거의 다 하고는 뒤란에 가서 국에 밥을 말아서 먹었다.

오후에는 조금 한가하였다. 그러나 앞집과 뒷집, 동네 어른들과 동갑계꾼들이 모여있는 곳을 다니며 술과 안주를 날라야 했다. 새색시는 4시쯤 되어 왔다. 신부가 들어올 때 대문 앞에다 불을 지펴 놓았다. 무슨 미신인지 모르겠다. 형수로 불릴 사람을 자세히 살펴보았다. 색시는 키도 크고 몸도 건강해 보였다. 마음씨도 좋으면 좋겠다. 색시가 들어오니 동네 아줌마들과 꼬마들이 몰려오기 시작했다. 마당에는 꼬마 손님들로 시끄러웠고, 안방에서는 색시를 가운데 앉혀 놓고 구경을 하고 있었다. '새색시가 들어올 때 사진을 몇 판 찍어 두었으면 좋았을 텐데.' 하는 생각이 간절했다. 입대한 작은형님이 집에 왔다면 사진기를 갖고 왔을 텐데……. 작은형님은 집으로 관보를 쳐 달라고 부탁을 해 왔지만 집에서는 절차가 복잡한 관보를 못 보내고 전보만 두 번 보냈다고 했다. 어쩐지 나에게 전화가 없어서 이상하다는 생각을 했는데 둘째 형님이 못 온 게 안타까웠다. 사진을 찍어 두면 평생 기념이 될 텐데…….

상다리가 부러지도록 차린 진수성찬을 상각(신랑 친구들을 일컫는 말) 방과 신부 방으로 들여주고 나서 조금 있다가 신부가 시부모와 시집 친척들에게 인사(절)를 하는 시간을 가졌다. 차림 상도 예전에 비하여 훨씬 간소하게 되었고, 의상도 간소화되었다. 새로운 '가정의례준칙'에 따른 것인가 보다.

저녁 7시가 되니 신부는 다시 자기 집으로 돌아갔다. 잔치 방식이 '신부리' 라고 했다. 잔치도 오전과 점심때가 바쁘지 그 외의 시간에는 별로 바쁘지 않았다. 손님들이 다 돌아간 후에 약간 어두웠지만 마당의 멍석에서 저녁 식사를 했다. 8시쯤 되어 술래에 따라갔던 사람들(상각)이 와서 저녁을 먹고 마당에서 북을 치며 놀았다. 이때를 놓치지 않고 녹음기로 녹음을 했다. 훗날에 다시 듣기 위하여.

한참 녹음을 한 후 녹음기를 방으로 가지고 들어가서 녹음한 것을 들려주니까 부적의 아저씨와 옥실 고모부께서도 노래를 부르시겠다고 하셔서 녹음을 했다. 금구동 작은 엄마도, 인각의 아지매도 녹음기 덕분에 재미있게 놀게 되었다. 안방에서 녹음을 한 후 사랑채로 갔다. 사랑채에서는 송백의 경식 아재, 고모동 고모부, 학이 삼촌, 청도 태기 형님 등이 있어서 노래를 부르게 하고 녹음을 했다. 정말 녹음기 때문에 상을 두드리며 재미있게 놀았다. 송백 2동의 작은 아줌마도 노래에 동참했다. 시간이 가는 줄도 모르고 노래를 부르며 노는데 11시쯤 되어서 송천의 아줌마들이 잠을 자러 왔다. 그분들에게도 한 곡씩 부르라고 하니까 못이기는 척하면서 노래를 불렀다. 경식 아재가 타령 조로 노래하여 모두 일어서서 노래를 불렀다. 1시경이 되어 인각 아재가 와서 노래를 부르기에 녹음을 했는데 노래가 느리게 나와서 '고장이 났나?' 하고 걱정을 했다. 거의 2시가 되어 뒷집, 성문이네 집에 가서 잠을 잤다.

3월 30일 (토)

어제는 신부 집에서 잔치하는 날이라 우리 집은 비교적 조용하였다. 잔치에 왔던 먼 일가친척들은 어제부터 하나둘씩 떠나갔다. 잠을 잘 자리조차 없었는데 이제 거의 다 떠나가니 한결 조용하다. 어제 아침엔 제일합섬에 다니는 동생 금숙이가 왔다. 군대에 가 있는 둘째 형님으로부터 관보를 쳐 달라는 전보가 또 왔다. 내가 서울에 가면 면회하러 가기로 하고 무리한 관보 보내기는 그만두었다.

오늘도 오전에는 친척들을 전송하고 나서 밭에 나가 산책을 했다. 만물이 생동하기 시작하여 흙냄새가 향기로웠다. 집으로 오던 길에 새로 돋아난 풀을 뜯어 토끼 집에 넣어주었다.

오후에 새색시가 큰형님과 함께 왔다. 이불과 온갖 짐을 갖고서. 이제 정말 우리 집에 살러 오는가 보다. 나보다 나이가 한 살 적은 신부의 남동생도 따라왔다. 신부가 안방에 들어가 있는 동안 문도 형과 나는 작은 방에서 신부 동생과 이야기를 나누었다. 그는 경산중학교 한 해 후배로, 몇 년을 쉬다가 금년에 고등학교 시험을 쳤는데 누나가 시집을 가게 되어 진학을 포기했다고 하였다.

신부가 들어오기에 맞절을 하고 같이 이야기를 하다가 점심을 먹었다. 식사 후 신부 동생 성룡이와 같이 마을로 나갔다. 새로 난 신작로 신방동 방향으로 걸어가면서 이야기를 나누다가 송백2동 길로 내려와서 집으로 돌아왔다. 처음에는 서로 존댓말을 하다가 곧 말을 놓기로 했다. 작은 방으로 들어가서 형수와 이야기를 했다. 그리고 어젯밤에 녹음한 것을 같이 듣기도 했다. 조영동 아지매는 자기가 중매를 해서 그런지 색시와 이야기를 터놓고 하셨다. 같이 웃으며 이야기를 하다가 저녁 식사를 했다. 식사 후 성룡이가 바람 쇠러 나가자고 하더니 산에 올라가자고 했다. 앞산 오동갓에 올라가니 달이 휘영청 밝았다. 저녁 바람이 좀 차가웠으나 기분이 좋았다.

바위에 앉아서 이런 저런 이야기를 나누었다. 성룡이는 이야기를 잘했다. 학창 시절에 놀러 다닌 이야기를 비롯하여 서울 전구공장에서 일했던 이야기, 자기 마을의 계집애들과 놀았던 이야기 등…….

거의 9시가 되도록 이야기를 하다가 산을 내려와 집으로 오니 신부 방에는 동네의 색시들이 많이 와서 이야기를 하고 있었다. 할 수 없이 둘이서 안집(할머니 댁)으로 갔다. 거기서 한참 이야기를 나누고 있어도 집에서 음식을 갖다주지 않았다. 그래서 혼자 집으로 가서 음식을 좀 갖다 달라고 하니 집에 와서 먹으라고 했다. 할 수 없이 성룡이와 같이 집으로 와서 사랑채에서 둘이 단술과 부침개를 먹고 있으니 금숙이와 형님들이 들어오고 새 신부도 따라 들어왔다. 음식을 먹으며 이야기를 하고 있으니 엄마가 엿과 사과를 갖다 주자 형수는 식구들에게 엿을 하나씩 손수 집어서 주고 사과도 깎아주었다. 얼굴 생김새가 무난한 편이고, 몸도 좋고 마음씨도 좋게 보였다. '이 여자가 앞으로 우리 집안에 풍파를 가져올까, 아니면 화목한 가정의 번영을 가져올까?' 하고 잠시 생각을 했다. 12시가 되도록 이야기를 나누다가 여자들은 안방으로 건너가고, 큰형님과 문도 형, 성룡이와 넷이 사랑채에서 잠을 잤다.

3월 31일 (일)

성룡이와 같이 냇가에 가서 세수를 했다. 맑고 시원한 물에 손을 담그니 산골의 시원한 물 냄새가 뼛속까지 파고드는 것 같다. 오늘은 아침부터 가까운 친척들이 떠나가기 시작했다. 금구동 작은 엄마, 인각 아지매, 조영동 아재 내외와 함께 성룡이도 떠나갔다. 외가 친척인 한 할머니는 가시면서 덩실덩실 춤을 추었다. 나도 같이 떠날까 하다가 엄마가 대구 형에게 양식을 갖다주러 간다고 하기에 같이 가기로 했다. 멀리 떠난다고 엄마는 온갖 음식을 먹으라고 내어주었으나 배가 불러 먹지를 못했다. 정말 떠나야 한다고 생각하니 마음이 착잡했다. 친척들과 형수의 전송을 받으며 엄마와 같이 길을 나섰다. 송백 2동의 한 아지매는 눈물을 흘렸다. 버스를 타려고 아랫마을로 내려가던 중 엄마는 작은엄마가 '신부가 부모 곁을 떠나서 시집을 가면 신부 엄마는 얼마나 슬플까?' 하시면서 혼자 부엌에서 우셨다고 했다.

버스를 타고 오면서 엄마는 많이 피곤하셨는지 잠을 자고 있었다. 대구에 도착하여 엄마는 문석 형이 거주하고 있는 외고모 할머니 댁으로 짐을 가지고 가기로 하고, 나는 대봉동 아저씨 댁으로 갔다. 대구는 완연한 봄 날씨다. 한참 걸어서 가니 땀에 흠뻑 젖었다. 콜라와 하드 몇 개로 더위를 식힌 후 술을 한 병 사 들고 아저씨 댁에 찾아갔다. 아주머니가 안 계셔서 대륜고등학교에 다니는 성환이 동생과 이야기를 하다가 자전거방으로 가서 아저씨를 만났다. 성환이 할머니는 서울 동락 아저씨 댁에 가셨다고 했다.

아저씨께 작별 인사를 드리고 급히 외고모 할머니 댁으로 뛰어갔다. 엄마가 내 짐을 거기에 두고 경산으로 나가겠다고 하여 떠나기 전에 만나보기 위해서. 택시를 타고 갈까 하다가 돈을 아껴야 되겠다는 생각이 들어 그만두었다. 가게에서 포도주와 과자를 사서 외고모 할머니 댁으로 가니 아주머니가 없고, 할머니와 수만이 할머니와 옆방 아저씨가 계셨다. 오랜만에 만나니 무척 반가웠다. 세수를 하고 나서 할머니와 이야기를 하다가 3시쯤 되어 집을 나섰다. 엄마와 헤어져 동대구역으로 가고 있는데 비가 내리기 시작했다. 이별의 눈물인가? 3시 23분 열차는 입석표만 남아있었다. 그래서 고속버스터미널로 달려가서 4시에 출발하는 차표를 샀다. 밖에 나와서 땀을 식히고 있는데 '서울 가실 분은 와요.' 하는 소리를 듣고 달려가 3시 30분에 출발하는 고속버스를 탔다. 맨 뒷자리에 앉았다. 고속버스가 대구 시내를 벗어나니 비는 그치고 태양이 빛났다. 네 시간 동안의 지루한 여행이었지만 집에서 가져온 사과를 먹으며 버텼다. 서울에 도착하니 저녁 7시 반. 시내버스를 타고 하숙집으로 오니 8시 반이 되었다. 갖고 온 사과를 모두 하숙집 주인인 친척 아주머니께 드렸다.

짠 밥 먹은 날 4월 5일 (금) 맑음

식목일 휴일인 오늘 성남시에서 군 복무를 하고 있는 작은형님 면회를 작정하였다. 늦은 아침을 먹고 을지로에서 성남 행 버스를 탔다. 형님이 그려준 약도를 갖고 오랜만에 교외의 공기를 쐬니 기분이 상쾌하다. 날씨가 조금 흐렸으나 그래도 좋았다. 성남 시가지 모습이 좀 괴이하다. 버스는 언덕을 올라가다가 내려가고, 내려가다가 또 올라가기를 여러 번 하다가 종점에 도착하였다. 다시 버스를 타고 서울 방향으로 나오다가 차장에게 제일 극장의 위치를 물어보니 시 입구에 있다고 알려주었다. 버스에서 내려 제지 공장을 물으니 바로 옆에 있었다. '바로 저기였구나!' 하면서 산길로 올라가니 학생들이 나무를 심고 있고, 다른 쪽에는 군인들이 나무를 심고 있다. 혹시 저 부대에서 형님이 복무를 하는 게 아닌가 하는 생각이 들었으나 일을 하고 있는데 찾아가면 좋지 않을 것 같아서 초소가 있는 쪽으로 걸어갔다.

초소를 지키고 있는 군인에게 '김용돌 상병 면회를 왔다.'고 전하니 바로 저기서 나무를 심고 있다고 하며 찾아가 보라고 했다. 조금 주저하다가 나무를 심는 곳으로 가고 있는데 군인 한 사람이 나를 향하여 걸어오고 있었다. 걸음걸이를 보니 분명히 형님의 모습이었다. 형님과 악수를 하고 나서 큰형님 결혼식 등 그동안 있었던 이야기를 대강 해 주었다.

형님보다 계급이 높은 사람이 와서 친동생이라며 인사했다. 군인들이 나무를 다 심었는지 모두 모여서 노래를 부르고 있는 모습을 보면서 형님과 같이 내무반이 있는 곳으로 갔다. 초소를 지키는 군인도 형님의 부하였다. 부대는 조그만 집 두 채로 구성되어 있었는데 한 채는 식당이고, 다른 한 채는 내무반 건물이었다. 형님이 내무반 안으로 들어오라고 하여 들어가 보았다. 옷과 이불들이 질서 있게 잘 정리되어 있었다. 내무반 안에서 이것저것 구경하고 있는 동안 형님은 머리를 감았다. 다른 군인들도 모두 산에서 내려왔다. 양지바른 곳에서 머리를 깎는 사람도 있었다. 가만히 보니 내무반 분위기가 부드러운 것 같다. 잠을 자는 사람도 있고, 책을 읽는 사람도 있다. 나도 가지고 온 이어령의 『아들이여 이 산하를!』 책을 읽다가 밖에 나와서 시원한 공기를 쐬었다.

12시쯤 되니 점심을 차려왔다. 내 것도 특별히 차렸다면서 갖다주었다. 보리밥과 짠 콩나물국 뿐이었다. 외출을 갔다 온 사람이 가져왔다는 김치를 몇 쪽 주었다. 먹기 싫었지만 억지로 수저를 들었다. 밥 한술 뜨고 짠 콩나물국 한 모금 뜨면서 그런대로 맛있게 먹었다. 소위 군대밥을 처음 먹어본 것이다. 군인들의 식사가 정말 이처럼 형편이 없는가 하는 생각이 들었다.

점심 식사 후 형님은 외출증을 받고 부대장에게 보고를 하고서 밖으로 나왔다. 걸어오면서 형님에게 부대 음식을 항상 그렇게 먹느냐 하고 물어보니 그렇다고 했다. 가끔씩 반찬을 배급받으면 한 끼를 잘 먹어버리고 그 후에는 노상 그렇게 먹는다고 했다. 군인들이 저렇게 먹고 어떻게 임무를 수행할 수 있을까 하는 의구심이 생겼다. 형님은 오후 5시까지 외출 허락을 받았다고 했다. 예전에는 가족이 면회 오면 하루 외박을 허용했는데 요즘은 안된다고 했다. 그래서 남한산성으로 갈까 하다가 어린이대공원으로 가기로 했다. 화양리까지 버스를 타고 와서 어린이대공원으로 들어가니 인파가 꽤 많았다. 육각정과 분수대를 지나 놀이터, 풀장으로 갔다. 이야기를 하면서 천천히 언덕길을 걸어 올라가니 꼬마들이 소형 자동차를 타고 있는 게 보였다. 신기하여 자세히 봤더니 소형 자동차가 밖으로 나가지 못하게 막아놓은 곳에서 타고 있는 것이었다.

조금 더 들어가 보니 놀이동산이 있었다. 커다란 컵 속에서 빙글빙글 돌아가기도 하고, 미니 열차가 와당탕거리며 달리기도 했다. 열차가 달리는 걸 보니 위험한 것 같은 느낌도 들었다. 또 '새싹호'라는 비행기가 어린이를 태우고 하늘을 날고 있다. 놀이시설이 정말 잘 만들어져 있다. 매점에서 빵과 콜라를 사서 먹었다. 점심을 부실하게 먹어서 그런지 빵이 더욱 맛이 있었다.

형님과 같이 '팔각당'이라고 쓴 정자에 올라갔다. 한국 전통 양식으로 만든 정자인데 어린이대공원 전체가 한눈에 들어왔다. 사슴과 토끼를 풀어놓은 동물방사장으로 갔다가 동물원으로 갔다. 코끼리, 사자, 호랑이 등 여러 동물들을 구경하다가 식물원으로 발길을 옮겼다. 벌써 철쭉이 만개하여 길 양옆으로 놓여있고, 식물원 안에는 열대 식물들이 우거져 한여름을 방불케 했다.

형님이 귀대할 시간이 되어간다고 하여 야외음악당, 교양관을 거쳐 분수대로 갔다가 휴식광장으로 갔다. 파란 잔디가 쫙 깔려 있고, 나무도 우거져 있다. 곳곳에 남녀들이 앉아있거나 누워서 데이트를 하고 있는 것을 보고 형님에게 은근히 '애인과 헤어졌다고 하던데……' 하니 예전의 그 여자와는 관계를 끊었다고 했다. 형님은 나에게 애인 하나쯤 사귀라고 했다. 3시 반쯤 분수대에서 사진을 찍고 공원을 나왔다. 음식점에 들어가서 튀김을 먹고 나서 형님을 보냈다. 하숙집으로 돌아오니 몸이 나른했다.

4월 6일 (토)

토요일이라 일찍 퇴근하였다. 특별히 갈 데도 없어서 혼자 경복궁으로 갔다. 입장권을 사 들고 먼저 이 궁의 내력을 읽고 나니 옆에 13층 석탑이 보였다. 정말 섬세하고 교묘하게, 멋지게 만든 탑이었다. 이 석탑을 정신없이 바라보고 있는데 외국인들이 몰려왔다. 해설해 주는 안내인이 연방 감탄조로 설명을 해주니 외국인들도 감탄을 했다. 외국인 중에는 미국인 외에 일본인도 보였다. 순간 가슴 속에서 분노가 치밀어 올라 쫓아버리고 싶은 생각이 들었으나 이제 관광객으로 들어온 저들을 어찌하랴. 옛날 우리 문화를 배워간 족속인데 도리어 우리나라를 침략하여 아름다운 강산과 문화재를 부순 그들이지만 시대가 변했으니 어찌하랴. 이런 생각을 하면서 근정전으로 들어가서 좌우를 살펴보다가 경회루로 갔다. 연못에는 많은 잉어들이 놀고 있다. '여기가 옛날 왕들이 살던 곳이냐? 우리 민족의 얼이 서린 곳이 여기냐?' 넓은 궁의 여기저기를 다니며 시종 이런 생각에 잠겼다. 우리나라의 지도를 본떠서 만들었다는 연못가에서 신문을 읽다가 궁 밖으로 나왔다. 다음에 또 기회가 되면 문화재가 많은 곳을 찾아가야겠다.

4월 16일 (화)

오후 5시경 전화가 와서 받으니 작은형님의 목소리였다. 북문 수위실로 나가보니 형님이 송백의 정달 형과 다른 낯선 군인 한 사람과 같이 서 있었다. 형님은 상업은행에 자기 부대 사람의 형이 있어서 한 번 찾아가보자고 해서 같이 갔다. 상업은행 본점 후문으로 들어가서 소속과 이름을 대니 곧 전화로 연결해 주었다. 그 사람은 처음에는 이상하게 여겨서 형님이 자기 부대의 동료의 친구라고 하며 찾아온 이유를 밝히니 반가이 맞아주었다. 그분은 우리를 식당으로 데리고 가서 커피와 콜라를 사 주며, 형님과 여러 가지 이야기를 하였다.

상업은행을 나온 후 청량리에 있는 병희 형 집으로 가는 버스를 탔다. 처음으로 찾아가는 병희 형의 집은 청량리역에서 한 코스 더 가는 지점에 있었다. 버스에서 내려 병희 형 집으로 들어가다가 정달 형과 형님의 친구는 부근에 남아 있기로 하고, 형님과 둘이 포도주와 과자 두 봉지를 사 들고 찾아갔다. 병희 형 모친이 가게에서 물건을 사고 있다가 우리를 보고 반가워하며 얼른 들어가자고 하셨다. 예전보다 살이 좀 찌신 모습이다. 집은 그다지 크지 않았지만 살기에는 괜찮아 보였다. 병희 부친께서 집 수리를 하시다가 맞아주셨다. 국민학교에 갓 입학했다는 정희는 공부를 하고 있었다. 아주머니께서는 방에 좀 들어가자고 하셨으나 우리는 정달 형이 밖에서 기다리고 있으니 사진기만 빌려서 빨리 가고 싶었다. 아주머니께 사진기를 좀 빌려달라고 하니 영희가 카메라를 서랍 속에 넣고 자물쇠로 잠가버렸다고 하셨다. 형님과 나는 자물쇠를 열려고 애써 보았으나 열리지 않았다. 밖에서 기다리던 정달 형이 기다리다가 집으로 들어왔다. 정달 형이 자물쇠를 열려고 시도하였으나 열리지 않자 화가 나서 힘껏 잡아당기니 서랍이 쑥 열렸다.

병희 형 부모님께 인사를 드리고 집을 나오니 벌써 해가 저물고 어둠이 깔려오고 있었다. 필름 한 통을 산 후 남산으로 가는 버스를 탔다. 미도파 백화점에서 내려 조금이라도 빨리 가려고 택시를 탔으나 택시는 방향을 잘못 잡아 시내를 빙 돌아서 남산으로 데려다주었다. 남산에 가니 이미 어두워져서 사진을 찍어도 잘 나올 것 같지 않았다. 사진 찍는 것은 그만두고 구경이나 하고 가자고 하면서 남산 정상으로 향했다. 남산으로 올라가다가 배가 고파 한 식당으로 들어갔는데 음식의 양이 너무 적었다.

남산에서 내려온 후 형님의 친구는 영등포에 있는 자기 친구에게 가고, 우리는 합정동 하숙집으로 향했다. 버스에서 내려 빵을 몇 개 사 먹고 하숙집으로 들어왔다. 오랜만에 집에서 갖고 온 녹음기를 틀며 같이 들었다. 정달이 형은 내일 아침 8시까지 귀대해야 된다고 했다.

4월 17일 (수)

얄팍하고 조그만 이불 두 개로 셋이 잠을 자는 둥 마는 둥 하고 새벽 6시에 정달 형은 귀대하였다. 형님은 아침에 아저씨께 인사들 드렸다. 나는 보통 때와 같이 통근버스를 타고 출근하였다. 형님에게는 점심시간에 은행으로 나와서 같이 점심을 먹고 사진을 찍자고 했다.

11시 30분쯤 형님이 은행으로 와서 같이 식당에서 점심을 먹고 남산으로 올라갔다. 날씨가 흐려서 사진이 잘 나오지 않을 것 같았다. 남산 공원을 이리저리 다니면서 사진을 찍고 있는데 조그만 아가씨 네 명이 카메라 셔터를 눌러 달라고 하여 찍어주고, 우리도 찍어달라고 부탁하였다. 남산 꼭대기에 올라갔는데 그 아가씨들이 사진기가 고장 났다고 하여 형님이 만지다가 못 고쳐서 사진을 전문적으로 찍는 사진사에게 부탁하니 금방 고쳐주었다. 필름도 망가져서 우리 것으로 바꾸어 주었다.

거기에서 시간이 많이 지체되어 형님의 귀대가 늦을 것 같아 급히 산을 내려와 형님을 전송하였다. 형님은 이번 일요일까지 병희 형 집에 사진기를 꼭 돌려주라고 부탁하였다.

재경 동기회 모임 5월 5일 (일)

3학년 때 부회장이었던 박태현이 금년에 졸업한 46회 동기생 중에서 서울에 와 있는 동기생들의 모임을 오늘 건국대학교에서 가지니 꼭 참석해 달라고 전화를 했다. 그래서 모처럼 친구들을 만나볼 겸 집을 나섰다. 마침 오늘이 어린이날이라 어린이대공원 바로 옆에 있는 건국대학교로 가는 버스는 만원이었다. 서울역에서 겨우 버스를 타고 가는데 버스는 두세 곳에 서더니 승객을 더 태우지 않고 곧장 직행하였다. 택시들도 거의 대부분 그 방면으로 가고 있는 것 같았고, 버스는 느릿느릿 두꺼비 걸음을 했다. 건국대 앞까지 가는데 무려 한 시간 반이나 걸렸다. 겨우 버스에서 내려보니 구두는 엉망이었다. 양복을 안 입고 잠바를 입고 온 게 천만다행이다.

건국대 정문 앞에서 태현이가 '이제 다섯 명이 왔다'고 하면서 악수를 청했다. 모임 장소를 아주 잘못 택한 것이다. 예정 시간인 11시보다 두 시간이나 더 기다리기로 하고, 한 사람을 교문 앞에 세워둔 채 우리는 건국대에 입학한 야구 선수 포수인 기봉이를 만나러 갔다.

건국대 캠퍼스는 일감호를 중심으로 그런대로 잘 조성되어 있었다. 둥근 경기장 하나가 눈에 들어왔다. 오늘 어느 학교 동문회에서 모임을 하는지 경기장 안이 몹시 시끄러웠다. 건국대 야구부가 합숙을 하고 있는 신관을 찾아가서 기봉이를 찾으니 기봉이가 파자마 바람으로 나왔다. 몹시 반가워하며 곧 옷을 갈아입고 나오겠다며 다시 들어갔다. 우리들은 언덕 잔디밭에 앉아서 기봉이를 기다리고 있으니 동기생들이 몇 명씩 계속 도착하였다. 거의 20여 명이 되었다. 기봉이가 나오는 것을 보고 교정에서 사진 몇 판을 찍고 밖으로 나왔다.

재경 동기생이 80여 명쯤 되는데 겨우 24명만 나와서 발기식은 19일에 다시 모여 하기로 하고, 오늘은 식사나 하고 헤어지자고 하여 음식점으로 갔다. 시원한 냉면을 한 그릇씩 먹고 잡담을 나누다가 4시경이 되어 헤어졌다.

창경원 구경 ―――― 5월 12일 (일)

어제 오후에 입행 동기들(고교 출신)이 선배들과 친선 축구 시합을 하였다. 장충단 공원 부근에 있는 동국대에서 처음으로 축구 시합을 했는데 우리 동기들이 선배들을 1:0으로 이겼다. 저녁 식사는 미리 거둔 회비로 지불했으며, 식사 후 개인 소개와 노래를 부르며 친목을 다졌다. 9시가 되어 하숙집으로 돌아와서 책을 읽고 있는데 누군가 벨을 눌러서 나가보니 동용이가 찾아왔다. 동용이는 나와 같이 하숙을 하다가 지난달에 외국어대학교 근처로 하숙집을 옮겼는데 오늘은 이화여대에서 무슨 모임을 가졌다면서 늦어서 이리로 왔다고 했다. 주인아저씨께서 주무시니 내일 인사를 하자고 하면서 같이 잠을 잤다.

오늘 아침 식사 후 동용이와 같이 외사촌 성환이가 자취를 하고 있는 곳으로 갔으나 어디로 놀러 갔는지 집에 없었다. 찻집에서 커피를 마시다가 나온 김에 창경원에 놀러 가자고 하니 동용이도 따라나섰다. 일요일이라 창경원에는 사람들이 꽤 많았다. 처음 들어와 보는 곳이라 어린아이처럼 호기심을 가지고 동물들을 구경했다. 창경원에서 종묘로 넘어가는 다리도 있어서 가 보니, 종묘는 한산하였다. 군데군데 동창회나 종친회 모임을 하고 있었다. 다시 창경원으로 건너와서 동물 구경을 하다가 우동을 사 먹었다.

연못에서는 많은 이들이 뱃놀이를 하고 있고, 연못 위로는 케이블카가 왔다 갔다 하고 있었다. 식물원 앞에는 '민속 예술을 위한 집'이 있는데 거기에서는 민속 무용과 노래가 흐르고 있어서 구경을 했다. 우리는 뙤약볕에 서서 신문지로 햇빛을 가리며 구경하였다. 민속 무용을 구경한 후 숲이 있는 곳으로 들어갔다. 그곳에는 들소와 꽃사슴들이 뛰놀고 있었다. 시원한 나무 밑에서 신문지를 깔고 누웠다가, 지친 몸을 이끌고 창경원을 나와 종로까지 걸었다. 다방에 들어가 커피를 마시며 피로를 풀고 나서 동용이와 헤어졌다. 가족들과 같이 점심을 싸 가지고 창경원에 놀러 가면 참 좋을 것 같다.

5월 19일 (일)

지난달 동용이가 학교 부근으로 하숙집을 옮겨가고 나서 방을 혼자 사용하기가 부담스러워 다른 곳으로 하숙집을 옮길 생각을 했다. 친척 집에 있자니 눈치도 보이고 지환이 등 애들이 자꾸 내 방으로 건너와 장난치며 시끄럽게 구는 것도 귀찮았다. 아주머니는 다른 집에서는 하숙비가 월 18,000원이라고 하며 은근히 올려주기를 바라는 것 같았다.

이런 여러 가지 사정으로 나가야겠다는 결심을 하고 친구 광일, 태규, 재문이에게 하숙집을 좀 알아봐 달라고 부탁하였다. 재문이가 자기가 사는 집으로 와 보라고 하여 지난주 토요일에 찾아갔으나 숙직을 하고 있어서 만날 수 없었다. 그래서 혼자 하숙을 얻어보려고 돈암동 부근의 복덕방을 찾아다녔다.

우연히 찾아간 하숙집은 바로 삼선교 부근에 있는 집으로, 방이 커서 마음에 들었다. 특히 하숙을 시작한 지 얼마 되지 않았다는 주인아주머니가 마음에 들어 입주하겠다고 했다.

합정동 아주머니께는 하숙집을 옮기겠다고 한 차례 이야기해 두었다. 그러나 그저께 아주머니의 모친이 와서 그분이 있는 동안에 집을 나가는 것이 실례가 될 것 같아서 그냥 지냈다. 오늘 아저씨와 그 할머니께서 잠깐 나가는 것을 보고 아주머니께 말씀드리니 놀라시는 것 같았다. 아주머니는 나가려는 것을 어찌 말리겠느냐 하시면서 아저씨가 오면 인사를 드리고 가라고 하셨다. 그래서 아저씨가 오기를 기다리며 오후까지 있었으나 오지 않아서 다음에 인사를 하고 오늘은 일찍 짐이나 옮기라고 하셨다. 밖에는 보슬비가 내리고 있었다.

새 하숙집에 몇 번 찾아가서 먼저 입주한 학생을 만나 이야기를 해 보려고 했으나 그 학생을 만나지 못하였다. 오늘 짐을 가지고 와서 그 학생을 만나 보니 그는 군산에서 올라왔고, 홍익고등학교에 다닌다고 했다. 몸집이 건장한 학생인데 말수가 무척 적었다. 왜 그런지 대화를 하려고 하지 않는다. 내가 묻는 말만 간단히 대답을 할 뿐이다. 방구석에 앉아 책을 읽었다.

박정희 대통령 저격 사건 8월 15일 (목) 비

제29주년 광복절 날이다. 또한 서울의 지하철과 전철이 개통되는 역사적인 날이기도 하다. 며칠 전부터 큰 호텔이나 관공서에서는 애드벌룬이 둥둥 뜨고, 지하철 개통을 축하하는 플래카드가 거리 곳곳에 붙어 있다. 그저께까지 지하철 공사로 인하여 엉망이던 거리가 말끔히 정리되고 화분까지 갖다 놓아 더없이 깨끗해 보였다. 지난 주일부터 고등학교 같은 반(3-3반) 친구들과 모여 놀러 가자고 했으나 여의치 않아 이번 주 일요일에 만나기로 했다. 오늘은 나와 동구와 재문 세 명이 야외로 놀러가자고 했다. 9시까지 재문이 하숙집으로 오라는 동구의 전화를 받고 돈암동 재문이 하숙집으로 갔다. 마침 동구도 어제 밤에 야근을 하고서 재문이 하숙집에 들렀다가 같이 식사를 하고 있었다. 재문이 녀석, 조금 까무잡잡하게 생겼지만 재미있는 놈이다. 그는 오늘도 은행에 출근하여 적수를 맞춰야 한다며 자기는 못 가겠다고 했다.

일은 평일에 하고, 쉬는 날이니 놀러 가자고 꼬드겨봤으나 오전 중에만 하면 마무리될 거라면서 기어이 일터로 나갔다. 그래서 우리는 10시쯤 되어 동구 하숙집으로 갔다. 동구와 잡담을 나누면서 라디오를 틀어보니 마침 광복절 행사를 중계하고 있었다. 신문을 읽으면서 박정희 대통령의 경축사를 듣고 있는데 10시 25분쯤 갑자기 '펑' 하는 소리가 들렸다. 박 대통령의 목소리가 떨리다가 그치고 연이어 '펑펑' 하는 소리와 함께 관중들의 '와!' 하는 소리가 흘러나왔다. 무슨 일인가 하며 읽고 있던 신문을 내려놓고 라디오에 귀를 기울이고 있는데 중계방송이 끊어지고 음악이 흘러나왔다.

나는 폭동이 일어났나 하며 호기심에 가득 차 있었다. 동구도 '야, 일 났다.' 하면서 라디오 채널을 이리저리 돌렸다. 조금 있다가 10시 30분쯤 되어 박 대통령이 경축사를 계속하였다. 박 대통령의 음성은 전과 같이 조금도 흔들리지 않고 차분하고 위엄 있게 계속해 나갔다. 평화통일 3원칙도 재차 언급하였다. 식이 끝나고 박 대통령이 식장을 떠날 때는 우레 같은 박수가 터져 나왔다.

CBS 라디오 뉴스를 들어보니 방금 있었던 박 대통령의 경축사를 요약해서 보내주고 나서 박 대통령 저격에 관해 약간의 설명이 있었다. 박 대통령은 무사하나 부인 육영수 여사가 총탄에 맞았는지 밝혀지지 않았으나 쓰러져서 급히 퇴장을 했다고 전했다.

한국에 있어서 최초의 대통령 저격 사건! 커다란 뉴스가 아닐 수 없다. 11시에 뉴스를 들었으나ㅍ 시 저격 사건에 대하여는 조금 밖에 나오지 않았다. 긴급 뉴스가 나오는 것을 들으니 저격범은 일본 여권을 갖고 있으며, 일본인이라고 보도를 했다.

오후 2시까지 동구와 장기를 두다가 밖으로 나와서 짜장면을 사 먹고 재문이에게 전화를 걸어보니 아직 일이 마무리되지 않았다면서 더 기다려 달라고 했다. 비가 부슬부슬 내리고 있으니 놀러가는 것은 그만두자고 하며 동구와 헤어져 집으로 돌아왔다.

라디오를 들어보니 계속 뉴스가 흘러나왔다. 총소리에 놀라 까무라친 걸로 알았던 육 여사는 머리에 총알이 관통하여 오후 5시 현재 중태라고 했다. 7시 반쯤 라디오를 들으니 육 여사가 운명하셨다는 안타까운 뉴스가 나왔다. 아까운 어른! 참으로 온화하고 인자한 좋은 분이었는데……. 그때부터 라디오에서는 육 여사의 명복을 비는 장송곡과 음악만 계속 흘러나왔다.

판교에서 보낸 송년회 —— 12월 31일 (화)

그저께 친구 재원을 만났는데 말일에 판교에 있는 자기 이모 집에 놀러 가자고 했다. 12월 31일은 연말 결산일이라 9시경 만나기로 약속을 했다. 부지런히 결산 준비를 해 놓아서 일찍 마무리지을 수 있었다. 8시 반에 모든 일을 끝내고 바로 약속한 다방으로 나가니 모두 나와 있었다. 재원, 관순과 여자 Y, K 등. 먼저 회비를 거두고 서둘러 약수동으로 갔다. 재원이가 집에서 기타를 갖고 나왔다. 성남으로 가는 버스는 꽤 복잡하였으나 무조건 올라탔다. 성남시 입구에서 내려 판교로 가는 버스를 탔으나 재원이 이모 댁까지 가는 버스는 없었다. 택시를 타려고 시도해 봤으나 너무 늦은 시간이라서 택시 기사가 가려고 하지 않았다. 할 수 없이 모두 걸어가기로 하고 가져온 녹음기를 틀어 음악을 들으며 함께 걸어갔다.

나는 밤길에 익숙하여 별로 피로를 느끼지 않았고, 또 여럿이 같이 가니 재미도 있었다. 모두 시간이 가는 줄도 모르고 걷고 또 걸었다. 경부고속도로를 낀 길이라 심심치 않게 자동차 불빛이 번득였고, 흙길을 걷는 재미도 좋았다. 약 2시간 정도 걸어서 겨우 재원이 이모 댁으로 들어가는 마을 입구에 도착하였다. 필요한 물건을 사려고 가게에 들렀다. 우리가 밤길을 2시간 이상 걸어서 왔다고 하니까 가게 주인은 유머러스하게 '이틀, 아니 2년을 걸어왔군요……' 하여 '그렇군요.' 하면서 모두 크게 웃었다.

재원이 이모 댁에 도착하니 밤 1시가 넘었다. 재원이가 문을 두드리며 이모를 불렀다. 밤늦게, 아니 한밤중에 남자들만이 아닌 여자들과 같이 친척 집에 들른다는 것이 나로서는 여간 미안하지 않았으나 재원이는 전혀 그런 기색이 없었다. 한밤중인데도 재원 이모님은 우리들에게 밥을 지어 주었다. 밥을 먹고 나서 과자를 먹으며 노래를 불렀다. 재원의 기타 반주에 맞춰 같이 합창도 하고 독창도 하였다. 올나이트(All night)를 하려고 했으나 오늘 시골에 가는 여정에 피로를 느낄 것 같아 새벽에 잠시 눈을 붙였다.

1975

1월 1일 (수)

아침 일찍 재원 이모님이 지어주신 아침밥을 먹고, 이모님께 감사하다고 인사를 드리고 집을 나섰다. 큰길로 나와서 버스를 타고 수원으로 갔다. 두 번째 와 보는 수원시이지만 아직도 많이 낯설었다. 친구들이 택시를 타고 수원 시내 구경을 하자고 하여 택시를 타고 수원역으로 갔다. 8시 반경 서울행 전철을 타고 오면서 어젯밤에 녹음한 것을 듣기도 하고, 음악을 듣기도 하였다.

종로까지 와서 떡국으로 같이 점심을 먹고 헤어지려고 하였으나 친구들이 고향으로 내려갈 때 전송을 해 주겠다고 하여 혼자 하숙집으로 갔다. 미리 챙겨 둔 짐을 들고나오면서 하숙집 주인에게 인사를 하고 한진 터미널로 갔다. 1시에 떠나는 차표를 끊은 후 친구들이 기다리고 있는 다방으로 가서 차를 마시며 못다 한 이야기를 나누었다. 1시 10분 전에 고속버스를 타려고 갔으나 버스가 오지 않았다. 마음이 조마조마하였으나 곧 버스가 도착하여 친구들을 보낼 수 있었다. 새벽에 잠시 눈을 붙이기도 하였으나 피곤하여 버스를 타고 가면서 계속 잠에 빠졌다.

열아홉째 생일의 해프닝

1월 15일 (수)

어제부터 시작한 1차 대학 입시가 오늘 끝이 났다. 화양리에 있는 건국대학교 2부 대학 무역학과. 연말 결산과 연초의 시무 업무로 공부를 별로 못한 나로서는 합격이 될까 좀 염려스러웠으나 열심히 최선을 다하였다. 어제는 필기시험, 오늘은 신체검사와 면접시험이 있었다.

오후 2시경 모든 시험 일정이 끝이 나서 은행에 가 볼까 하다가 집으로 왔다. 시험 때문에 쌓인 피로를 풀 겸 목욕을 하였다.

저녁을 먹고 나서 같은 방을 쓰고 있는 이 형에게 한잔하러 가자고 하니 따라나섰다. 삼선교와 혜화동 사이의 고갯길에 있는 '석굴암'이라는 술집에 들어갔다. 빈대떡을 시키고 막걸리를 마셨다. 그 술집을 나오면서 오늘이 내 생일인데 음력과 양력이 일치하는 날이라고 하니, 이 형은 이런 좋은 날이 어디 있느냐고 하며 자기가 술을 사겠다고 나를 끌고 갔다.

정종 집으로 가서 술을 주거니 받거니 하며 마셨다. 11시가 넘어서 그만 가자고 하며 계산서를 가지고 오라고 해서 보니 4,500원이나 되었다. 이 형은 별로 좋은 음식을 먹은 것도 아닌데 계산이 너무 많이 나왔다면서 다시 해 오라고 하면서 버티었다. 계속 실갱이를 하다가 이 형이 반지를 맡기고 나오는 것을 보고 내가 현금으로 지급하고 나왔다.

거나하게 술에 취하여 하숙집으로 오다가 방범대원을 만났다. 시계를 보니 12시 10분이었다. 방범대원이 따라오라고 하여 따라가니 놓아줄 듯하다가 순찰을 하던 경찰을 만나자 파출소까지 데리고 가는 것이었다. 파출소에서 이름과 나이 등을 적은 후 같이 있던 다른 사람들과 함께 택시에 태워 성북경찰서로 데리고 갔다. 우리는 술에 취해서 가는 데까지 가보자고 하며 따라갔더니 어두운 곳으로 데리고 가서 철창 속에 넣어버렸다. 그제야 술이 확 깨는 것 같았다.

어쩔 수 없이 먼저 붙잡혀 온 사람들과 같이 있어야만 했다. 그때가 2시쯤 되었던 것 같다. 잠이나 좀 자고 보자고 하며 이 형과 같이 차가운 마룻바닥에 누워서 잠을 청했으나 자는 둥 마는 둥 했다.

아침 7시쯤 잠을 깨니 잡혀 온 사람들이 꽤 많았다. 각양각색의 사람들로 30여 명이나 되었다. 난로가 하나 있었지만 그림의 떡이었다. 실내 공기는 영하에 가깝다. 오버를 입고 왔으니 망정이지 추워서 큰일 날 뻔했다. 사람들이 즉심(즉결 심판)에 넘어가니 어쩌니 하며 이야기를 하는 것을 듣고 겁을 먹었다. 돈도 없고 부탁할 사람도 없으니 경찰이 하라는 대로 할 수밖에 없었다.

9시쯤 되어 경찰이 나와 다른 한 사람의 이름을 불렀다. 무슨 일인가 하며 따라가니 소년원 실로 데리고 갔다. 참 재수가 좋았다. 나는 호적상 미성년자라서 즉심을 받지 않고 훈방으로 풀려난 것이다. 다시는 통금(통행금지)에 걸리지 않겠다는 서약서를 쓰고, 집으로 가서 돈 5,000원을 갖고 오라는 말을 귓전으로 들으며 밖으로 나왔다. 다른 사람들은 경찰차를 타고 뚝섬으로 간다고 하였다. 이 형이 돈 가진 것 모두 달라고 하여 1,000원가량을 손에 쥐어 주었다. 경찰서에서 하숙집까지 달음질을 하여 왔더니 하숙집 아주머니께서 이게 무슨 일인가 하며 놀라셨다. 어제 일어난 일을 대충 이야기해 주고 은행으로 나가니 11시가 되었다. 참으로 파란만장한 생일이었다

광릉에서의 데이트

3월 9일 (일) 비

어제 여자 친구 Y가 오늘 10시에 '길' 다방에서 만나자고 하여 나가 보니 벌써 재원과 Y가 나와 있었다. 재원에게 무슨 일이냐 하고 물으니 같이 광릉으로 놀러 가자고 했다. 조금 있으니 여자 친구 K가 나타났다. 성남에 있는 부대에서 근무하고 있는 형님이 면회를 오라고 하여 오늘 가볼까 하고 생각하고 있었는데 노동절인 내일 가보기로 하고 따라나섰다.

청량리에서 시외버스를 탔다. 넷이 과자를 먹으며 차 안에서 수다를 떨었다. 날씨는 잔뜩 찌푸려 곧 비가 올 듯하다. 흔들리는 버스를 타고 오랜만에 시골길을 달리니 마치 고향에 가는 것 같은 기분이다. 광릉 입구에서 버스에서 내려 걸었다. 나로서는 서울에 올라온 후 처음으로 시외에 있는 유원지로 놀러가는 셈이다. 광릉으로 들어가는 길을 잘 알고 있는 Y가 가자는 대로 따라갔다. 곳곳에 군 부대가 보였고, 부대 밖에는 북한을 경계하자는 구호들이 많이 붙어 있다. 장난을 치면서 걸어가고 있는 길옆으로는 쭉쭉 뻗은 커다란 나무들이 시원스러웠으며, 보기 좋았다.

광릉은 조선 3대 임금인 세조 대왕을 모신 곳으로, 영화 촬영을 자주 한다고 했다. 광릉 입구에 들어가자마자 빗방울이 떨어지기 시작했다. 도랑에는 아직도 얼음이 있었으나 길은 온통 진흙탕이다. 눈에 익은 홍살문이 우뚝 서 있다. 두 개의 능이 V자 모양으로 상반되는 곳에 배치되어 있다. 잘 다듬어진 잔디밭을 지나니 커다란 무덤이 위엄을 갖추고 있다. 무덤 아래에 사당이 있어서 거기서 비를 피하며 과자를 먹었다. 같이 앉아서 노래도 불렀다. 이른 봄이라 그런지 몇 명의 등산객 외에는 능을 구경하러 오는 사람이 거의 없었다. 이곳에 와서 크게 느낀 점은 숲을 정말 잘 가꾸었다는 것이다. 우리나라에서도 나무를 잘 가꾸어 키우면 이처럼 훌륭한 나무가 생산된다는 사실을 새삼 느꼈다.

우산도 없이 신문지로 비를 막으며 광릉을 돌아다니다 보니 몹시 추웠다. 그래서 서둘러 광릉을 빠져나와 서울 가는 버스에 올랐다. 차창 밖으로 사라져가는 광릉의 풍경을 보면서 날씨가 좋을 때 다시 한번 와야겠다는 생각을 했다. 탁 트인 농촌 풍경에 가슴이 시원하였다. K와 같이 앞자리에 앉아서 게임을 하면서 오다 보니 버스는 어느덧 서울 검문소를 지나고 있었다. 청량리에서 택시를 타고 종로2가까지 왔다. 다방에서 따뜻한 커피를 마시며 오늘의 즐거움을 나눈 후 6시쯤 헤어졌다.

7장.

학창시절의 낙서장

오늘 새삼 크게 느꼈다.

나의 민족들은 왜 이래 작은지. 내가 키가 커서 그렇게 보이는지 모르지만 참으로 작다.

'작은 고추가 맵다.'라는 격언이 있지만 작은 고추는 큰 고추보다 이용할 용도가 적다.

될 수 있으면 작은 것보다 큰 것이 좋을 것이다.

특수한 경우를 제외하고는 내가 보기엔 우리 한국인은 키만 작은 것이 아니다.

뜻도 작고, 희망도 작고, 종교, 문학, 미술, 음악 등 할 것 없이 거의 대부분이 규모가 작다.

걸작보다는 졸작이 많은 것 같다.

그것은 사람이 작아서 일까, 국토 면적이 작아서일까?

학창시절의

낙　서　장

펜팔 1972년 11월 27일

펜팔 친구에게

서늘하던 가을바람이 차디찬 겨울바람으로 바뀌어 귓전을 때리니 앵도 같은 두 빰이 붉게 물드네요.

인사가 늦었네요. 그간 안녕하셨어요?

보내 주신 사연 반갑게 받아 보았어요. 난생처음 여자 친구로부터 받으니 가슴이 설레기도 하고 부끄럽기도 했습니다. 학교로 서신이 와서 참으로 친구들에게 놀림을 받는 것은 불가피하였고, 우리 반이 떠들썩하였답니다.

쑥스럽기는 하지만 좋은 글 친구를 얻었다고 생각했는데 집에 와서는 어떻게 할까 하고 오랫동안 망설였답니다.

표지의 이름은 가명이고 제 본명은 경문이라고 해요. 그러나 편지를 할 때는 가명이 나을 것 같아 그렇게 쓴 것입니다. 겉봉투의 필체도 나의 것을 죽이고 여자 필체로 쓰려고 노력하였답니다.

차차 재미있는 사연 쓰기로 하고, 우선 제 소개를 하지요.

이름은 존경할 경(敬) 자에 글월 문(文) 자. 그래서 그런지 문학에 흥미가 많답니다.

(중학교 시절만 해도 여러 가지 글을 써서 상을 받았고, 이 학교에서도 한 번 상을 받았답니다.) 독서를 너무 무리하게 해서 눈이 좀 상했고요.

키가 172cm, 몸무게는 65kg이니 체격은 상상에 맡겨요.

취미는 독서라는 게 좋겠죠. 성격은 내향적. 그래서 말이 적은 편이고, 명랑하지 않으며, 고독을 즐기는 사람이라고 할까요?

이런 저에게 위로의 친구를 사귀게 되니 여간 반갑지 않아요.

두서없는 사연에 벌써 백지가 다 채워졌군요.

그럼 차후 소식을 기다리며…….

1972년 12월 5일

미지의 친구, 펜 벗에게

벗, 읽어 주시겠습니까?

청산을 덮고, 전답을 덮고, 온 하늘을 덮는 백설의 겨울을 하늘이 올해는 좀 일찍 보내주신 것 같네요. 멀지 않아 올 크리스마스도 저만큼

다가온 것 같이 벌써 첫눈이 창 밑에 소복이 쌓였군요.

바람에 날아온 낙엽이 우연히 저의 손에 떨어졌길래 펴보니 양(孃)의 선물이더군요.

보내주신 서신 반갑게 받아보았어요.

수많은 본교생 중에서 저의 손에 떨어진 게 참으로 신이 점지해 주신 것일까요?

더욱이 학반 표시도 없는 것을 실장이 받아서 저에게 주더군요.

처음엔 어리둥절했지만 미지의 소녀라 양(孃)의 뜻에 조금이라도 도움이 될까 이렇게 난필해봅니다.

저의 고향은 대구가 아닙니다. 사과로 유명한 경산이지요.

나이는 18세, 호적상 생일은 1월 15일이지만 진짜 생일은 음력 12월 4일입니다.

학교는 아시겠습니다만 대구상고 2학년 7반 54번.

그렇지만 절대로 학교로 편지를 쓰시면 안 됩니다.

귀양에 대한 간단한 소개도 부탁드립니다.

손색없이 못쓴 것을 널리 아량 하시고, 심사 하시기 바랍니다.

다른 내용은 차후에 쓰기로 하고 이만 필을 놓겠습니다.

1972년 12월 10일

정아!

만물이 잠드는 고요한 밤이군요. 이제나저제나 기다리다 이제 정아의 소식을 들으니 참 반갑네요.

흰 구름 저 멀리서 종다리 우짖고, 태양이 밝게 비치던 그 옛날 중학 시절에 시골길을 거닐던 그때처럼, 유일한 마음의 친구로부터 온 소식이 나의 품에 안기니 어쩐지 가슴이 두근거리네요.

참, 인사가 늦습니다만 안녕하시겠지요?

저 역시 학업에 열중하고 있습니다. 꼭 1년 남은, 돌파해야만 하는 취직 시험이 기다리기 때문입니다. 별로 공부를 잘하는 편도 아닙니다만 신념이 굳으니까요.

서신과 같이 보내준 앙케이트는 재미있게 잘 썼습니다. 그저 생각나는 대로 썼으니 살펴 주시기 바랄 뿐.

정아!

이제 방학이 멀지 않네요. 방학 땐 고향에 내려갈 심산입니다.

그러니 고향으로 편지하려면 주소를 밑에 써 두겠습니다만 절대로 여자 이름으로 써서는 안 됩니다. 부모님께서 엄중 하시니 이해해 주시기 바랍니다.

이제 자정이군요. 저 하늘 별처럼 멀리 떨어져 있어도 마음은 일맥상통하겠지요?

그리움을 안은 별들의 미소, 정아의 얼굴 같아요.

정아! 저 역시 정아의 성격과 취미를 조금이나마 알고 싶어요.

자질구레하게 써 놓았지만 제가 동봉해 준 종이에다 수를 놓아 보세요.

이만 필을 놓으니 고이 잠드시기 바랍니다.

아름다운 꿈 – 별들의 꿈 –을 꾸길 타지의 소년이 빌겠어요.

1973년 1월 9일

정에게

그간 안녕?

북풍에 날아온 소식 반가웠어. 오늘은 왜 이리 기쁜 일이 많은지.

글쎄, 기대하지도 않았던 일들이 나를 기쁘게 하네.

얼마 전에 한국행정기능개발에서 실시한 부기 검정에서 합격증이 나왔어.

그 순간 얼마나 기쁘던지. 시험을 잘 못 봐서 떨어졌다고 실망하고 있었는데…….

그러니 '기쁨'이란 단어의 의미를 이제야 잘 알겠어.

그리고 집에 돌아오니 정아의 편지가 나를 기다리고 있네.

기쁜 일이 겹치니 내 마음은 저 하늘의 뭉게구름 같아.

편지 반갑게 받아 보았어. 그리고 앙케이트도 재미있게 해 주어서 고마워.

한 가지 섭섭한 것은 정아의 사진이 없는 거야.

이편에서는 그래도 성의껏 빠짐없이 해 보냈는데, 거긴 어찌 그러는지?

초면이라 그런가? 다음엔 꼭 부탁해.

간단하나마 이만 줄인다.

천상(天上)의 친구

1972년 12월 10일

우리 반에는 내가 흠뻑 존경한다고 할까, 그의 행동이 부러울 정도로 모든 면에서 검소하고, 양심이 넓은 친구가 꼭 한 명 있다. 그는 공부에 별로 애착을 안 가지고 있으나, 그렇다고 해서 실없이 놀고만 있는 것은 아니다. 주산 실력은 중간쯤 되고, 콘사이스를 자주 펴 보며 충실히 공부한 탓인지 반에서 결코 10위 이하로 떨어진 적이 없다. 처음에는 어색했지만 지금은 나와 곧잘 이야기한다.

검소하기로는 말도 못 한다. 꼭 필요한 차림과 준비만 해오고, 불필요하고 돈 드는 일은 제 손으로 모든 것을 척척 해낸다. 연필 한 자루, 볼펜 한 자루, 이것만 교복 웃 주머니에 넣고, 필통은 있는지 없는지 가져온 적이 없다. 교복은 1학년 입학 때 맞춘 옷이고, 허리띠는 끈으로 묶고 풀고 사용한다. 운동화는 노상 200원짜리를 사 신고, 모자는 그런대로 깨끗하다.

나는 진실로 그 친구가 존경스럽다. 정말 신처럼 숭배하고 싶다. 그의 인격을 찬미한다. 신이 주신 인격인지 참으로 그러한 인격의 소유자를 생전 처음 만났다. 온후하면서도 너그럽고, 부드러운 미소를 머금고, 부처님같이 큰 몸집에 항상 단정하다. 한마디로 말해서 내성적이다. 내성적이면서도 결코 남에게 비굴하지도 않다.

심장이 어떻게 생겼는지 절대로 남에게 싫게 보이지도 않는다. 비록 남이 장난으로 괴롭혀도 참고 있는 것 같다. 그렇다고 바보 같다고는 할 수 없다. 그야말로 근본적인 경상도 사나이다. 양반집의 자손이 틀림없을 것이다.

나는 영구히 이런 친구는 놓치지 않겠다. 참으로 좋은 친구다.

동짓날은 한국의 크리스마스 ——— 1972년 12월 22일

'동지'라 함은 태양이 동지점을 통과하는 시기로 양력 12월 22일 또는 23일경으로 북반구에서는 밤이 가장 길고, 낮이 가장 짧은 날이다. 그것은 1년의 마지막 달에 존재하므로 흡사 우리 민족의 크리스마스 같다. 서양에서는 고래로부터 크리스마스가 연말의 유흥으로서 오늘날까지 발전해 와서 이젠 전 세계의 유흥으로 변해 가고 있다. 그 영향으로 현재 한국에서도 연말이면 카드를 보내거나 크리스마스의 축제에 휩싸여 정부에서 나서서 연말을 조용히 보내자고 매스컴을 통해 자주 계몽을 한다. '크리스마스를 가족과 함께 보내자' '카드 보내기 간소화' 등말이다.

이와 같은 성향으로 볼 때 한국의 크리스마스는 동지가 되어야 한다고 생각한다. 특히 '동지팥죽'은 한국 고유의 음식으로써 이날에 미신적이지만 팥죽을 시식(詩食)으로 삼아 사당에 제사를 지내며 액을 물리친다고 하면서 대문짝이나 벽 위에 뿌리곤 한다.

시골에서는 매년 이런 행사를 하는 것을 보며 자라서 잘 알아왔지만 도시에서는 어떤가 하고 궁금하였다. 오늘 주인집과 옆방 아주머니, 안방 아주머니께서 팥죽을 먹으라며 주셨다. 갑작스레 너무 많이 받아서 못 먹겠다고 하니까 성의로 주는 것이니 받으라고 하셨다. 농촌에서만 팥죽을 나눠 먹는가 싶었으나 도시에서도 똑같다는 것을 느끼고, 무언가 가슴 속에 뭉클한 게 있었다.

바로 이거다. 서로 의좋게, 서로 도우며 같이 나눠 먹는 '동지 정신'이 바로 협동 정신이 아닌가 한다. 우리는 이 동지를 한국의 크리스마스로 설정하지 않으려는가?

인생에 대한 고뇌와 갈등 —— 1973년 3월 초

(1)

한 마디로 괴롭다. 이 모든 것이 괴로울 뿐이다. 현재 내 주위는 번뇌로 쌓여있다. 아니 내가 그 속에 쌓여있는 현상이다. 도시가 싫다. 모든 소음과 공해를 벗어나 그리운, 정든 고향으로 돌아가고 싶다. 불신, 범죄, 이웃들의 싸움, 조소, 허영에 찬 웃음소리, 무질서하게 오가는 물건들의 서글픈 표정들! 강에 흐르는 더러운 하수도, 나무 한 포기 없는 집 속의 메마른 인심, 발밑에 미끈거리는 노변의 가래들, 숨 막힐 정도로 솟아오르는 이웃 공장의 매연, 시끄럽게 들려오는 기계 소리들! 오를 대로 오르는 미니 치마, 벗을 대로 벗은 상반신, 길가에 앉아서 염불하는 불쌍한 거지들…….

귀찮다. 모든 게 귀찮다. 이 더러운 공기로 숨 쉬게 하고, 꾸중한(오염된) 수돗물을 마시게 하고, 더러운 길을 걷게 하는 운명이여! 왜 나를 이런 추악한 곳으로 보내지 않으면 안 되었나요? 왜 괴로운 소음과 친구하나 없는 악의 구덩이로 보내지 않으면 안 되었냐는 말입니다. 차라리 모든 생활을 버리고 나를 자연 속으로 가게 해 주십시오.

모든 공부도 치우고 다만 조용히 이름 없이 살고 저세상으로 가는 게 나을 것 같다. 왜 내가 대구로 왔나? 왜 내가 이런 괴로움 속으로 자원하여 왔던가? 명성을 얻기 위해? 부를 갖기 위해? 아니면 이 추악한 생을 찬미하기 위해? 이것이 무엇이길래 이토록 괴롭고 나를 불쌍하게 만드느냐? 단칸방에 앉아서 일도 없이 온종일 책만 들여다봐서 무슨 소용이 있나? 왜, 뭐가 답답해서 꺼진 연탄불을 두 눈에 눈물을 흘리며 피워야 하나? 무슨 할 일이 없어서 남자가 부엌에서 밥을 하고 그릇을 절렁거려야 하나?

길가에서 뛰놀다 차가 오면 부리나케 비켜야 하는, 놀이터도 없는 골목길에서 노는 가엾은 도시 어린이들. 그들이 농촌에서 물고기를 잡고, 물놀이를 하며, 흙을 먹고 자라면 훌륭하고 원만한 성격의 소유자로 성장할 것이다. 차라리 이 도시를 떠나 산간벽지에서 자유자재로 활보하고 뛰어다닌다면 아이들은 얼마나 행복할까?

(2)

왜 도시로 왔으며, 내 야망을 위해 어떻게 하면 좋을까? 도시를 버리고 조용한 시골에서 일생을 보내는 것은 어떠할까? 내 꿈은 끝이 없다.

첫째는 이 메마른 조국 강토를 푸르게 할 식목을 위해 내 한평생을 식물 연구로 보내는 것. 식물을 재배하여 희귀한 품종을 만들어 전세계에 한국의 금수강산을 보여주어야 하나? 끝없는 대지에 새 기운을 불어넣어 초토화된 조국 강산을 숨쉬게 하는 일, 아니면 신종자 개발을 위해 일생을 보내야 하나?

둘째로 과학 발전을 향해야 할까? 후진성의 한국의 과학을 우주 시대로 나가게끔 과학자가 될까? 현대의 과학이 뛰어났다고 하지만 우주는 한없이 넓다. 우리 세대에 그 누가 태양계 외에 어느 성(星)과 통신을 시작할까? 그리하여 넓디넓은 우주 공간을 나르며 우주의 신비를 밝혀낼까? 무한한 모험과 낭만으로 이 방면으로 향함이 옳을는지?

셋째로 한국의 뒤떨어진 국어 문화를 세계로 나아가게 하는 문학가가 되어야 하나? 나에게는 문학적 소질이 다소 있다고 생각한다마는 이 방면도 가시밭길이 아닐 수 없다. 세계에서 가장 뛰어나다고 여겨지는 이 한글을 발전이 없이 버려둔 것이 애석한 일임에 틀림없다. 뛰어난 문학가만 나온다면 한글은 1세대 이내 곧 세계 상통어(相通語)가 되리라 믿는다.

이상과 같이 하고 싶은 일들이 그것이다. 간추리면 '나는 과학자, 소설가, 농부 중 어느 것을 선택하느냐?'이다. 지금 내가 처한 현실로는 이들과 거리가 좀 먼 것 같다. 즉, 상업계 학교이므로 토지 개량가(농부, 자연 인물), 문학가(소설가, 시인, 극작가), 과학자(생물학자, 우주 과학자, 지질학자) 이들 중 어느 것을 선택해야 하나? 물론 이들 셋 모두를 선택할 수는 없다. 그렇게 하다가는 아무것도 달성할 수 없을 것이니까…….
나로서는 장수할 수 있고, 평안하며, 생명의 위험을 받지 않는 것을 고르고 싶다. 나의 모든 생활을 버리더라도 그러고 싶지만 진정으로 봉사하기 위해선 나를 소홀히 할 수도 없는 것이다. 내 생각으로는 문학을 택하는 게 나을 것 같다.

용돌 형님께 1973년 3월 15일

계절은 서서히 춘(春)이라는 테두리 안으로 흘러가는가 봐요.

코를 찌르는 도시의 춘풍이 스쳐 가니 거의 봄 날씨 같아요.

밀폐된 시풍(市風)을 벗어나 고향 길을 달리니 도변(道邊)에는 향기로운 진달래가 천지 만홍의 숲을 이루고서 저를 반기네요.

일선에도 이젠 완전히 봄꽃이 물들었겠지요? 요사이 군 생활은 좀 어떠한가요? 소식이 뜸하니 몹시 궁금합니다. 전 요새 심중의 갈등이 한창입니다. 영원히 원망의 초점이 될지도 모르는 일이므로 형님의 간단한 충고를 듣고 싶습니다.

제가 문석 형을 위하여 학업을 중단할까 싶어요. 구차한 가정 사정으로 부모님이 힘들 테고, 동생 현이도 벌써 중학생이니 돈이 여간 드는 게 아닐 겁니다. 게다가 문석 형도 취직이 안 되어 대구에서 몇 달 동안 머물지, 아니 1년이 넘을지도 모를 일인데 드는 돈이 적겠습니까? 거기에 나까지 합하면 우리 집 사정으로는 감당하지 못하리라 생각됩니다.

짜채인 집안 사정으로 해서인지 아니면 농사가 싫어서인지 숙이도 공장에 들어간 지 수 주일이 지났으니 집에는 이젠 농사를 지을 사람이 부족하지 않겠습니까? 그리고 저도 이제 사회에서 배울 건 거의 배웠다고 생각하므로 남은 건 숙련과 정신적인 면밖에 없다고 봅니다. 남을 위해서 나를 희생하는 것은 나쁘지는 않겠지요.

그리고 이젠 도시가 진절머리 납니다. 날마다 소음과 이웃들의 싸움소리, 이런 환경 속에서 나의 인생관이 비뚤어질 것 같고, 또한 도시의 공해가 나를 역겹게 하고 있어요. 더러운 공기를 마시는 것 보다 농촌에서 농사나 지으면서 자연의 도를 배우는 게 더 삶의 멋이 있지 않을까요?

형님! 먼 북방을 쳐다보며 형님의 분명한 충고를 진심으로 기다립니다. 매일 판에 박은 듯, 시곗바늘 같이 자취 집과 학교 사이를 왕복하고 공부만 하는 게 왜 싫어졌는지 나도 잘 모르겠어요. 내 신념이 해이해서인지…….

저를 위해서 여러모로 마음 쓰신 일에 감사드리며…….

경문 올림

가출

1973년 4월

나는 고교 시절, 즉 3학년 전까지만 해도 누구에 못지않은 착실한 소년이었다.

그러나 지금 3학년에 올라온 지 2개월이 안 되었는데 괜히 학교가 싫어지고 자취 집이 싫어졌다.

그래서 하루는 나에 대하여 깊이 생각해 보았다.

앞으로 나는 어떤 사람이 되고, 장래에 어떤 일을 할 것인가를 생각할수록 인생이 비참하게 느껴졌다.

수 주일간 이런 생각들이 머리를 떠나지 않아 이젠 나의 앞길, 즉 나의 장래를 내가 직접 설계해 보기로 작정했다.

짧은 서신을 남기고 나는 정처 없이 길을 떠났다. 아무도 몰래.

먼 훗날 내가 자력으로 성공하면 다시 돌아오겠다면서…….

흐르는 눈물은 금할 길 없었다.

학교 다닐 적에 몇 푼씩 모은 2,000원을 가지고 막상 집을 나오니 돈은 금방 사라졌다.

하루 만에 거의 다 탕진해버리고 단돈 100원밖에 남은 게 없다.

나의 1973년도 예산 1973년 2월

나는 너무 풍족했다. 이제야 생각해보건대 나는 아무 걱정 없이 원하는 대로 부모님으로부터 돈을 타서 썼다. 이보다 더 풍족한 생활이 어디 있겠는가? 비록 자취 생활을 한다 할지라도 무엇 하나 부족한 게 없다. 먹고 싶은 대로 먹고, 쓰고 싶은 대로 썼다. 그래도 나는 될 수 있는 대로 아껴 써왔다. 반면에 형은 손에 돈을 잡았다 하면 곧 써버린다. 왜 그럴까? 나에 대해 생각해보자. 타인은 어떻든지 간에.

돈을 아껴서 쓰자! 흔하게 쓰면 쓸수록 더 많이 쓰게 될 것이다. 내가 풍족하게 쓰면 쓸수록 상대적으로 부모님은 더 고생하실 게 아닌가? 나의 학창 시절의 부채를 어떻게 다 갚을까? 중학생 때 1년 평균 6만 원을 썼다고 해도 3년간 거의 200,000원에 가깝다. 뿐만 아니라 고등학교 1학년 때 거의 65,000원이나 썼고, 2학년 때는 78,000원이나 썼으니 중학생 이후의 합계 금액이 거의 343,000원이다(불확실한 추산). 그러니 이 해에 적어도 80,000원은 들 것으로 생각된다. 그러면 중고 6년간 423,000원이니, 현 시세로는 시골 논이 다섯 마지기나 되지. 내가 타고날 재산은 거의 학업에 다 써버리고, 유산은 무일푼이 될 게 아닌가? 그러므로 가능한 한 아껴 쓰며 꼭 필요한 곳에만 쓰도록 하자.

금년 예산

1. 학비: 수업료(4분기) 35,000 학교 과외비 9,000 학원비 5,000
2. 교통비: 버스 2,400 특별 1,500
3. 책값: 교과서 5,000 잡지 외 1,000
4. 시험 응시료: 주산 1,500 부기 500 기타 300
5. 식품&반찬: 2,500
6. 방세 12,000 잡세금 2,000
7. 약, 사진, 두발, 신발 3,500
8. 잡비 3,000

합계 84,200원

교정의 은행나무
1973년 말

교정 한 복판에 노랑 부채 정립(正立)하다
말 없는 스승이요 정다운 벗이로다
꿋꿋한 네 웅좌(雄座)로써 대상(大商)을 괴었으리

너의 푸른 잎이 쉰 차례 물들다
월계 무늬 백구(白球)가 전국을 휩쓸었다
찬란한 올해야말로 굵은 가지 뻗으라

가슴에 품은 한(恨) 태극단(太極團)이 분개하고
그 기풍 본받아 대상(大商) 정신 싹텄으니
아롱진 그 잎새마다 민족혼이 박혔으라

학교 본관 사진

큰 그릇 — 1973년 11월 12일

오늘 새삼 크게 느꼈다. 나의 민족들은 왜 이래 작은지. 내가 키가 커서 그렇게 보이는지 모르지만 참으로 작다. '작은 고추가 맵다'라는 격언이 있지만 작은 고추는 큰 고추보다 이용할 용도가 적다. 될 수 있으면 작은 것보다 큰 것이 좋을 것이다. 특수한 경우를 제외하고는 내가 보기엔 우리 한국인은 키만 작은 것이 아니다. 뜻도 작고, 희망도 작고, 종교, 문학, 미술, 음악 등 할 것 없이 거의 대부분이 규모가 작다. 걸작보다는 졸작이 많은 것 같다. 그것은 사람이 작아서일까, 국토 면적이 작아서일까?

먼저 신체적인 면에서 보면 동양인들은 거의 다 그렇겠지만 서양인들보다 훨씬 작다. 과거에는 우리가 일본인을 가리켜 '왜인'이라고 했지만 이젠 우리가 그런 말을 들어야 할 처지다. 신체 구조상 작은 것보다 키가 크고 튼튼한 것이 훨씬 위엄 있고 힘있게 보이며, 편리할 것이다. 괜히 조그만 한 게 큰소리를 치면 대인(大人)이 때리면 억울해도 맞는 수밖에 없다. 국가가 힘이 약하면 남의 나라의 침입을 받듯이 대인관계에서도 마찬가지이다. 국토를 방위하려면 국민들의 신체가 건강하고 튼튼해야 한다. 만약 왜소하다면 방위력도 미약할 것이다. 최근에 이 문제로 무시험제도가 생기고, 체력장을 실시하는 것은 참으로 좋은 일이라고 생각한다. 자기 신체가 건강하고 커야만 무슨 일이든지 마음먹은 대로 꾸준히 실행할 수 있기 때문이다.

다음으로 사고 면에서 살펴보면 큰 뜻을 품고 크게 해 보겠다는 생각을 가진 사람이 적다고 생각한다. 뜻대로 안 될 만한 경제적인 사정이 있겠으나 꾸준히 노력하면 안 되는 게 거의 없을 것이다. 일개의 볼품없는 병사에서 프랑스 황제의 자리에 오른, 세계에서 손꼽히는 프랑스의 영웅 나폴레옹은 '내 사전에 불가능이란 단어는 없다.'라고 하였다. 누구나 뜻을 크게 품고서 한국에서뿐만 아니라 세계적으로 크게 명성을 떨칠 그런 인재가 필요하다고 본다.

그저 우리 선조들은 먹고살기에 바빠 이런 엄청나게 큰일에는 별로 염두에 둔 것 같지 않다. 자기가 힘껏 열심히 하여 일을 성취해 보겠다는 생각보다도 '어떻게 하면 나보다 못하게 할까'하고 방해하는 수단만 강구하고, 얕은 수단만 쓰는 야박한 사자(思者)만 고안할 뿐이다. 보다 더 마음을 크게 먹고 뜻 있는 사람을 돕고 동조하는 그러한 한국인의 자세가 요구된다.

문학에 있어서는 거작을 써서 한국에서도 노벨상 수상자가 쏟아져 나오고, 세계적인 문호로써 한국을 빛내며, 음악과 미술에서도 세계적인 예술가들이 쏟아져 나와야 할 것이다. 영화도 좀 더 현대적이고 거시적인 시각으로 넓은 세계관이 박힌 작품이 나와야 할 것이다.

건축 면에 있어서 참으로 뚜렷하게 작은 기색이 나타난다. 우리나라에서는 로마의 콜로세움, 그리스의 파르테논 신전, 이집트의 피라미드와 스핑크스, 인도의 타지마할 묘, 프랑스의 베르사이유 궁전 등과 같은 대형 건축물이 거의 없다. 중남미의 토인들도 대형의 건축물을 지었고, 영국, 러시아, 미국 등도 초대형 건물을 지었다. 그러나 우리나라는 신라시대로부터 대형 보다 소형의 건축물만 지었고, 정밀하고 섬세하기는 하나 웅장하지 못하다. 물론 인구가 적어 그러한 대공사를 할 만한 여유가 없었다고 하더라도 안타까운 점이라고 생각한다.

세계는 넓다. 우주는 참으로 넓다. 끝없는 무한대의 공간이겠지. 우리는 자기만족에 그치는 좁은 소견을 탈피하고, 보다 더 세계적인 인물이 쏟아져 나와야 하겠다. 앞으로 우주 시대가 도래하고 있으며, 뛰어난 과학자가 필요하다. 21세기에는 우리나라가 세계적으로 앞서고, 우주를 독점하는 그런 시대를 기대한다.

신체 면에서 어느 나라에 못지않게 크며, 큰 뜻을 품고서 내가 한국을 빛내고, 나아가서는 세계를 빛내겠다는 각오가 새삼 필요하다. 소인, 소견해, 소형에서 벗어나 대(大)를 향해 달려야 하겠다. 작은 것보다는 큰 것, 적은 것보다는 많은 것, 작은 그릇보다 큰 그릇이 앞으로 한국 사회가 요구하는 인물상이다.

독서에 대하여 1974년 1월

고등학교 교과서에 나오는, 참으로 몇 번이고 읽고 싶도록 잘 묘사된 『별』이라는 단편집을 읽었다. 또 프랑스와 독일의 분쟁지인 로렌 지방의 비극을 그린 『마지막 수업 시간』도 재미있게 읽었다.

제2차 세계대전 때 독일군의 침략으로 짓밟힌 프랑스의 비극을 그린 『정복되지 않은 여자』를 읽고 깊은 감동을 받았다. 교사로 일하고 있던 프랑스 여자가 자기 나라를 침략한 독일 군인에게 지나친 말을 하고 멸시를 하다가 처녀성을 잃게 되었다. 그 후에 자신의 행위를 후회하며 자주 찾아와 도와주는 독일군인 한스에게 부모는 잘 보이고 결혼을 하라고 권하지만 끝내 반대하다가 그녀의 약혼자가 전사했다는 소식을 듣는다. 그럼에도 불구하고 한스를 계속 애먹이다가 한 번의 실수로 아이를 갖게 된다.

한스는 계속 양식과 각종 물건을 가져다주면서 그녀에게 결혼을 요청한다. 또 결혼하면 프랑스에서 같이 살겠다고 한다. 드디어 아기가 태어나서 한스는 드디어 자기와 결혼할 것으로 생각하고 그녀의 방문을 노크하지만 그녀는 사라지고 없었다. 급히 그녀의 부모와 함께 찾아 나섰으나 강에서 물에 흠뻑 젖어있는 그녀를 발견한다. 아이는 어떻게 했느냐 하고 묻자 자기의 마음이 약해질 것이 두려워 아기가 죽을 때까지 물속에 넣어 두었다고 했다. 그 후 한스는 다시 그녀를 찾아오지 않았다. 한 여인의 강인함을 묘사한 단편 소설이다.

마지막으로 『세 학생의 모험』이라는 추리 소설을 읽었다. 파리 대학의 한 교수가 중대한 시험인 장학 시험이 시작되기 바로 전날 시험지를 작성하다가 잠깐 어디를 다녀오게 되었다. 교수의 비서가 문을 잠그지 않고 나간 사이에 범인이 들어와서 시험지를 베껴갔다는 얘기를 듣고 저자의 친구가 하룻밤 만에 범인을 찾아내어 시험을 못 보게 했다는 이야기다. 이것은 예전에 읽었던 것 같다.

알퐁스 도데의 단편집을 대체로 재미있게 읽었다. 단편은 정말 간결하고 주제가 선명하여 바쁘게 살아가고 있는 현대인에게 인기를 얻고 있다고 생각된다.

에필로그

입학식 3월 2일

학교의 첫날. 오늘 입학식을 했다. 그런데 같은 반 친구가 26명이였다.

그리고 어린이집에서 원래 친했던 친구가 남자 두 명만 있었다.

그리고 학교가 끝났을 때 엄마랑 햄버거를 먹고 처음으로 핸드폰을 산 오늘의 내 감정은?

난 너무너무 좋았다. 그리고 엄마는 너무 뿌듯해했다.

금년에 초등학교에 입학한 외손녀 라일이의 첫 일기다. 나의 첫 일기는 중학교 1학년에 입학하고 한 달 후인 4월 2일부터 쓰기 시작하였으니 라일이가 나 보다 6년이나 먼저 일기를 쓰기 시작한 셈이다.

우리 손녀 라일, 이설, 라엘이도 어릴 적부터 일기 쓰기를 시작한다면, 논리적인 사고 체계가 잡히고 생각의 폭이 넓어질 것으로 확신한다.

우리 손녀뿐만 아니라 이 땅의 모든 어린이와 학생들이 글쓰기의 초석이 되는 일기를 매일 쓴다면 필자는 너무너무 행복할 것이다.

나의 아름다운 송백리

나의 고향 송백리 이바구 Ⅱ

초판 1쇄 2021년 05월 31일 발행
출판등록 제 406-2003-055호

지은이 김경문
펴낸이 김용환
편집 김성경 라윤형
디자인 윤다희

펴낸곳 (주)인생산책
주소 (04310) 서울시 용산구 청파로 47길 90 405호, 406호 (숙명여대 창업센터)
대표전화 1899-4528 **전자우편** we@lifewalk.kr **홈페이지** www.lifewalk.kr

값 15,000원
ISBN 979-11-7047-904-8